Richard Cœur de Lion

DU MÊME AUTEUR

Les Statuts municipaux de Marseille, édition critique du texte latin du XIIIe siècle, collection des Mémoires et documents historiques publiés sous les auspices de S.A.S. le prince de Monaco, Paris-Monaco, 1949, LXIX-289 p.
Lumière du Moyen Age, 1946; rééd. Grasset-Fasquelle, 1981; Livre de poche, 1983. Prix Fémina Vacaresco 1946.
Histoire de la bourgeoisie en France, rééd. 1976-1977; coll. Points-Histoire. 1981.
Vie et mort de Jeanne d'Arc (les témoignages du Procès de réhabilitation 1450-1456), Hachette, 1953, 300 p.; éd. Livre de poche, 1955; rééd. Marabout, 1982.
Jeanne d'Arc par elle-même et ses témoins, éd. du Seuil, 1962, 334 p.; rééd. Livre de Vie, 1975.
Jeanne devant les Cauchons, éd. du Seuil, 1970, 128 p.
8 mai 1429. La libération d'Orléans, Gallimard, coll. « Trente journées qui ont fait la France », 1969, 340 p.
Les Croisades, Julliard, coll. « Il y a toujours un reporter », dirigée par Georges Pernoud, 1960, 332 p.
Les Gaulois, éd. du Seuil, 1957; album 1979.
Jeanne d'Arc, éd. du Seuil, 1959; album 1981.
Les Croisés, Hachette, 1959, 318 p.; rééd. *Les Hommes de la croisade*, Fayard-Tallandier, 1982.
Aliénor d'Aquitaine, Albin Michel, 1965, 295 p.; Livre de poche, 1983.
Héloïse et Abélard, Albin Michel, 1970, 304 p.; Livre de poche, 1980.
La Reine Blanche, Albin Michel, 1972, 368 p.; Livre de poche, 1984.
Les Templiers, P.U.F., 1974, rééd. 1977; coll. « Que sais-je? ».
Pour en finir avec le Moyen Age, éd. du Seuil, 1977, 162 p.; rééd. Points-Histoire, 1979.
Sources et clefs de l'art roman, avec Madeleine Pernoud, 220 p.,Berg International, 1980.
Jeanne d'Arc, P.U.F. coll. « Que sais-je? », 1981.
Le Tour de France médiéval, avec Georges Pernoud, Stock, 452 p., 1982.
La Femme au temps des cathédrales, éd. Stock, 306 p.; rééd. Livre de poche, 1983.
Le Moyen Age raconté à mes neveux, 216 p., 1983.
La Plume et le parchemin, avec Jean Vigne, Denoël, 1983.
Les Saints au Moyen Age, Plon, 1984.
Saint Louis ou le crépuscule de la féodalité, Albin Michel, 1985.
Jeanne d'Arc, avec Marie-Véronique Clin, Fayard, 1986.
Le Moyen Age, pour quoi faire?, avec R. Delatouche et J. Gimpel, Stock, 1986.
Isambour, la reine captive, avec Geneviève de Cant, Stock, 1987.
Images du monde, coll. « Couleurs du Moyen Age », Éd. Clairefontaine-Slatkine, 1987.

Régine Pernoud

Richard Cœur de Lion

Fayard

Avant-propos

Après bien des années consacrées à Aliénor d'Aquitaine, il était tentant d'accorder quelque attention à son fils préféré; elle eut cinq fils, comme chacun sait. Mais l'un d'eux a tenu une place particulière : Richard, que certains contemporains surnommèrent le Poitevin et qu'aujourd'hui tout le monde appelle Cœur de Lion; il n'avait pas vingt ans que déjà Giraud de Barri le nommait ainsi.

Richard Cœur de Lion est le vrai, le digne héritier d'une « femme incomparable » et le seul qui ait régné sous son égide. De son frère puîné et successeur Jean Sans Terre, mieux ne vaut pas parler : avec lui, le royaume Plantagenêt s'en allait en lambeaux quand il eut le bon esprit de mourir, juste à temps pour empêcher le débarquement en Angleterre de Louis de France d'être un succès, renouvelant celui du Conquérant. Mais l'hostilité restait latente entre France et Angleterre, et les trêves conclues ne devaient se transformer en « bonne paix ferme » que grâce à l'initiative si intelligente de Saint Louis, instaurant une entente entre « cousins germains » que son petit-fils Philippe le Bel eût été plus avisé de maintenir.

Sous les hautes voûtes du chœur de Fontevraud, résonnant du chant alterné des moines et des moniales, la tombe de Richard Cœur de Lion fut longtemps vénérée entre celles de son père Henri II Plantagenêt et de sa mère Aliénor d'Aquitaine – entre le comte d'Anjou et la duchesse d'Aquitaine, roi et reine d'Angleterre, dont il fut le fils et le successeur illustre. Trois personnages qui ont inscrit, dans l'histoire de l'Europe, une page inoubliable; les Anglais ne s'y sont pas trompés : ils n'ont cessé de rendre visite à la magnifique abbatiale, dont l'autel avait été consacré par le pape en personne dans les premières années du XII*e siècle, et dont le rôle fut immense dans l'épanouissement et la fécondité de ce qu'un Gustave Cohen appelait « notre Grand Siècle ».*

Mais de ces trois figures, l'une surtout est entrée dans la légende : Richard, le Cœur de Lion; il incarnait les espoirs, les goûts profonds, les traits de caractère de sa mère et de la lignée maternelle. Dans le vaste royaume qui lui échoit par la mort de ses deux frères aînés – Guillaume, disparu tout enfant, et Henri, le « Jeune Roi » – c'est l'Aquitaine qui est son domaine propre. Aliénor l'a élu et l'a fait introniser avec toute la solennité désirable; et il s'y attache à tel point que, devenu adulte et roi, lorsqu'on lui offre la couronne du Saint Empire romain germanique, il la refuse sans hésiter; elle eût pourtant comblé l'ambition de n'importe lequel des princes dans l'Europe de son temps. Mais elle ne pouvait supplanter, pour lui, les fastes de l'Aquitaine, les vignobles du Médoc, les terrains de chasse du Talmondois et les chants des troubadours.

Bien dans la ligne aussi des barons aquitains, voire des troubadours, son départ pour la Terre sainte. Aliénor s'y était rendue avec son premier époux, Louis VII, roi de France, une quarantaine d'années auparavant. Plus heureuse que ne devait l'être son fils, elle avait connu les rives de l'Oronte, et pénétré dans Jérusalem la Sainte; elle n'a pu qu'encourager son fils à tenter lui aussi de reconquérir ces Lieux saints, qui tiennent si fort au cœur des chrétiens.

Elle a fait plus encore : quelle vigilance n'aura-t-elle pas déployée, pendant que Richard combattait outre-mer, pour lui conserver son royaume! C'est par une victoire de son sens maternel, autant que de son sens politique, qu'elle y est parvenue. Elle a dû se débattre contre des difficultés de tous ordres : l'ambition sournoise de son dernier-né, celle, avouée, du roi de France Philippe Auguste, les embûches menaçant à l'intérieur un pays en pleine expansion où les grands bourgeois se faisaient exigeants – sans parler du souci de prolonger sa lignée, qui lui fait traverser l'Europe pour amener à son fils la fiancée de son choix.

Résumant cette attitude, cette inlassable présence à l'événement, le moine Richard de Devizes s'écrie : « Une femme incomparable! » Ce cri d'admiration qu'elle lui arrache, la biographie de Richard Cœur de Lion le confirme. Et il est amusant de le confronter, en notre XXe siècle, avec tant d'incompréhensions, voire de simples sottises, sous la plume de commentateurs qui auraient pourtant les moyens de mieux s'informer : ainsi, tout récemment encore, ceux qui s'épuisent à dénier à la reine Aliénor toute influence sur l'éclosion de la vie littéraire tant en Aquitaine qu'en Angleterre, en dépit de tant d'ouvrages qui lui sont dédiés, de tant d'œuvres anglo-normandes nées en son temps! Certains niant pour cela toute chronologie, jusqu'à protester qu'elle avait passée « la plus grande partie de sa vie en prison »... ! Un recours à l'arithmétique élémentaire leur apprendrait qu'entre la date de 1152 – Aliénor avait trente ans – et celle de 1174 où elle subit son emprisonnement, il s'était écoulé vingt-deux années, les plus riches, les plus fécondes et généralement les mieux remplies en toute vie humaine; mais c'est visiblement cette expérience humaine qui manque alors au commentateur sûr de lui!

Ne nous attardons pas à discuter pareilles sornettes. Au vu de la biographie de Richard, le rôle de sa mère apparaît plus complet encore et plus lumineux, que quand nous tentions de retracer la sienne. C'est bien un visage de Reine qui aura dominé la deuxième partie du

XIIe siècle européen, – comme un autre visage de Reine, sa petite-fille, Blanche, aura dominé la première moitié du XIIIe siècle français.

Et il y a, heureusement, au sujet d'Aliénor comme de Richard, suffisamment d'œuvres solides, donc équitables, auxquelles le lecteur pourra se reporter au besoin : en premier lieu, chez nous, celle d'un Edmond-René Labande; ou, à l'étranger, en dehors d'Amy Kelly, comme de la plupart des historiens américains ou anglais cités en bibliographie, les travaux de Reto Bezzola, qui fut sans doute le premier à mettre en lumière et élucider « les origines et la formation » de notre tradition courtoise.

À eux notre reconnaissance. Et puisque nous en sommes au chapitre des remerciements, disons ici tout ce que nous devons à ceux qui, autour de nous, de diverses façons, auront tant facilité notre tâche : Emmanuelle Hubert qui nous a fait des recherches bibliographiques, Thérèse Conquer à qui nous devons la mise au net de notre rédaction, Jean Gimpel, sans l'aide active duquel nous n'aurions pu mener à bien l'ouvrage.

Reste à dire un mot, de reconnaissance aussi, à ces compagnons de route efficaces et prestigieux : les chroniqueurs du XIIe siècle, dont la lecture est d'un intérêt extraordinaire. Suivre les faits et gestes de Richard Cœur de Lion à travers les récits de Roger de Hoveden, de celui (ou ceux) qu'on appelle Benoît de Peterborough, plus encore de ce Richard de Devizes déjà cité, dont la verve est acérée et l'humour inépuisable, – c'est un plaisir sans cesse renouvelé; sans parler d'Ambroise, pour l'expédition en Terre sainte dont il donne une vision si animée et si convaincante à la fois; jusqu'à mettre dans la bouche de Saladin, en quelques vers, un portrait si juste de son adversaire :

[...] Je sais bien que moult a
Le roi prouesse et hardement;
Mais il s'embat si follement!

Et de lui souhaiter « largesse avec sens et mesure », cette dernière qualité n'étant guère en effet l'apanage de Richard ! Nous avons largement puisé dans ces récits que nous citons au fil des pages, espérant que le lecteur y trouverait autant de plaisir que nous en avons trouvé nous-même ; et qu'ainsi, mis en contact avec les sources, le plus souvent possible, il pourrait à son tour se faire une opinion personnelle sur un héros qui semble échappé d'un roman – mais un roman de chevalerie.

R.P.

CHAPITRE PREMIER

Les premiers pas du lion

Scène typiquement féodale que celle qui se déroula au château de Montmirail au jour de l'Épiphanie, 6 janvier 1169 : le roi de France, Louis VII, y recevait son vassal le plus important, Henri II Plantagenêt, venu lui prêter « foi et hommage ».

Toute la société féodale reposait sur ces liens d'homme à homme – disons plutôt : de seigneur à vassal et réciproquement (en comprenant que l'un ou l'autre rôle pouvait être dévolu à une femme, bien entendu). On allait voir Henri, à genoux, ceinturon défait, plaçant sa main dans celle du roi, qui le recevait dans un fauteuil à haut dossier, drapé d'une soierie bleue; le premier promettait fidélité, le second, recevant cette promesse, l'assurait de sa protection. Mais s'il s'agissait là d'une cérémonie fort courante dans la vie au XIIe siècle, se répétant à tous les échelons d'une hiérarchie qu'il fallait faire respecter, celle de Montmirail prenait un sens tout particulier.

D'abord en raison des personnages en cause : le seigneur qui reçoit l'hommage est le roi de France; celui qu'il va baiser sur la bouche est roi d'Angleterre, lequel ne doit évidemment hommage que pour ses domaines continentaux, aussi vastes, sinon davantage, que les domaines sur lesquels le roi Louis VII exerce un pouvoir direct, puisqu'ils couvrent tout l'ouest de la France.

Aussi les deux hommes ne sont-ils pas seuls impliqués

dans la démarche du roi Henri II, et ce dernier a, dès la première minute de l'entrevue, annoncé l'importance de la cérémonie en saluant le roi de France :

« Seigneur, en ce jour de l'Épiphanie où les trois rois ont apporté leurs présents au Roi des rois, je recommande à votre protection mes trois fils et mes terres. »

À ses côtés en effet s'avancent trois jeunes gens en lesquels Louis, bien qu'il ne connaisse que l'aîné, doit discerner quelques traits familiers : ne sont-ils pas les fils de sa première épouse, cette reine Aliénor qu'il a follement aimée dans sa jeunesse et qui s'est séparée de lui quelque dix-sept ans auparavant pour se remarier presque aussitôt avec ce même Henri II qui vient lui faire hommage? Trois beaux garçons, l'aîné surtout, Henri le Jeune, quinze ans, visage avenant, allure élégante; à lui est promis le trône d'Angleterre et aussi la Normandie, le Maine, l'Anjou. Le plus jeune, Geoffroy, n'est encore qu'un enfant, il n'a pas onze ans; c'est la Bretagne qui lui est destinée; il est brun, vif, un vrai prince charmant, bien qu'un peu plus petit de taille que ses deux frères. Quant à Richard, le deuxième, qui, au contraire, a déjà l'aspect d'un adolescent bien qu'il n'ait pas douze ans, son allure décidée, ses cheveux d'un blond vif tirant sur le roux, attirent aussitôt l'attention; son lot n'est pas le moins enviable : le Poitou et l'Aquitaine – les fiefs maternels qui ont été autrefois le bien commun de Louis et d'Aliénor...

« Puisque le Roi qui reçut les dons des mages semble avoir inspiré vos paroles, répond Louis, puisse-t-Il aider vos fils, en prenant possession de leurs terres, à le faire sous le regard de Dieu. »

Il s'est exprimé lentement, pesant bien ses mots; c'est que la scène comporte un tel arrière-plan – rivalités personnelles et luttes féodales, espoirs réalisés, ambitions déçues... – qu'on se demande comment, entre ces deux hommes – qui jusqu'alors ne se sont guère rencontrés que les armes à la main – peuvent être échangées des paroles de paix.

De fait, l'entrevue de Montmirail – une superbe forteresse à quelque six lieues au nord de Vendôme, dans le comté du Perche, entre le Maine et le pays chartrain – marque un véritable tournant dans la politique des rois de France et plus encore d'Angleterre. Le Plantagenêt est ostensiblement décidé à la paix; mieux, il veut se conformer aux usages féodaux qui donnent très tôt aux jeunes princes des responsabilités et les introduisent dans le monde des adultes. Et pour ce faire, il se plie aux coutumes qui lient entre eux seigneur et vassal. Tour à tour, chacun de ses trois jeunes fils va venir s'agenouiller devant le roi de France et se déclarer son homme lige et son vassal pour ses domaines. C'est le premier acte de leur vie publique.

Pour Richard, ce sera aussi le premier pas vers sa vie d'adulte, car, à Montmirail, il va trouver sa fiancée. Les usages du temps – encore – sont responsables de ces unions imposées : un accord de paix est généralement scellé par une promesse de mariage. Henri le Jeune est déjà marié à l'une des filles du roi de France, Marguerite, née des secondes noces de Louis avec Constance de Castille et Geoffroy, malgré son jeune âge, est promis à Constance de Bretagne. En cette année 1169, ce sera Richard qui aura la charge – ou, si l'on préfère, qui fera les frais de cette obligation, contrepartie des honneurs dont jouissent les fils de familles nobles : le mariage décidé pour raison politique. Une seconde fille de Louis et Constance sera son épouse; elle se nomme Aélis, Alice ou Adélaïde. La fillette – elle n'a que neuf ans – va entrer dès ce 6 janvier dans sa nouvelle famille comme l'a fait sa sœur, Marguerite, à un âge plus tendre encore, puisqu'elle n'avait que trois ans lorsque fut célébré son mariage avec Henri le Jeune qui en avait sept! Richard avait été déjà fiancé, à sa naissance ou presque, avec Bérengère, fille du comte de Barcelone, Raymond Bérenger, mais on n'avait pas donné suite au projet.

Mais les entretiens de Montmirail allaient avoir une seconde conclusion elle aussi appelée à compter dans l'Histoire. Après les scènes d'hommage et d'accord, un homme jeune encore, vêtu comme un moine, le visage ascétique où brillent des yeux lumineux, se présente. À son approche, le roi Henri II a légèrement tressailli, mais Henri le Jeune, lui, a eu un mouvement joyeux vers celui qui pendant plusieurs années a été son précepteur et son maître : Thomas Becket. Et la chronique a retenu les paroles prononcées en cette occasion par l'ex-chancelier d'Angleterre nommé par le roi archevêque de Cantorbéry, puis exilé et contraint d'implorer aide et protection de Louis VII : « En présence du roi de France, des légats du Pape et des princes, vos fils, dit Thomas, je remets la cause entière et toutes les difficultés qui en ont surgi entre nous, à votre jugement royal »; et d'ajouter, après un silence : « sauf l'honneur de Dieu ». Nul ne mesura l'influence qu'auront ces quelques mots sur la suite des événements...

Ce qui était, en revanche, manifeste à propos de ces entretiens de Montmirail, c'est qu'un personnage manquait, qui aurait dû assister à la cérémonie : la reine d'Angleterre, Aliénor, dont les possessions personnelles étaient celles mêmes pour lesquelles le second de ses fils venait de faire hommage à Louis VII : l'Aquitaine et le Poitou. Allait-elle se sentir frustrée par la démarche que venait d'accomplir son fils Richard, obéissant visiblement à son père? Il ne le semble pas, mais, pour comprendre toutes les ambitions qui étaient en jeu – un jeu subtil, comme ceux qui résultaient de ce droit féodal pour nous si déconcertant –, il n'est pas inutile d'évoquer brièvement le passé romanesque de celle qui était présentement reine d'Angleterre.

Aliénor avait donc été l'épouse de ce Louis VII auquel ses trois fils venaient de faire hommage. Mais, après quinze ans d'une vie commune parfois agitée, elle avait souhaité s'en séparer et, sous le prétexte d'un empêchement de consanguinité, avait fait déclarer le mariage nul. Elle avait eu deux enfants, deux filles : Marie et Alix; après quoi, elle avait, selon l'usage, repris ses possessions personnelles et réintégré sa capitale, Poitiers où, moins de deux mois plus tard, on l'avait vue se remarier avec celui qui n'était encore qu'Henri Plantagenêt, duc de Normandie et comte d'Anjou, mais qui n'avait pas tardé à ceindre la couronne d'Angleterre. L'un et l'autre avaient été solennellement investis de leurs droits à Westminster, le 19 décembre 1154, quinze ans donc avant l'entretien de Montmirail.

Aliénor avait ensuite vécu des années de triomphale activité auprès de son jeune époux (âgé de dix ans de moins qu'elle, mais d'une évidente maturité). Tout semblait réussir à ce couple d'une énergie sans limites, dont la puissance s'étendait maintenant des mers du Nord aux monts des Pyrénées, des landes de l'Écosse à ce golfe Atlantique où les gens de Bayonne pêchaient alors la baleine. Remarquable administrateur, Henri était non moins remarquablement conseillé et aidé par son épouse, docte politique et mère avisée. Successivement, huit enfants leur étaient nés. Bien que l'aîné de ceux-ci, un fils nommé Guillaume, fût mort prématurément à l'âge de trois ans, leur famille était une promesse d'espoir et aussi d'ambitions : leur fille aînée, Mathilde, n'avait-elle pas été fiancée à un puissant prince d'Empire, Henri le Lion, duc de Saxe? Dès 1167, à l'âge de onze ans, la petite princesse s'était embarquée à Douvres, accompagnée de sa mère, pour aller rejoindre son futur époux...

Mais un événement imprévu s'était alors produit. Peu de temps auparavant, en décembre, au moment même où, mère pour la dixième fois, la reine Aliénor mettait au monde un fils, Jean, qui devait être le dernier, au mois de décembre, la rupture était déclarée avec Henri Plantagenêt : celui-ci n'avait pas craint de la tromper avec la belle Rosemonde – la « *Fair Rosamund* » des ballades anglaises et – ce qu'Aliénor devait avoir plus encore de mal à lui pardonner –, à s'afficher publiquement avec elle.

La politique de la reine bafouée allait dès lors se révéler aussi résolument hostile à son époux qu'elle lui avait été bénéfique auparavant. L'idée d'opposer à celui de leur père le pouvoir de ses propres enfants était née en elle, et elle allait, des années durant, s'employer à la réaliser. Voilà pourquoi, sans assister aux entretiens de Montmirail où sa position eût été délicate vis-à-vis de Louis VII, son premier époux, elle dut se réjouir secrètement de ces accords qui instituaient les héritiers du vaste royaume des Plantagenêts, chacun se trouvant désormais pourvu de son fief propre. Le pivot de sa politique personnelle serait ce second fils, appelé à devenir comte de Poitou et duc d'Aquitaine, recueillant donc ses domaines à elle, Aliénor.

Richard, né le 8 septembre 1157, est le premier fils qu'elle ait eu après la mort de son aîné, Guillaume; c'est lui surtout qui est l'objet de sa sollicitude maternelle. Ce beau garçonnet, solide et bien campé, avec son abondante chevelure roussâtre, rappelle un peu son père, Henri II, tel qu'il lui apparut lorsqu'elle en est tombée amoureuse; agile à tous les exercices du corps, il est très doué aussi pour ceux de l'esprit. On rapporte d'ailleurs que Richard a été nourri du même lait qu'Alexandre Neckham, le fameux philosophe et théologien anglais; tous deux sont nés la même nuit du 8 septembre 1157, Richard à Oxford, Alexandre à Saint-Albans. Et la mère d'Alexandre a été également la nourrice de Richard : « Elle nourrit celui-ci de son sein droit et Alexandre de son sein gauche », précise le chroniqueur, qui semble satisfait d'expliquer ainsi les facultés intellectuelles du Plantagenêt... Comme son frère aîné, Henri, il apprend avec facilité, a la riposte vive et l'humeur joyeuse. Geoffroy, lui, possède une personnalité moins marquée. Quant à Jean, le dernier-né, il n'a que trois ans et ne tardera pas à être confié au monastère de Fontevraud où il passera cinq ans, recevant là sa première éducation.

On va voir, dès l'année qui suit ces accords de Montmirail, Aliénor mettre en œuvre sa politique personnelle à propos du jeune Richard. Henri Plantagenêt a regagné l'Angleterre dans de mauvaises conditions : lorsqu'il a enfin pu aborder à Portsmouth, le 3 mars 1170, c'est après avoir subi une terrible tempête au cours de laquelle l'un des plus beaux vaisseaux de sa flotte est allé par le fond, noyant quelque quatre cents hommes de sa suite; si lui-même est sain et sauf, il semble avoir été vivement éprouvé par cette épouvantable traversée.

Cependant, la reine, redevenue plus que jamais « Aliénor d'Aquitaine », s'organise sur son domaine propre et, s'appuyant sur ces accords de Montmirail par lesquels son époux – involontairement peut-être –, a ouvert à son activité une voie dont elle saura profiter, commence par s'entourer de fidèles et d'amis : son sénéchal, Hugues de Faye, son connétable, Saldebreuil, son panetier, Hervé, et un certain nombre de clercs comme Pierre, son chapelain, maître Bertrand et plusieurs autres, lui composent une Cour restreinte certes, mais efficace.

Une figure y manque : celle du comte Patrick de Salisbury qu'Henri II a placé à ses côtés pour la défendre, ou peut-être pour la surveiller. Il a fait preuve, en tout état de cause, d'une fidélité sans pareille puisque, grâce à lui, Aliénor a, le 27 mars 1168, échappé à une embuscade qui aurait pu lui être fatale; c'est en protégeant la retraite de la reine – en fait, une fuite éperdue qui lui avait permis de s'enfermer dans l'un de ses châteaux – que Salisbury avait été frappé lâchement, par-derrière, par un homme à la solde des Lusignan, barons poitevins toujours prêts à la rébellion. Aussi bien, avant toute autre cérémonie, Aliénor fit-elle célébrer un service solennel à la mémoire du comte de Salisbury en l'abbaye de Saint-Hilaire de Poitiers. Un jeune garçon y assistait, qui devait laisser un nom dans l'histoire : William, ou plutôt Guillaume, celui qu'on appelle le Maréchal; neveu du comte de Salisbury, il avait été blessé lors de cette fameuse rencontre et s'était défendu avec une vaillance que tous avaient remarquée, s'adossant à une haie pour mieux tenir tête aux hommes de main qui l'assaillaient – jusqu'au moment où l'un d'entre eux, contournant la haie, avait réussi à le frapper par-derrière. Aliénor, mise au courant des exploits du jeune homme, avait aussitôt payé sa rançon, puis lui avait proposé de faire désormais partie de son entourage immédiat. À vingt-deux ans il était ainsi devenu le compagnon et comme le moniteur de ses deux fils aînés, Henri et Richard, car il excellait à monter à cheval et à manier la lance. La reine n'avait pas manqué, lors de son passage à la vénérable abbaye Saint-Hilaire de Poitiers, d'instituer pour le repos de l'âme du comte de Salisbury un service perpétuel; abandonnant pour cela aux moines tous les droits qu'elle possédait sur la terre de Benassay. Cette abbaye de Saint-Hilaire était particulièrement chère aux cœurs des Poitevins. Placée sous le vocable du saint docteur et père de l'Église, apôtre de la Trinité sainte, qui avait été le maître, l'ami et le conseiller du glorieux saint Martin, elle prolongeait jusqu'en ce XIIe siècle l'écho des luttes et des gloires de la chrétienté à ses débuts en Poitou. Les ducs d'Aquitaine étaient par tradition proclamés abbés de Saint-Hilaire, et Aliénor aurait eu garde de manquer à une aussi glorieuse tradition.

Une série de fêtes solennelles allaient donc se dérouler, organisées par ses soins, pour établir le pouvoir de son fils aîné, Richard, sur le Poitou et l'Aquitaine. Ce fut d'abord une Cour plénière tenue à Niort pour les fêtes de Pâques. Barons et prélats du domaine y étaient convoqués, et comme ces fêtes et ces assemblées étaient aussi destinées à régler les litiges et apaiser les discordes, Aliénor, au nom de Richard, s'empressa d'annuler toutes les confiscations opérées par Henri II dans les comtés d'Angoulême, de la Marche et, plus généralement dans toute l'Aquitaine. Ainsi, le comte de Poitiers – tel était désormais le titre du jeune homme – allait-il bénéficier d'une popularité certaine auprès des populations de son futur domaine en devenant celui qui oubliait les fautes commises et réparait les exactions; de même il distribua un certain nombre de privilèges aux monastères environnants, par exemple à celui de la Merci-Dieu.

Ces réunions spectaculaires, ponctuées de tournois et de festins, allaient s'achever à Poitiers par la proclamation de Richard comme abbé de Saint-Hilaire, précisément pour la fête de la Sainte-Trinité, ce qui associait histoire et théologie. Dans le cadre de la belle église romane qu'on peut admirer encore de nos jours, Richard reçut des mains de l'archevêque de Bordeaux et de l'évêque de Poitiers la lance et l'étendard, insignes de la dignité dont il était désormais titulaire, alors que l'on entonnait l'hymne *O princeps egregie* (Ô Prince magnifique!) solennellement chantée au cours de cette cérémonie mi-religieuse mi-féodale. Il ne s'agissait là, bien sûr, que d'une intronisation toute symbolique, comme celle des rois de France proclamés chanoines de Notre-Dame de Paris (et l'on sait que même en notre République le chef de l'État a toujours droit à cette dénomination ecclésiastique); il reste que l'impression dut être forte pour le jeune garçon, recevant ce titre au milieu des splendeurs d'une liturgie qui savait se faire fastueuse en de telles occasions. Richard, dont la vie allait être marquée par bien des désordres, demeura toujours attaché aux célébrations de l'Église en laquelle il avait été baptisé et témoigna de cette fidélité jusque dans ses derniers instants; ses contemporains nous disent qu'il aimait participer notamment aux chants qui animaient toute cérémonie.

Mais la dignité d'abbé de Saint-Hilaire n'était encore qu'un préalable. Toute la Cour allait ensuite se transporter à Limoges où les moines de Saint-Martial venaient de découvrir dans leurs archives une fort ancienne *Vie* de la patronne de leur cité, sainte Valérie, dont on vénérait l'anneau. Très habilement, Aliénor prit occasion de cette découverte pour faire remettre en honneur un cérémonial qui avait existé jadis lors de l'intronisation des ducs d'Aquitaine.

Limoges tenait beaucoup au culte de sainte Valérie dont l'anneau, symbole de son mariage mystique, servait pour donner l'investiture, selon le moine Geoffroy le

Vigeois, qui nous a raconté en témoin oculaire l'intronisation de Richard [1].

C'est autour de cet anneau qu'allait se dérouler la cérémonie de Limoges pour laquelle on improvisa un rite; le chantre de la cathédrale, Hélie, fut ensuite chargé d'en composer un qui serait utilisé dorénavant pour la bénédiction des ducs d'Aquitaine, mais n'a, en fait, jamais servi...

Donc le jeune Richard, à la porte de la cathédrale Saint-Étienne, fut reçu par une longue procession de clercs et de moines qui l'escortèrent solennellement jusqu'à l'autel et l'évêque, après l'avoir béni, allait le revêtir d'une tunique de soie, puis passer à son doigt l'anneau de sainte Valérie : ainsi le duc d'Aquitaine contractait-il, sous les yeux de sa mère, une alliance avec la cité de Limoges, et, au-delà, avec l'Aquitaine tout entière. Coiffé d'un diadème, il reçut alors l'épée et les éperons du chevalier, prêta serment sur l'Évangile et entendit la messe. La cérémonie fut suivie, selon l'usage, d'un banquet aussi fastueux que pour un couronnement royal, avec spectacle, tournois et danses.

Richard faisait ainsi, sous l'égide de sa mère, son entrée solennelle dans l'Histoire. Les cérémonies successives avaient chacune leur sens et leur signification. Limoges jalousait la cité de Poitiers; elle se prétendait plus ancienne et donc véritable capitale de l'Aquitaine, car elle aurait été fondée, disait-on, au temps même de Gédéon – le personnage biblique – par le géant Lemovic – alors que Poitiers n'avait été créée que beaucoup plus tard par Jules César... En organisant pour son fils ces manifestations – marquées chacune d'un caractère bien différent, mais d'une égale splendeur –, Aliénor palliait habilement les

1. Il a retracé aussi les épisodes de la vie de sainte Valérie, fille de Léocade, un parent de l'empereur César-Auguste, envoyé, en l'an 42, dans les Gaules et chargé par Tibère du gouvernement du pays. Celle-ci s'était convertie à la prédication de saint Martial et souhaitait se consacrer entièrement à Dieu; elle refusait donc un mariage projeté; dans sa fureur, son ex-fiancé aurait ordonné de lui trancher la tête:

inconvénients qui pouvaient résulter d'une longue rivalité. La reine n'allait d'ailleurs pas quitter Limoges sans avoir procédé, avec Richard, à la pose de la première pierre d'une nouvelle église dédiée à saint Augustin.

Après quoi, la mère et le fils entreprirent une chevauchée qui les conduisit de la Loire aux Pyrénées et visitèrent l'un après l'autre, les domaines des barons qui avaient fait allégeance à Niort lors de l'assemblée de Pâques. En même temps, ils se faisaient connaître des populations.

Simple coïncidence ou réponse aux fêtes qui venaient de se dérouler en Aquitaine? On apprit que, de son côté, Henri II avait décidé de faire couronner en Angleterre son fils Henri le Jeune conformément aux accords de Montmirail. En réalité, on devine aisément, à la lumière des événements qui ont précédé, son arrière-pensée : à l'archevêque de Cantorbéry revenait, par tradition, toute consécration royale, comme à l'archevêque de Reims en France; (c'est d'ailleurs l'occasion de noter au passage combien ces actes de consécration royale étaient fortement ancrés dans l'histoire : Reims étant le lieu du baptême de Clovis, le premier roi que la France ait connu, et Cantorbéry, le lieu même de la conversion de l'Angleterre, depuis l'arrivée de saint Augustin, dépêché par le pape Grégoire le Grand; dans les deux cas la tradition est enracinée).

En prenant la décision de faire couronner son fils, en confiant la cérémonie à l'archevêque d'York, en désaccord depuis toujours avec l'archevêque de Cantorbéry Thomas Becket, Henri II offensait volontairement son ex-chancelier et ami, et personne ne s'y trompa. Le malaise s'était installé dans l'île depuis la fuite de Thomas, et fut aggravé par le geste du roi. Ainsi, l'intronisation de Richard laissa-t-elle une impression triomphante, alors que celle d'Henri, le « Jeune Roi », ne fit qu'accroître un pénible sentiment de tension, et ce d'autant plus que son épouse, Marguerite de France, aurait dû être couronnée en même temps que lui. Le roi Louis VII en fut très irrité et le fit aussitôt savoir au Plantagenêt. Semblable démarche n'allait-elle pas à l'encontre des accords conclus à Montmirail?

Et tandis que force messages étaient échangés entre les deux souverains, une nouvelle entrevue avait lieu entre Henri Plantagenêt et Thomas Becket, sous l'égide du roi de France, cette fois à Fréteval, au jour de Sainte-Marie-Madeleine (22 juillet 1170). Ce devait être la dernière : « Mon Seigneur, j'ai le sentiment que nous ne nous rencontrerons plus jamais ici-bas », murmura Thomas en prenant congé du roi. Ce dernier, pourtant, avait multiplié les promesses d'accord et de pardon et vivement engagé le prélat à regagner son siège archiépiscopal, mais il avait refusé de lui donner le baiser de paix, et chacun comprit : il n'y avait pas de réconciliation valable sans ce baiser, signe concret de la concorde retrouvée.

Quelque temps après, Henri Plantagenêt tombait malade assez gravement pour se sentir amené à prendre des dispositions pour l'avenir de son royaume. Il se trouvait à Domfront, en Normandie, quand il dicta à son entourage, le 10 août, ce qu'il pensait être ses volontés dernières. Comme il l'avait précédemment décidé, Henri le Jeune recevrait le trône d'Angleterre avec la Normandie, l'Anjou et le Maine, Richard l'Aquitaine et Geoffroy, la Bretagne. Le roi spécifiait qu'il voulait être enterré au monastère de Grandmont en Limousin « aux pieds de saint Étienne de Muret », précisait-il; (il s'agissait du fondateur de cet ordre alors très prospère et que le roi devait combler de ses faveurs). Il se rétablit pourtant et, en reconnaissance, décidait d'aller en pèlerinage à Rocamadour, le 29 septembre suivant, fête de saint Michel.

***

Cette année 1170 qui marque un tournant important dans la destinée du royaume Plantagenêt et des jeunes princes auxquels il allait échoir, se termine sur une tragédie à laquelle les siècles ont fait longuement écho : le meurtre de Thomas Becket dans sa cathédrale par quatre barons familiers du roi Henri II, le 29 décembre, aussitôt après les fêtes de Noël.

Henri le Jeune a certainement été marqué plus que ses frères par ce coup brutal porté à un homme qu'il vénérait et qui avait été son premier maître. Mais l'émotion a dû être forte aussi pour Richard; à douze ans, on reçoit vivement les chocs, et tout ce qui atteint la sensibilité marque pour la vie. Le geste d'Henri II, ou plutôt le souhait imprudent qui avait suscité ce geste inexcusable, allait le couper quelque peu de ses enfants au moment même où Aliénor, tout animée de sa rancune envers celui qu'elle avait tant aimé, s'employait à détruire fil à fil les liens qui avaient uni un père à ses fils; tandis qu'à la Cour de Poitiers se succédaient les poètes, que s'activaient les chantiers de la cathédrale Saint-Pierre et du Palais ducal en reconstruction sous sa direction, d'autres activités plus secrètes l'occupaient. Le vide se faisait autour du Plantagenêt, son époux, tandis qu'elle préparait sa revanche.

Cependant, c'est sous le regard d'Aliénor que se formaient à la vie seigneuriale, c'est-à-dire à la vie courtoise et chevaleresque, les jeunes princes souvent rassemblés autour d'elle, à Poitiers, ou ailleurs en Aquitaine; ils s'exerçaient à l'équitation – qui pour tout baron d'alors est une seconde nature –, au maniement de la lance et de l'épée et, plus souvent encore, à la chasse sur les terres giboyeuses du Poitou ou du Limousin; ils en avaient quotidiennement l'occasion sous l'œil attentif et déjà dévoué de leur jeune mentor, Guillaume le Maréchal dont l'existence sera dès lors inséparable de la couronne d'Angleterre.

Quant à la vie courtoise, la Cour de Poitiers pouvait largement leur suffire, puisque c'est sans doute à cette époque qu'elle connaît un apogée qui a commencé aux premiers temps du mariage d'Aliénor avec Henri Plantagenêt. Si l'on ne sait au juste les dates de séjour qu'ont pu y faire soit les poètes eux-mêmes – comme Benoît de Sainte-Maure –, soit les hautes dames et leur cour – comme l'exquise Marie de Champagne, la fille aînée d'Aliénor qui aurait emmené avec elle « son » poète, Chrétien de Troyes –, toute cette vie dont témoigne le fameux *Traité de l'Amour* d'André le Chapelain, circule à travers l'ensemble de la poésie du temps, française, normande, anglo-normande, et imprègne l'atmosphère que respire un Richard Cœur de Lion, très ouvert lui-même, comme ses deux frères, à tout ce qui pouvait être musique et poésie.

Comme pour marquer sa revanche des fêtes de Noël de 1170, si tragiquement interrompues par l'annonce de l'assassinat de Becket, c'est dans ses terres personnelles, le Midi aquitain, qu'Aliénor convoque autour de son fils Richard et d'elle-même, leurs vassaux méridionaux pour la Noël 1171. Le comte de Poitou a quatorze ans, l'âge de la majorité pour les garçons, et, dûment investi de ce qui sera son domaine de prédilection, va faire ses premiers pas dans sa vie d'homme et de seigneur membre de l'illustre lignée des Plantagenêts.

CHAPITRE II

Chevalier et troubadour

Les dames sur les murs montaient
Pour regarder ceux qui jouaient;
Qui amis avait en la place
Vers lui tournait l'œil et la face.
Moult eut à la cour jonglëeurs,
Chantëeurs et instrumenteurs;
Moult y puissiez ouïr chansons
Rotruenges et nouveaux sons,
Viellures et lais de notes [poèmes en musique]
Lais de vielles, lais de rotes [1],
Lais de harpes, lais de frestels,
Lyres, tympans et chalumels,
Symphonies, psaltérions,
Monocordes, timbres, corons...
Les uns disent contes et fables,
D'autres demandent dés et tables;
Tels y a qui jouent au hasard
– Et c'est un jeu de male part –
Aux échecs jouent les plusieurs
Ou à la mine, ou au graimeur [grainmur]
Deux à deux au jeu s'accompagnent,
Les uns perdent, les autres gagnent [2]...

1. Rote : harpe celtique à cinq cordes.
2. Cité d'après Bezzola, 3e partie, I, pp. 160 et 161-2.

Cette description de la Cour du roi Arthur pourrait sans doute s'appliquer à la Cour de Poitiers. Son auteur, maître Wace, chanoine de Bayeux, composait, précisément en ces années 1169-1170, un poème qu'il intitulait *La Geste des Normands*; son premier ouvrage – dont cette description est tirée – avait été dédié à la reine Aliénor : c'est le *Roman de Brut*, une traduction en vers de l'œuvre du génial Geoffroy de Monmouth, à qui est dû le personnage du roi Arthur entouré d'une légendaire Cour destinée à entrer dans l'histoire comme dans le roman. Wace, tout en composant une traduction fidèle, ne se faisait pas faute d'y ajouter tous les détails sur la vie courtoise de son propre temps, celle qu'il avait sous les yeux et qui animait l'entourage de la reine. C'est ce règne de « courtoisie » qui est décrit dans cet ouvrage où se trouve pour la première fois nommée la « Table Ronde » qui tiendra une telle place dans la veine romanesque du XIIe siècle. Le roi Arthur, dit-il,

... se contint tant noblement
Tant bel et tant courtoisement...
N'était pas tenu pour courtois,
Escot [écossais] ni breton ni françois,
Normand, Angevin ni Flamand,
Ni Bourguignon ni Loherenc [lorrain],
De qui que il tînt son fief...
Qui à la cour Arthur n'allait
Et qui chez lui ne séjournait
Et qui n'en avait vêteüre [vêtement]
Et connaissances et armures [armoiries]
A la guise que ceux tenaient
Qui à la cour Arthur servaient.
De plusieurs terres y venaient
Ceux qui prix et honneur quéraient [cherchaient]
Tant pour ouïr ses courtoisies
Tant pour veoir ses mananties [ceux qui y demeuraient]

Tant pour connaître ses barons
Tant pour avoir ses riches dons.

La société féodale conquiert en poésie ses lettres de noblesse : le roi, seigneur entre les seigneurs, ennoblit ceux qui l'entourent, assis à sa table – et non debout autour de lui comme les barons aux côtés du trône de l'Empereur, ou du monarque antique. Cette conception nouvelle du règne d'un « prince courtois » caractérise l'époque. C'est dans une telle société que put naître l'amour courtois et cette conception de la femme qui sera, comme l'écrit Reto Bezzola, « le fond même de la littérature courtoise ». Dans le poème de Wace apparaît le culte rendu à la femme, que la poésie des troubadours, puis des trouvères, rendra familier.

Courtoise était et belle et sage
Et moult était de grand parage,

dit-il de la mère du roi Arthur. Et pour Marcia, reine d'Angleterre, il va plus loin encore dans l'éloge :

Lettrée fut et sage dame...
Son engin [esprit] mit tout, et sa cure [soin]
À savoir lettres et écriture.
Moult sut, et moult étudia.

Le chevalier rehaussera sa valeur par l'amour qu'il porte à la Dame; ainsi le roi Uther Pendragon s'adresse-t-il à Merlin pour tenter d'obtenir l'amour d'Ygerne en qui on discerne les traits d'Yseult :

L'amour d'Ygerne m'a surpris,
Tout m'a vaincu, tout m'a conquis,
Ne puis aller, ne puis venir,
Ne puis veiller, ne puis dormir
Ne puis lever, ne puis coucher
Ne puis boire, ne puis manger
Que d'Ygerne ne me souvienne..

Et c'est aussi à la reine Aliénor que Thomas dédiait son *Tristan* :

Mainte parole l'on dit en
Comme d'Yseult et de Tristan.

On peut considérer comme une heureuse rencontre celle de la Cour de Poitiers et de Wace, l'historien-poète; il a d'ailleurs évoqué, en termes inoubliables, cette nécessité de transmettre par la poésie les faits et gestes du passé :

Pour remembrer [rappeler] des ancesseurs [ancêtres]
Les faits et les dits et les mœurs,
Les félonies des félons
Les baronnages des barons,
Doit-on les livres et les gestes
Et les histoires lire aux fêtes.
Si écriture n'en fût faite
Et puis par clercs lue et retraite [retracée]
Moult fussent choses oubliées
Qui du vieux temps sont trépassées,

écrit-il dans le *Roman de Rou*, composé après le *Roman de Brut*; beaucoup poursuivront son œuvre, entre autres Benoît de Saint-Maure qui, lui aussi, va dédier son *Roman de Troie* à la reine Aliénor,

Riche dame de riche roi
En qui toute science abonde
À laquel[le] n'est nulle seconde
Qu'au monde soit, de nulle loi [qui n'a au monde sa pareille]

C'est dans cette atmosphère de poésie courtoise qu'a été élevé Richard, de poésie liée à l'histoire comme au roman : lorsque le poète Ambroise racontera en vers ses exploits en Terre sainte, il se fera l'écho d'une tradition née à la Cour de sa mère. Rien d'étonnant à ce qu'il ait lui-même pratiqué la poésie; et son plus beau poème, nous le verrons, il le composera en un moment, pour lui, dramatique; le climat poétique et chevaleresque lui resteront familiers sa vie durant.

L'exemple le plus typique de poème de Cour composé par les fils d'Aliénor est d'ailleurs dû non pas à Richard, mais à son frère, Geoffroy de Bretagne : il s'agit d'un jeu-parti – le plus ancien que nous connaissions en langue française. C'est un échange entre le prince et le trouvère Gace Brûlé. Mais tout l'entourage de Richard, tout au long de son existence, fait largement place aux troubadours : Arnaud Daniel, le facétieux Moine de Montaudon, Folquet de Marseille, Peire Vidal, Guiraud de Borneil et plus encore Bertran de Born, évoluent autour de lui. Pour finir, c'est le Limousin Gaucelm Faidit qui dans un beau « planh », déplorera sa mort. Ce serait donc oublier un trait essentiel de son existence que de ne pas faire place à ce mouvement poétique qui l'accompagne, au temps même où naissent, dans son comté de Poitou, tant d'œuvres toutes imprégnées aussi bien du dialecte régional que de l'idéal courtois, come le sont le *Roman d'Aeneas* et plus encore le *Roman de Thèbes* ou le *Roman d'Alexandre*, recréant une « Antiquité » en laquelle l'Antiquité classique, devenue chrétienne et courtoise, n'aurait pu se reconnaître.

La gérance du beau domaine qui lui est échu n'en est d'ailleurs pas pour autant négligée par le jeune prince. Tandis qu'Henri II, jugeant préférable de se faire oublier, quitte l'Angleterre pour l'Irlande, Aliénor ne manque pas d'initier son fils au gouvernement d'Aquitaine; ainsi les voit-on régler conjointement le sort de Pierre de Ruffec, un bourgeois de La Rochelle qui se donne à l'abbaye de Fontevraud et promet à l'abbesse une redevance annuelle de cent sous poitevins : ils sont les témoins de cette promesse. Parfois même, en dépit de son jeune âge,

Richard agit seul, comme à Bayonne où, au mois de janvier 1172, il concède à l'évêque Fortanier le droit de viguerie – c'est-à-dire de nommer un viguier qui le représente –, ratifie les privilèges de son église et renouvelle aux habitants ceux qui leur ont été accordés précédemment, notamment concernant la pêche à la baleine pour laquelle ils doivent certaines redevances fixées dès le début du siècle. On retrouvera le comte de Poitou dans cette région où s'élèvent fréquemment des difficultés...

Cette même année 1172 n'allait pas se passer sans un événement important : la pénitence publique du roi Henri II pour le meurtre de Thomas Becket. À son retour d'Irlande, il avait eu tôt fait de comprendre que sa situation n'était aucunement améliorée : bien au contraire, la tombe du saint archevêque ne cessait de voir affluer les pèlerins; des miracles s'y étaient produits quelques jours seulement après l'assassinat de celui qu'on appelait désormais Thomas le Martyr, et Cantorbéry voyait s'allonger les files de ceux qui venaient prier ou implorer une guérison, tandis que dans la cathédrale même, pendant plus d'un an, aucune messe n'avait été célébrée en raison de l'interdit jeté sur le royaume d'Angleterre.

C'est le 21 mai que devait avoir lieu dans la cathédrale d'Avranches la solennelle cérémonie de réconciliation. Henri II se présenta, accompagné de son fils aîné, devant une vaste assemblée : clergé, barons et peuple. Après avoir juré sur l'Évangile qu'il n'avait ni ordonné ni même souhaité la mort de Thomas, il fut symboliquement flagellé, le dos nu, à genoux sur les marches de l'église. Il demeura ensuite toute une nuit en prières, observant un jeûne absolu. Enfin, il procéda, selon ce qui lui avait été demandé, à une solennelle restitution de l'église de Cantorbéry dans tous ses droits, annulant les exactions et les abus de pouvoir qui avaient provoqué ses discordes avec celui qui précédemment avait été son ami et son chancelier fidèle; il prenait aussi l'engagement d'entretenir deux cents chevaliers en Terre sainte pour la défense de Jérusalem. Enfin, il décidait deux fondations religieuses : l'une en Angleterre, à Witham, une autre dans son domaine continental, en Touraine, la Chartreuse du Liget.

Ce meurtre, qui avait tant pesé sur le souverain et qui devait, jusqu'à notre époque, avoir dans la littérature [1] un incroyable retentissement, était désormais pardonné. Henri II, pour montrer son désir de paix et de bonne entente, fit ensuite couronner Henri le Jeune et Marguerite de France, le 27 septembre 1172, dans la cathédrale de Winchester. Ainsi effaçait-il le désaccord latent avec le roi Louis de France qui avait été fort irrité du couronnement d'Henri le Jeune sans son épouse – geste de défi, on s'en souvient, envers l'archevêque de Cantorbéry.

Tout semblait donc apaisé pour la Noël de cette année où Henri II tint sa Cour sur le continent, à Chinon, entouré de son épouse et de ses enfants...

En février, puis en mars 1173, il convoqua ses barons en assemblée, une première fois à Montferrand, en Auvergne, puis à Limoges. Peut-être éprouvait-il le sentiment d'un malaise latent au sein de ses domaines continentaux; ou plutôt voulait-il les reprendre bien en main et assurer son autorité sur l'ensemble de ses possessions, une fois la page tournée sur ce qui l'avait si profondément perturbé. La principale des dispositions prises concernait la part d'héritage à réserver à son dernier-né qu'à sa naissance il avait lui-même surnommé Jean Sans Terre, surnom que l'histoire devait conserver. À ce jeune Jean, alors âgé de

1. Signalons entre autres l'importante thèse consacrée au thème de Thomas Becket dans la littérature occidentale par une enseignante hindoue, Sarvar T. Khambatta, *The Becket theme : a case-study in the literary treatment of historical material*, soutenue à la Gujarat University d'Ahmedabad, mars 1979, 750 p. dact.

sept ans, Henri destinait la suzeraineté de l'Irlande, île dont il venait de s'assurer la maîtrise. Mais, il lui destinait aussi une riche héritière, la fille du comte Humbert de Maurienne, Alix; pareil mariage ouvrait des horizons sur la Savoie, c'est-à-dire vers le Piémont et l'Italie en général; c'était une nouvelle et magnifique perspective pour le roi : sa fille Mathilde, était mariée en Saxe, et la seconde, Aliénor, avec Alphonse de Castille; bientôt – il devait l'annoncer lors de l'assemblée de Limoges – la troisième et dernière, Jeanne, épouserait le roi de Sicile, Guillaume le Bon. Ambition européenne, on le voit : à tous les points cardinaux la puissance des Plantagenêts s'étendait comme un arbre aux multiples ramifications, et l'on pouvait sourire du contraste avec l'étroitesse de vues dont avait fait preuve le roi de France mariant ses deux filles aînées, Marie et Alix, à deux fils du comte de Champagne, l'un destiné à recevoir la Champagne, et l'autre le comté de Blois...

Or la seconde assemblée, celle de Limoges, au mois de mars 1173, allait se terminer sur un coup de théâtre. On vit Henri le Jeune se dresser pour protester hautement contre les dispositions prises par son père. Sa principale revendication allait contre le don de trois châteaux au bénéfice de Jean Sans Terre, qui constituaient autant de places clés dans les possessions continentales des Plantagenêts : Chinon, Loudun et Mirebeau. Plus généralement, Henri le Jeune réclamait sa part de pouvoir et faisait valoir hautement que, bien que son père l'eût fait couronner, que ce couronnement eût été suivi, en toute régularité, de celui de son épouse Marguerite, il n'exerçait en fait aucune parcelle de souveraineté et ne se trouvait nulle part chez lui, pourvu d'un domaine personnel auquel il avait droit, étant roi lui aussi.

L'assemblée se sépara sur cette revendication. Henri II, sur le moment, sembla n'y voir que l'incartade d'un jeune garçon impatient de régner : Henri le Jeune n'était-il pas dans sa vingtième année? Il décida de l'emmener avec lui, sans doute pour mieux sonder ses intentions, vérifier peut-être certaines insinuations faites notamment par le comte de Toulouse, Raymond V, qui, présent à Limoges, avait mis le roi en garde contre les machinations d'Aliénor; et sûrement, enfin, pour mettre un peu d'ordre dans la trésorerie du Jeune Roi dont on dénonçait un peu partout les prodigalités.

Le père et le fils allaient passer quelques jours à chevaucher et chasser ensemble. Au soir du 7 mars, ils s'arrêtaient au château de Chinon, dormant, comme ils l'avaient fait depuis leur départ, dans la même chambre; au petit matin, en s'éveillant, Henri II dut constater que son fils n'était plus là. Henri le Jeune s'était fait ouvrir subrepticement le pont-levis avant l'aube; il s'était dirigé vers le nord et avait probablement passé la Loire à gué. Une activité éperdue allait succéder à ce qui avait ressemblé à une promenade de vacances. Des messagers partirent vers les différents châteaux avec ordre de le retenir, et Henri II lui-même prit la route, fonçant à toute allure en direction du Mans... On vint l'informer que son fils avait été signalé à Alençon, puis, quelque temps après, qu'il était parvenu à Mortagne, un domaine relevant du roi de France, ou du moins, de son frère, le comte de Dreux. Autant dire qu'il se trouvait hors d'atteinte. Mais qui avait pu ménager ainsi ses relais et lui fournir à chaque étape des chevaux assez rapides pour accomplir pareil exploit?

Henri II n'eut pas le loisir de se poser longtemps la question. Les jours suivants, il apprenait tour à tour qu'Henri le Jeune se trouvait à la Cour de France et, plus encore, que ses deux autres fils, Richard et Geoffroy, l'avaient rejoint. Les événements allaient ensuite se précipiter.

Les principaux barons du Poitou et de l'Aquitaine prirent les armes et se déclarèrent en révolte contre l'autorité du roi d'Angleterre : Raoul de Faye, un parent de la reine Aliénor, les frères Geoffroy et Guy de Lusignan, traditionnellement contestataires, Geoffroy de Rancon, puissant seigneur aquitain, Hugues Larchevêque,

Raoul de Mauléon, se rangèrent aux côtés du Jeune Roi et rejetèrent l'autorité de son père. Il en fut de même des trois frères de Sainte-Maure, Hugues, Guillaume et Josselin, qui étaient des familiers de la Cour de Poitiers, ou encore de Vulgrin d'Angoulême et d'autres barons; le Poitou, l'Aquitaine, semblaient agités d'une sorte de frénésie de révolte, et, comme un feu qui eût longtemps couvé, l'incendie éclatait partout à la fois.

À la Cour de France, le Jeune Roi semblait chez lui. Il avait toujours été très bien reçu par son beau-père qui, lors de sa précédente visite, l'avait nommé sénéchal de France. Henri le Jeune ne possédant plus son sceau personnel, on s'empressa de lui en faire graver un autre; au cours d'une imposante assemblée, ce sceau fut présenté aux barons français ou aquitains auxquels Henri le Jeune distribuait à profusion des domaines ou des dignités. Une sorte d'alliance se constituait pour le reconnaître comme le véritable roi d'Angleterre, à laquelle prenaient part de puissants barons comme le comte Philippe de Flandre ou son frère, le comte de Boulogne. Tous déclaraient à l'envi que « celui qui précédemment avait été roi d'Angleterre n'était plus roi désormais ». Des aides inespérées lui venaient même d'au-delà de la Manche; ainsi du roi Guillaume d'Écosse ou de son frère, David, à qui Henri le Jeune s'empressa d'attribuer le comté de Huntingdon. On allait également voir plusieurs barons anglais, comme Robert de Leicester, ou normands, comme Guillaume de Tancarville, passer le Channel et se rendre à Rouen non pas pour trouver Henri II au Mans, mais pour rencontrer le Jeune Roi dans les domaines du roi de France. Il y eut une entrevue entre les deux souverains, à Gisors – auprès d'Henri le Jeune se tenaient ses deux frères –, mais elle échoua. Bien plus, quelque temps après, Richard fut armé chevalier par Louis VII. Autour d'Henri II, les rangs se clairsemaient, et nul n'était dupe. Toutes ces défections, toutes ces révoltes qui se déclaraient brusquement étaient l'œuvre d'Aliénor, son épouse. « Richard, le duc d'Aquitaine, et Geoffroy, le duc de Bretagne, les puînés fils du roi, par le conseil de leur mère, la reine Aliénor, se tinrent plus aux frères que au père, écrit le rédacteur du *Livere des Reis d'Angleterre*. Aliénor, qui avait fait tant que ceux du Poitou, s'élevèrent contre leur seigneur. » On ne pouvait s'y tromper : une conspiration d'une ampleur telle et si habilement menée que le Plantagenêt ne s'était aperçu de rien était bien l'œuvre de la reine.

Les hostilités commencèrent en Normandie où, le 20 juin 1173, Philippe de Flandre mit le siège devant Aumale, tandis que le roi de France et le Jeune Roi à ses côtés s'attaquaient ensemble à Verneuil. Jusqu'en Bretagne on apprenait la chute de la forteresse de Dol. L'un après l'autre les châteaux se ralliaient à la cause des révoltés.

Par notre nouveau Roi, qui rien ne peut régner,
Ils crurent Normandie toute prendre et gâter,

raconte le *Roman de Rou.*

Revenu de sa surprise, Henri II, cependant, agissait avec la promptitude et le sens stratégique qui le caractérisaient. Ne sachant plus sur lesquels de ses vassaux il pouvait réellement compter, il engagea des mercenaires dans le Brabant – 20 000 hommes largements soldés –, mettant en gage pour cela l'épée même de son couronnement, enrichie de diamants. On le voit faire franchir à cette armée de mercenaires la distance séparant Rouen de Saint-James de Beuvron du 12 au 19 août, ce qui représente une moyenne de 30 km par jour; c'est à vive allure aussi qu'il récupéra l'une après l'autre ses places fortes normandes, tournant ensuite ses armées vers le Poitou. La rapidité de sa marche a frappé l'historien-poète Wace.

Donc veïssiez Henri par ces marches hâter,
De l'une terre à l'autre et venir et aller,
Trois journées ou plus en un seul jour errer;
Ce cuidaient [croyaient] sa gent que il deüst [voler...

En réalisant en un jour trois « journées », trois étapes normales, en se montrant si rapide qu'on eût dit qu'il volait d'un point à l'autre, Henri veut tomber comme la foudre.

Au printemps de 1174, Richard, son fils, commençait à se trouver en mauvaise posture. Les habitants de La Rochelle, en particulier, lui fermèrent leurs portes, craignant qu'une prompte victoire d'Henri II n'entraînât ensuite pour eux des représailles. Le poète Richard le Poitevin, qui eut des strophes pathétiques pour évoquer ces pages de révolte et d'angoisse, apostrophe vivement les gens de La Rochelle : « Malheur à vous, riches de La Rochelle, qui vous confiez dans vos richesses et vos privilèges », s'écrie-t-il, rappelant les prophéties de Merlin : « Vos trésors ont bouché vos yeux et vous ont rendus aveugles. Ce jour viendra où, dans vos demeures, l'or aura fait place aux épines et où les orties pousseront sur vos murailles renversées. Repens-toi, La Rochelle, afin que le Seigneur te prenne en pitié. » En fait, deux barons, Guillaume Maingot de Surgères et Porteclie de Mauzé soutenaient la cause du roi d'Angleterre. Richard se retrancha donc à Saintes dont il fit sa principale forteresse.

On apprit entre-temps qu'Aliénor, qui s'était enfuie du château de Faye-la-Vineuse sous des vêtements d'homme, avait été arrêtée, par hasard, avec sa petite escorte poitevine, au moment où elle allait franchir les limites du royaume de son ex-époux, Louis VII de France, auprès duquel elle venait chercher refuge. Richard, de son côté, avait dû quitter Saintes en hâte; son père s'était emparé de la citadelle, cette forteresse ronde qu'on appelait le Capitole; il avait ensuite investi la cathédrale où 60 chevaliers et 400 sergents avaient été faits prisonniers.

Très habilement, Henri II se présentait en défenseur et restaurateur de l'autorité légitime sur la plainte de l'abbesse de Notre-Dame de Saintes, Agnès de Barbezieux, il fit restaurer son moulin qui avait souffert des hostilités et s'abstint de toutes représailles au fur et à mesure de ses victoires, si ce n'est dans quelques régions de Bretagne. C'est à cette époque qu'il fit entreprendre aussi le donjon de Niort pour parer à de nouvelles attaques, Richard s'étant retranché au château de Taillebourg qui appartenait à Geoffroy de Rancon.

Après quoi, jugeant l'ensemble de la situation rétablie, Henri II emmena son épouse prisonnière et avec elle toute la petite Cour qui l'avait entourée à Poitiers : les épouses ou les fiancées de ses fils, Marguerite, Adélaïde, Constance de Bretagne, promise à Geoffroy, et Alix de Maurienne, fiancée à Jean, le comte et la comtesse de Leicester, le comte de Chester et ses deux derniers enfants, Jeanne et Jean. Ils embarquèrent à Barfleur, le 8 juillet 1174. Abordant à Southampton, il allait se diriger aussitôt vers Cantorbéry, ouvrant une tradition suivie longtemps après lui par les rois d'Angleterre, pour passer une nuit en prières sur la tombe de « Thomas le Martyr », qui avait été canonisé par le pape l'année précédente. C'est en tenue de pèlerin, nu-pieds, qu'il était entré dans la cité épiscopale et, jusqu'au moment où il s'en éloigna, il jeûna au pain et à l'eau.

Toujours retranché dans le Poitou, Richard allait être le premier à comprendre que désormais toute résistance était inutile. Lorsque son père revint à Poitiers au mois de septembre 1174, il se présenta à lui sans armes et implora un pardon qui lui fut accordé aussitôt, le 23. Huit jours plus tard, ses deux frères, Henri et Geoffroy, l'imitaient : la paix était rétablie entre le père et ses trois fils.

Cette année-là, Henri Plantagenêt tint sa Cour de Noël à Argentan, puis, persuadé qu'il importait d'y faire reconnaître son pouvoir et apprécier son administration, se rendit en Poitou. Richard, par un accord conclu à Falaise dès le mois d'octobre 1174, restait en possession de cette province sous l'autorité de son père. Il y percevrait la moitié des revenus et pourrait se considérer comme le propriétaire de deux châteaux à condition de ne pas les fortifier. Le sénéchal de la province était désormais ce même Porteclie de Mauzé qui avait maintenu La Rochelle dans sa fidélité au roi d'Angleterre, ce qui lui vaudrait maints franchises et privilèges.

Cependant, loin de son beau domaine aquitain, la reine Aliénor avait été, lors de son arrivée en Angleterre, emmenée à Winchester, puis dans la tour de Salisbury où elle allait passer le plus clair de son existence durant quelque dix années sous la surveillance de dévoués serviteurs du roi, Renouf de Glanville ou Ralph Fitz-Stephen. « Dis-moi, aigle à deux têtes, dis-moi, où étais-tu quand tes aiglons, volant de leurs nids, osèrent lever leurs griffes contre le roi de l'Aquilon. C'est toi, nous l'avons appris, qui les as poussés à s'élever contre leur père. C'est pourquoi tu as été enlevée à tes propres terres et conduite en terre étrangère. » Ainsi s'exprimait, en son langage toujours véhément, Richard le Poitevin.

CHAPITRE III

Oc e no

La conduite de Richard, après cette révolte avortée, peut nous paraître singulière : on assiste, en effet, de sa part, à un retournement complet. Lui qui avait été le premier bénéficiaire des libéralités de sa mère et qui, sous sa conduite, avait agi en comte du Poitou et mené, avec la hardiesse qui se révélait déjà en lui, des actions énergiques contre son père, allait partir en guerre avec une égale décision contre ses anciens partisans et ramener sous l'égide du roi d'Angleterre ceux-là mêmes qui s'étaient rangés sous son autorité à lui. Il est encore très jeune – dix-sept ans – en ce début de l'année 1175, et, à cet âge, il est permis d'être influençable; mais d'autres retournements de conduite se produiront chez lui. Pourtant, il serait trop simple de le juger comme un jeune homme brouillon et tout à fait inexact de le taxer d'indécision et peut-être plus encore de lui reprocher son manque de parole.

C'est un impulsif, et plus d'une fois, au cours de sa vie, cette impulsivité sera déroutante. Ses contemporains ne s'y sont pas trompés; quand un Bertran de Born lui donne pour sobriquet *Oc e no* « Oui et non », il marquera bien cette facilité avec laquelle on le verra prendre, d'un jour à l'autre, des décisions contraires. Peut-être est-ce là sa plus grande faiblesse, en tout cas, le point sensible; or, chez un homme appelé à gouverner les autres, une telle disposition peut entraîner de graves conséquences. Henri II, son père, était, lui aussi, impulsif et violent. Mais, homme de gouvernement s'il en fut, il savait contrôler ses pulsions et, au besoin, les réfréner. Après la rude épreuve qu'il venait de subir, abandonné de tous, éprouvant partout le choc de la trahison, il comprenait quelle faute grave il aurait commise en heurtant Richard de front. Dans la charte qu'il accorda à La Rochelle, datée du Mans, le 2 février 1175, il prit ainsi soin de noter à deux reprises la présence de son deuxième fils, désigné chaque fois par son titre de comte du Poitou. Lui et Geoffroy prêtèrent hommage à leur père en cette même ville du Mans, et Henri le Jeune insista pour en faire autant, bien qu'il n'y fût pas tenu. La soumission des fils était donc complète, avec l'espoir, pour chacun, de jouir désormais de l'autorité que leur conféraient leurs titres respectifs; à Geoffroy seulement, en raison de son jeune âge, était adjoint un homme de confiance du roi d'Angleterre, Roland de Dinan, avec la charge assez imprécise de « procurateur »; moyennant quoi il jouissait en propre de deux châteaux et de la dot, appréciable, de son épouse Constance. Aux yeux de tous, la tempête était apaisée mais la surprise n'en fut pas moins grande, quand, au mois de juin suivant, Richard se mit en campagne pour aller combattre ceux qui s'étaient déclarés contre son père...

Sa première expédition se fit en direction d'Agen. Le seigneur du Puy de Castillon, Arnaud de Bouteville, s'étant enfermé dans son château, Richard fit construire des machines de siège et s'en empara au bout de deux mois. Trente chevaliers y furent faits prisonniers ainsi que quantité de sergents. Furieux de la longue résistance qui lui avait été opposée, le comte de Poitou fit raser la forteresse et semer du sel sur ses murailles – une manière d'indiquer qu'elles ne repousseraient pas... Il poursuivit ensuite quelques expéditions contre les seigneurs les plus importants : le comte Vulgrin d'Angoulême en Angoumois, Aymar de Limoges en Limousin – cela surtout grâce aux mercenaires brabançons recrutés par son père. Avec eux, il livra bataille entre Saint-Maigrin et Bouteville, prit la cité d'Aixe, où il avait fait prisonniers quarante chevaliers assiégés, et conquit Limoges. Il se révélait homme de guerre et stratège avisé.

De leur côté l'évêque de Poitiers et le connétable Thibaut Chabot écrasaient, près de Barbezieux, les mercenaires engagés par les barons rebelles. De gré ou de force, le calme revenait dans ces régions, et Henri II pouvait envisager de tenir sa Cour de Pâques avec ses trois fils.

Rentré à Poitiers, Richard fut en effet rejoint par Henri le Jeune qui, lui aussi apaisé, avait entrepris avec son épouse Marguerite un pèlerinage à Saint-Jacques de Compostelle. Il était arrivé à Honfleur dès le 19 avril 1176 et avait rendu visite au roi de France, puis était venu retrouver Richard. Ensemble, les deux frères allaient assiéger Châteauneuf et se séparer ensuite assez rapidement : peut-être – c'est du moins ce qu'ont raconté les contemporains – quelque jalousie s'était-elle élevée entre ces deux jeunes gens, tous deux également désireux de briller, de se distinguer par leurs exploits... Ils étaient l'un et l'autre grands et beaux, d'une générosité toute chevaleresque qui tournait facilement, chez Henri surtout, à la prodigalité, et l'on conçoit que proches par l'âge comme ils l'étaient, des rivalités aient pu naître entre eux. La jalousie entre frères – le mal le plus profond sans doute d'une humanité blessée, ce drame de Caïn et Abel, qui survient dans la Bible aussitôt après la faute originelle...

Du reste, il y a chez Richard un côté bon vivant qui lui fait vite oublier ses rancunes. Il est significatif que, passant à Périgueux, il ait fait ériger en fief la cuisine des comtes de Poitou pour son cuisinier, Alain; le roi fit dresser à cette occasion un acte solennel dont les principaux barons furent les témoins : son sergent, Robert le Moine, ses chapelains Jean et Geoffroy, son clerc, Raoul de l'Hopitault, son bouteiller, Jourdain, son chambrier, Bernard de Chauvigny, ainsi que l'évêque, Pierre de

Périgueux, le sénéchal de Poitou, Guillaume Maingot, et même ce haut seigneur qui se nommait Guy de Lusignan et devait faire parler de lui par la suite.

Un événement pourtant allait dominer cette année 1176. Non pas les violentes intempéries qui la marquèrent (Robert de Thorigny, le grand annaliste, note que cette année-là il y eut du froid et de la neige depuis Noël jusqu'à la Purification et que, le 3 avril, une tempête violente, en tout cas en Normandie, abattit des arbres et des maisons), ni même la famine qui allait en résulter dans les domaines de l'Anjou et du Maine : la soudure fut difficile depuis le mois d'avril jusqu'à la récolte au point qu'Henri II Plantagenêt dut expédier ses réserves de vivres de l'Angleterre sur le continent. Mais un autre événement plus aimable passa au premier plan : le mariage de Jeanne, la jeune sœur de Richard, la dernière des filles d'Aliénor et d'Henri. Ce mariage allait mobiliser les deux frères aînés qui furent chargés d'escorter leur jeune sœur vers le Midi de la France; l'époux auquel elle avait été promise, Guillaume, roi de Sicile, était venu à sa rencontre jusqu'à Saint-Gilles du Gard – c'était alors un lieu de pèlerinage très renommé. Henri le Jeune escorta la fillette depuis son débarquement en Normandie le 27 août, et Richard prit le relais, accompagnant sa sœur pendant toute la traversée de l'Aquitaine. C'est le 9 novembre que fut célébré, à Palerme, le mariage de la petite reine de Sicile, alors âgée de onze ans; elle devait être couronnée dans la même ville l'année suivante, le 13 février 1177.

L'évêque de Norwich, qui avait fait partie de son escorte placée sous l'autorité de l'évêque de Winchester, a donné quelques détails sur ce parcours difficile. N'avait-on pas manqué certaines fois, en chemin, de pain pour les gens et d'avoine pour les chevaux? L'Auvergne qu'ils avaient traversée connaissait encore la disette. A Valence, l'évêque se plaint d'avoir été volé. Il avait ensuite laissé ses chevaux à Gênes, puis s'était embarqué à Porto-Venere pour faire escale à Gaète, avec l'ensemble de l'escorte. La mer était mauvaise. Entre l'Italie et la Sicile, il avait fallu naviguer plutôt à la rame qu'à la voile et, à l'arrivée, on avait constaté qu'une terrible sécheresse régnait dans l'île : les feuilles avaient séché sur les arbres et les vignes ressemblaient à des sarments stériles. L'évêque raconte comment, plus d'une fois, lui-même et son escorte avaient dû s'accommoder de haltes d'un confort quelque peu fruste, étendant leurs couches à même la pierre ou sur le sable de la plage. Deux de ses compagnons étaient morts en route, un autre était tombé malade; lui-même était rentré à Nottingham, très fatigué, le 24 décembre, juste à temps pour célébrer les fêtes de Noël. Semblable récit montre assez que les difficultés de voyage n'épargnaient même pas les escortes princières; il est vrai que l'année avait partout été mauvaise du point de vue climatique...

Durant tout ce temps, Richard ne cessa de se signaler par ses exploits guerriers, en particulier contre le château de Moulineuf où se trouvent quelques-uns des plus puissants seigneurs d'Aquitaine : Guillaume Taillefer et son fils, Vulgrin, Aymar de Limoges, vicomte de Ventadour, et Échivard de Chabanais. Ils se rendirent tous ensemble : Richard, pour éprouver leur soumission, les envoya à son père qui, désireux sans doute de prouver à son tour sa confiance, les lui renvoya. Un certain nombre de châteaux, comme Archiac, Montignac, La Chèze ou Merpins, lui furent remis en gage ainsi que la ville d'Angoulême.

Tandis que son père fêtait Noël à Nottingham avec Geoffroy et Jean, Richard, à dix-neuf ans, allait tenir pour la première fois sa Cour de Noël à Bordeaux, en cette année 1176. Est-ce dans cette ville ou par les récits que lui avait faits son frère aîné qu'il apprit les mécomptes et les exactions dont les pèlerins de Compostelle se plaignaient d'avoir été victimes alors qu'ils passaient les Pyrénées? Toujours est-il que – et il devait plus d'une fois renouveler l'expédition – il prit aussitôt les armes et marcha sur Dax qui venait d'être fortifiée par le vicomte Pierre et le comte de Bigorre, Centule. S'en étant emparé, il alla attaquer

Bayonne et en prit possession au bout de dix jours, en dépit de la défense que lui opposait le vicomte, Arnaud Bertrand. Il se dirigea ensuite vers la frontière d'Espagne, assiégea le château de Saint-Pierre et s'en empara, puis rasa, aux confins de la Navarre, la forteresse de Cize, repaire de Basques et de Navarrais qui s'entendaient pour détrousser les pèlerins de passage; enfin il abolit solennellement toutes les coutumes instituées à l'encontre des pèlerins de Compostelle soumis tout arbitrairement à de lourdes taxes, quand ils n'étaient pas attaqués traîtreusement dans les défilés ou pillés lors des passages à gué.

Richard ne doit regagner Poitiers que pour la Purification, le 2 février. C'est alors que, jugeant leur appoint inutile, il renvoie ses mercenaires; mais ceux-ci, selon la coutume des gens de guerre laissés sans solde, ne se font pas faute de piller le Limousin avant de regagner leur Brabant d'origine. Ils trouvent toutefois à qui parler, car l'évêque de Limoges, Géraud, fait appel au comte de Poitiers et bataille lui-même si bien que, le 21 avril, près de Malemort, un lieu au nom prédestiné, quelque deux mille de ces aventuriers sont tués, y compris leur chef, un certain Guillaume le Clerc.

L'année 1177 ne dut guère être meilleure que la précédente du point de vue climatique : les annales du temps signalent une sécheresse exceptionnelle en été et en automne, ruinant les moissons et amenant des vendanges précoces qui ne furent pas meilleures pour autant. A l'inverse, de fortes inondations, consécutives à des pluies soudaines et abondantes, sont signalées cet hiver-là avec de violentes tempêtes, dont l'une, précise-t-on, allait entraîner, près de Saint-Valéry, le naufrage de toute une flotte (trente vaisseaux) transportant du vin de Poitou. Cela se passait à la Saint-André de novembre (le 29 du mois) qui marquait traditionnellement la fin des départs pour les grands voyages outre-mer.

Cette année-là vit aussi naître divers contestations, mésententes et sujets de désaccords entre Henri le Jeune et Richard. Et d'abord se posait la question du mariage de ce dernier. Depuis sept ans, sa fiancée, Adélaïde, vivait à la Cour d'Angleterre, après avoir fait partie de celle de Poitiers. Pourquoi ne pas procéder au mariage qu'avaient prévu les accords de Montmirail? Le roi de France, dont la santé avait toujours été précaire, tenait à voir assuré l'avenir de ses enfants. Lorsque le Plantagenêt revint à Rouen, il y trouva le légat du pape, Pierre de Saint-Chrysogone, qui lui demanda expressément de conclure cette union. Le fait est que le peu d'empressement d'un roi qui avait été si pressé de marier son fils aîné, Henri, alors qu'il n'avait que sept ans, avec une petite héritière de trois ans, était suspect. C'était, bien évidemment, sur les instances de Louis VII, que le pape Alexandre III insistait ainsi par la voix de son légat. Henri II demanda un délai qu'il obtint, mais dut se résigner à une entrevue avec le roi de France à Ivry, le 21 septembre. Il fut convenu que le mariage aurait lieu et qu'Adélaïde recevrait en dot le Berry, tandis que la dot de sa sœur Marguerite de France – le Vexin – lui serait remise, comme le roi d'Angleterre le réclamait.

C'est lors de cette même entrevue que les deux rois prirent ensemble la croix. Les nouvelles en provenance de Terre sainte étaient mauvaises, et pas seulement à cause des violents tremblements de terre qui s'étaient produits, spécialement en Syrie – on sait comment les fameuses murailles d'Antioche avaient été irrémédiablement détruites quelques années auparavant, le 29 juin 1170, tandis que Damas et Tripoli étaient ruinées. Mais il y avait plus grave, en tout cas pour les Francs de Terre sainte, à commencer par la santé du jeune roi Baudouin IV, qui était lépreux.

Le mariage d'Adélaïde allait revenir périodiquement dans les discussions entre le roi de France et le roi d'Angleterre, sans que Richard ait paru imposer sa volonté d'une façon ou d'une autre. On le verra, cependant, à plusieurs reprises, chercher à conclure un autre mariage, ce qui laisse penser qu'il ne tenait guère à la jeune Adélaïde.

C'est aussi à propos de mariage que des mésententes allaient éclater et des hostilités s'ouvrir entre Richard et Henri le Jeune... Raoul de Déols, l'un des vassaux importants du royaume Plantagenêt, était mort en Terre sainte l'année précédente, en 1176, laissant comme héritière une fille de trois ans, Denise. Les membres de sa famille auraient dû, selon le droit féodal, en confier la garde à Henri II, ce qu'ils refusèrent. On les vit fortifier le château de Déols et, finalement, Henri II confia le soin d'aller menacer les châtelains non à Richard, qui était leur seigneur légitime, mais à Henri le Jeune. Celui-ci s'empara de Châteauroux, mais sans y trouver la petite Denise qui avait été soustraite par sa famille à toute incursion ou tentative d'enlèvement. La reprise se révéla donc négative et ne contribua pas à rétablir l'entente déjà menacée entre les deux frères. Cela provenait-il de la politique d'Henri II? L'hypothèse n'est pas à écarter. Sa tendance au despotisme s'affirmait avec l'âge, et les événements lui avaient appris, ou avaient confirmé en lui le principe élémentaire de gouvernement que devait un jour énoncer Machiavel : diviser pour régner.

La suite des événements allait le montrer persistant dans cette attitude; en attendant, Henri Plantagenêt, poursuivait lui-même l'affaire et, bientôt, obtint du seigneur de La Châtre que Denise soit donnée en mariage à l'un de ses barons, Baudoin de Revers, avec, en dot, le fief de Châteauroux. Peut-être Richard avait-il eu des visées personnelles sur l'enfant et sur sa dot; peut-être son père en avait-il eu aussi, car ses projets sur la Maurienne venaient de se trouver brusquement annulés du fait de la mort de la jeune Alix qui avait été promise à Jean Sans Terre.

Beaucoup d'autres histoires de mariages et d'héritages interviennent au cours de cette période. Quelques-unes tragiques, comme celle d'un autre vassal du duché d'Aquitaine, Audebert, comte de la Marche, qui avait un jour surpris son épouse, nommée Marquise, avec un chevalier. Fou de fureur, il s'était attaqué à celui-ci et l'avait tué, puis avait répudié son épouse; demeuré seul avec son fils, celui-ci ne tarda pas à mourir, si bien que, abandonnant son comté, Audebert, avait entrepris le pèlerinage de Terre sainte; une fois de retour, comme il souhaitait quitter décidément le monde, le comte fit abandon à Henri II de sa terre par un acte solennel passé devant l'archevêque de Bordeaux et l'évêque de Poitiers à l'abbaye de Grandmont. Celle-ci avait les faveurs d'Henri II qui y résidait volontiers et de plus en plus souvent. Enfin, la transaction s'était faite contre le paiement de 5 000 marcs d'argent, 20 mulets et 20 palefrois. Elle allait soulever les protestations des Lusignan – lesquels ne manquaient aucune occasion de protester – ils auraient voulu que l'abandon du comté de La Marche fût fait à leur profit...

C'est dans une atmosphère pacifiée qu'en cette année 1177 Henri II réunit sa Cour de Noël à Angers. Elle fut fastueuse. Ses trois fils y figuraient : Richard venait de nouveau de se couvrir de gloire dans le Poitou; cette fois en plein accord avec son père, il avait pris les armes contre le comte Vulgrin d'Angoulême, puis contre l'allié de celui-ci, Aymar de Limoges. Imitant l'exemple d'Henri II lui-même, Vulgrin avait pris à sa solde quelques troupes de Brabançons qui ravageaient le pays. Ces engagements de mercenaires préfigurent, deux cents ans à l'avance, ce qui fera le désastre des campagnes de France durant la guerre de Cent Ans. Contre leurs pillages, une fois de plus, l'évêque de Poitiers, Jean aux Belles-mains, réunit des troupes de volontaires qui, ajoutées à celles de Richard, anéantirent les mercenaires près de Barbezieux; finalement, le château de Limoges aussi fut assailli et pris par le comte de Poitiers qui vint ensuite retrouver son père dans le Berry. Celui-ci venait d'avoir, à Graçay, une nouvelle entrevue avec Louis VII, une rencontre courtoise mais qui ne fut suivie d'aucune décision, notamment à propos de l'Auvergne dont le sort restait indécis. L'année suivante, on retrouve Richard aux côtés de son père, à la mi-carême, le 19 mars 1178, assistant à la dédicace de l'abbaye du Bec-Hellouin, en Normandie. Robert de Thorigny, abbé du Mont Saint-Michel, fait mention de cette cérémonie solennelle à laquelle prenaient part les deux rois Henri, l'aîné et le jeune

Les Limousins, pourtant, restaient passablement agités, notamment quand il s'agissait d'affaires ecclésiastiques. Les soulèvements fomentés par Aliénor elle-même avaient laissé quelques traces. Ainsi, à Limoges, les chanoines avaient élu pour évêque l'un des leurs, Sébrand Chabot, dont la famille s'était jointe aux révoltes de 1173. L'élection, longtemps tenue secrète, ne fut rendue publique que quand les chanoines furent assurés du retour d'Henri II en Angleterre. Celui-ci, furieux, fit savoir à Richard qu'il eût à les punir de leur conduite. De nouveaux démêlés allaient-ils s'élever entre le Plantagenêt et l'Église? Il y en eut, en effet, mais moins graves qu'à Cantorbéry. Richard en vint en personne expulser le chapitre, et aucune cérémonie liturgique n'allait être célébrée pendant près de deux ans dans la cathédrale de Limoges. Entre-temps, le pape lui-même faisait consacrer Sébrand Chabot par l'archevêque de Bourges. L'affaire traîna quelque temps, jusqu'au moment où, revenu à Grandmont en 1180, Henri II – était-ce dû à l'influence des moines de cette abbaye qu'il aimait? – se résigna à reconnaître Sébrand comme archevêque. La résistance de Richard avait dû être moins ferme que celle de son père, car on le vit accorder, par exemple, des lettres de sauvegarde aux moines de Solignac qui, eux, avaient reçu Sébrand chez eux dès son élection.

Richard se rendit ensuite vers le pays basque. Il s'agissait moins, cette fois, de protéger les pèlerins de Compostelle que de trancher les désaccords qui s'étaient élevés entre les habitants de Dax et le comte de Bigorre, Centule, que ceux-ci avaient fait prisonnier. Le roi Alphonse II d'Aragon s'étant porté caution pour lui, Richard lui fit rendre sa liberté, mais se fit remettre en gage deux forteresses. On le vit ensuite octroyer ou renouveler divers privilèges à la ville et aux habitants de Bayonne en présence de leur évêque, Pierre d'Espelète, et de leur comte, Arnaud Bertrand.

Les fêtes de Noël se passèrent à Saintes cette année-là, avec une Cour solennelle qui rassembla nombre de vassaux malgré les rigueurs d'un hiver très dur. Il y avait eu d'abondantes chutes de neige, et un peu partout des inondations, surtout dans la région du Mans, où les eaux avaient emporté des ponts, des maisons, des moulins.

Lors des assises de Saintes, une absence avait été remarquée : celle de Geoffroy de Rancon; il devait être dur, pour qui avait soutenu Richard et Aliénor dans leur révolte, de se retrouver devant ce même Richard prenant le parti de son père avec autant d'emportement qu'il avait, auparavant, levé les armes contre lui. *Oc e no...* L'ancien et fidèle soutien de la reine Aliénor avait-il voulu lui donner une leçon? Toujours est-il que Richard en prit ombrage; sa défection n'avait-elle pas l'allure d'un défi? Parcourant la Saintonge, il alla attaquer le château de Pons, dont le siège se prolongea inutilement jusqu'à Pâques. Le comte de Poitou fut plus heureux en s'attaquant ensuite au château de Richemond, puis à toute une série d'autres places de moindre importance : Jansac, Marcillac, Gourville, Anville. On reste surpris, de nos jours encore, du nombre de châteaux qui s'élevaient dans ces régions. Des traces en restent d'ailleurs dans les campagnes où ils n'étaient guère distants l'un de l'autre que de dix à quinze kilomètres. Leur rayon d'action s'étendait sur 7 à 8 kilomètres en moyenne dans le plat-pays environnant; or il n'était pas rare que tel ou tel de ces châteaux fût tenu comme le fief de plusieurs seigneurs en copropriété.

Richard se tourna ensuite contre Taillebourg, le principal fief des Rancon; dans ce château, sa mère, toute jeune, avait passé sa nuit de noces avec le roi de France, Louis VII. Geoffroy s'y était retranché et se rendit le 8 mai, lorsque Richard eut pénétré dans l'enceinte : nouvel exploit, car une triple muraille le faisait considérer comme imprenable. Finalement, Geoffroy livra tous ses châteaux, lesquels furent rasés, y compris celui de Pons. Le comte Vulgrin d'Angoulême n'eut plus qu'à se rendre aussi, offrant sa place forte, Montignac, laquelle subit le même sort. Du moins le comte en révolte avait-il licencié ses mercenaires. Il s'agissait alors de Basques ou de Navarrais qui allaient regagner leur pays, non sans piller de côté et d'autre sur le chemin du retour, à Bordeaux, notamment.

Peu de temps après, Richard décida de revenir en Angleterre où son père lui promettait le titre de duc d'Aquitaine avec pleins pouvoirs, ce qui ne se pouvait sans le consentement d'Aliénor. Depuis sa défaite, cinq ans plus tôt, celle-ci restait étroitement surveillée. Henri avait voulu divorcer; en 1175, il avait reçu avec beaucoup d'égards le légat du pape au palais de Westminster, lui faisant don de superbes chevaux pour tenter d'obtenir ce qui ne lui fut pas accordé. Du reste, la belle Rosemonde, qu'il souhaitait épouser, mourut l'année suivante (1176); avec elle s'éteignait ce qui fut probablement la dernière passion du Plantagenêt encore qu'on lui en ait connu une autre, plus discrète, comme nous le verrons.

Henri II allait faire pression sur son épouse pour qu'elle se démît de son duché d'Aquitaine en faveur de Richard. Cela correspondait aux vues de la reine puisqu'elle-même l'avait fait consacrer dès son jeune âge, mais ce n'était pas ainsi qu'elle en avait disposé; elle devait se rendre compte de l'influence que son époux exerçait dorénavant sur son fils. Mieux que personne, elle connaissait le caractère impulsif de Richard et ne se souciait pas, dans les conditions présentes, d'accroître un pouvoir derrière lequel elle discernait celui d'Henri. Il semble bien qu'il y eut alors une brouille entre la mère et le fils, brouille passagère d'ailleurs, car on les retrouvera réconciliés trois ans plus tard, dès 1182.

Il reste que Richard allait repasser le Channel paré du titre de « duc des Aquitains et comte des Poitevins ». C'est sous cette double titulature qu'il alla, avec ses deux frères, assister à Reims au sacre du jeune roi de France, Philippe Auguste, à la Toussaint (1er novembre 1179). Son père, Louis VII, n'y assistait pas, sa santé était de plus en plus chancelante : il venait d'être frappé d'hémiplégie. Du moins avait-il eu la satisfaction de pouvoir préparer ce couronnement de son fils, cet héritier tant attendu, qu'à sa naissance on avait surnommé « Dieudonné ». La cérémonie avait d'abord été fixée au 15 août, mais une étrange aventure était survenue : la Cour ayant fait halte à Compiègne, sur le chemin de Reims, Philippe, avec quelques jeunes seigneurs de son entourage, avait voulu chasser dans les forêts giboyeuses des environs et, très excité dans sa poursuite, avait complètement perdu le contact avec ses compagnons, et avait dû errer des heures dans la forêt, la nuit venue, dans une solitude terrifiante; il avait été finalement recueilli par un charbonnier, mais sa terreur avait été si violente qu'une crise nerveuse en avait résulté. Il était demeuré plusieurs jours inerte, littéralement entre la vie et la mort. Dans tout le royaume, on avait organisé pour lui prières et processions. Louis VII avait fini par demander à Henri II l'autorisation de venir à Cantorbéry prier sur la tombe de Thomas Becket pour implorer la guérison de son héritier. A son retour, Philippe allait mieux, et on avait pu prévoir une nouvelle date pour le sacre : la Toussaint. Les trois fils du Plantagenêt y assistèrent et Henri le Jeune reçut la charge insigne de porter dans le cortège du sacre la couronne de France sur un coussin. À cette occasion, il se vit attribuer la charge, tout à fait honorifique, de sénéchal de France. Moyennant quoi il taillait les viandes du roi au festin qui suivit la cérémonie. Le roi Philippe, deuxième du nom, que l'on couronnait, n'avait pas encore atteint ses quinze ans. Il était donc sensiblement plus jeune que les trois barons anglais – ou plutôt angevins –, mais il donnait une impression de maturité et de décision que la suite de son règne ne devait pas démentir... La Cour de Noël, cette année-là, fut tenue à Winchester, en Angleterre.

Cependant, le mariage de Richard avec l'héritière de France, Adélaïde, n'avait toujours pas eu lieu, et personne, désormais, n'y faisait allusion à la Cour d'Angleterre, tandis que Louis VII (il allait mourir le 18 septembre 1180) dans son grand désir de voir ses enfants établis, n'avait pu obtenir de promesse décisive de la part du Plantagenêt. Richard ne devait pas nourrir beaucoup d'illusions, car on le vit à deux reprises porter son regard ailleurs. Une première fois, il songea à épouser Mahaut, la fille de Vulgrin Taillefer, riche héritière qui apportait en dot le comté de La Marche. Mais elle meurt en 1180; un autre projet de mariage, cette fois avec la fille de l'empereur Frédéric Barberousse, échoue également à cause de la mort de la jeune fille. Tandis qu'Henri II, rencontrant le jeune roi Philippe Auguste, éludait la question, promettant qu'Adélaïde épouserait « un de ses fils ». Il semble certain que les bruits fâcheux qui circulaient sur une liaison entre le roi d'Angleterre et la jeune femme destinée à son fils étaient fondés. Et ce mariage de Richard avec une fille de France demeura une pomme de discorde entre les deux royaumes, prétexte à maintes hostilités par la suite. Richard, d'ailleurs, semblait peu pressé de s'engager dans la voie du mariage, et l'on peut penser que la princesse, séduite par le père, ne se souciait pas d'épouser le fils et n'en aurait guère été plus heureuse – car Richard, en amour, semble bien s'être comporté un peu comme dans sa vie politique, pratiquant le « *oc e no* »... On ne sait au juste de quand date sa liaison avec une fille d'Aquitaine dont il eut un bâtard, Philippe.

C'est précisément vers cette époque que celui qui a donné ce surnom à Richard, Bertran de Born, l'ex-troubadour, fait son apparition dans l'entourage d'Henri Plantagenêt, et non seulement des deux fils, mais aussi de sa fille, Mathilde, celle qui a épousé Henri de Saxe.

Bertrand est un petit seigneur, maître du château de Hautefort qui subsistera jusqu'à notre temps en dépit de nombreux avatars : destruction partielle, reconstruction, incendie, etc. C'est un singulier personnage, quelque peu besogneux – ses domaines ne paraissent pas lui avoir fourni de quoi vivre à son gré, mais la gestion devait sans doute laisser à désirer! – poète remarquable et batailleur enragé : quelques siècles plus tard, on l'eût comparé à ces mousquetaires qui défraieront à la fois l'histoire et la fiction.

C'est précisément à l'occasion d'une visite de Mathilde de Saxe et de son époux que Bertran de Born nous est d'abord connu. Le duc Henri de Saxe, dont les rapports avec l'Empereur avaient toujours été assez tumultueux –, chef de la Maison de Brunswick, il prétendait ouvertement à la dignité impériale et s'opposait donc aux Hohenstaufen – s'était vu bannir par Frédéric Barberousse et avait dû s'exiler; il était arrivé avec son épouse en Normandie accompagné d'une Cour fastueuse – quelque deux cents barons allemands. Mathilde était enceinte pour la quatrième fois, et Henri désirait aller en pèlerinage à Saint-Jacques de Compostelle. Ils s'établirent à Argentan, et c'est là qu'ils devaient avoir un fils, mort peu après sa naissance – un cinquième enfant devait naître à Winchester en 1184.

Accompagné de Bertran de Born, Richard vint voir sa sœur et faire la connaissance de son beau-frère en même temps que de leur fils aîné, Otton, qui devait tenir une large place dans son affection et dans sa vie. Il revenait de plusieurs expéditions en Périgord, en Limousin et jusqu'en Gascogne où décidément il n'était pas facile de faire régner l'ordre et respecter les passages de pèlerins; après avoir successivement occupé Lectoure et Saint-Sever il avait fini par octroyer son pardon au comte Vivien qu'il avait fait lui-même chevalier au jour de la fête de l'Assomption, 15 août 1181. On l'avait vu aussi rendre la justice et régler divers différends en faveur des religieux. Ainsi, à l'abbé de l'Orbestier – cette abbaye fondée par son arrière-grand-père maternel, Guillaume le Troubadour –, il avait fait rendre les droits qu'il possédait sur la forêt de Talmond. De même, il avait remis en possession de la forêt de la Sèvre les religieux de l'abbaye de Saint-Maixent – les forêts jouaient alors un rôle important, non seulement à cause de l'exploitation du bois, mais aussi parce qu'on y faisait pâturer le bétail, ce qui empêchait la formation des taillis et repousses indésirables.

Il lui avait fallu ensuite guerroyer en Périgord pour réprimer les insubordinations du comte Hélie Talleyrand. Il avait réussi à enlever successivement Excideuil et Puy-Saint-Front avec l'aide du roi Alphonse II d'Aragon, de la comtesse Ermengarde de Narbonne – une poétesse renommée elle aussi – et aussi des deux Henri, le roi d'Angleterre et Henri le Jeune : il n'en avait pas fallu moins pour obliger le comte de Périgord à faire sa soumission et à remettre son château de Périgueux dont les murailles furent alors rasées; les deux fils du comte, Guy et Guillaume – plus tard surnommé « le pèlerin » – avaient été remis en otages à Richard. Pour prouver sa volonté de paix, celui-ci s'était alors rendu en Poitou, et les chasses avaient pour quelque temps remplacé les occupations guerrières dans les forêts du Talmondois; reprenant les traditions des ducs d'Aquitaine, il avait donné des fêtes fastueuses qui avaient été pour lui l'occasion de réunir les principaux seigneurs : en tête Geoffroy de Lusignan avec Guillaume de Lezay, Raoul de Mauléon, Aimery de Thouars et quelques autres.

En cette année 1182, Henri II tint pour Noël une Cour somptueuse à Caen avec ses trois fils. Il supportait mal de les voir tenir leurs assemblées séparément et, toujours inquiet pour son autorité, leur en fit défense à cette occasion, d'autant plus qu'il avait eu quelques démêlés avec Henri le Jeune, lequel revendiquait à nouveau ses droits de roi.

C'est peu après qu'eut lieu la rencontre avec Mathilde de Saxe; Bertran de Born qui accompagnait son seigneur, s'était empressé de lui rendre les hommages du poète à la Dame – deux de ses poèmes la célèbrent sous le nom d'Hélèna, « gaia, lisa Lena » par allusion à Hélène de Troie, mais il avait été mal reçu.

Le châtelain de Hautefort en fut fort dépité et se vengea en décrivant la Cour d'Argentan comme un lieu sinistre, illuminé seulement par la beauté de « *Lena* ».

Henri le Lion n'en tint d'ailleurs pas rigueur aux troubadours : lorsqu'il put regagner ses États, il rapporta de France un exemplaire de *Tristan et Yseult* qu'un de ses fidèles, Eilhardt d'Oberg, allait traduire en allemand et qui devait largement diffuser outre-Rhin le goût des lettres occidentales, ouvrant la voie à celui de la poésie courtoise qu'allaient répandre les *minnesänger*. C'est alors que Bertran de Born s'attacha à Henri le Jeune et lia avec lui sa fortune de poète et de chevalier plus ou moins errant.

Sur ces entrefaites, Henri II, se rendant aux revendications de son fils aîné, voulut obliger ses cadets, Richard et Geoffroy, à lui rendre hommage comme à leur roi, ce qu'ils refusèrent avec ensemble. Geoffroy, cependant, sembla finir par se laisser convaincre, mais Richard persista dans son refus, tandis que Bertran de Born composait des sirventès, poèmes guerriers qui n'allaient pas peu contribuer à semer le trouble et à aggraver les discordes renaissant au sein de la famille.

Trouvant sans cesse que les princes manquent d'ardeur au combat, il envoie son jongleur, Papiol, au Jeune Roi :

Papiol, e tu vai viatz
Al Jove Rei
Diras que trop dormir no'm platz.

Après quoi, sachant que le roi Henri l'aîné a l'intention de secourir Richard, il lui fait honte d'être désormais un prince sans terre et « le roi des mauvais » :

Puois n'Henrics terra no te ni manda,
Sia reis del malvatz!

Une série de troubles assez confus s'ensuivit, aggravés par la présence de routiers recrutés par l'un ou l'autre des combattants. Ces routiers, ces mercenaires, contribuèrent, comme toujours, à rendre la guerre plus cruelle et la paix aussi redoutable que la guerre, car alors, n'étant plus soldés, ils se répandirent dans les campagnes, semant partout pillage et épouvante. En ce printemps de l'année 1183, le premier soin de Richard avait été justement de disperser les routiers jusqu'alors engagés dans le Limousin; c'étaient des Basques, un nommé Raymond le Brun et son neveu, Guillaume Arnaud. Selon les chroniqueurs, il aurait fait aveugler quatre-vingts d'entre eux.

C'est à ce moment-là que le comte Aymar de Limoges reprend les hostilités; avec le vicomte Raymond de Turenne il s'empare d'Issoudun et assiège Pierre-Buffière. Toutes ces luttes sont évidemment liées à celles que mènent Henri le Jeune et Geoffroy contre Richard, lequel va bientôt se trouver dans une situation critique. Son père décide d'intervenir; on le retrouve assiégeant le château de Limoges. Richard ne tarde pas à se joindre à lui; quant à Henri le Jeune, il fait appel au roi de France, Philippe Auguste, qui lui envoie, une fois de plus, des routiers, des mercenaires, avec lesquels le Jeune Roi s'empare de Saint-Léonard-de-Noblat. Pour assurer leur solde, il ne craint pas de se livrer à son tour à des pillages, et quels pillages! Il puise dans le trésor de Saint-Martial de Limoges, non sans laisser un reçu à la place des pièces de monnaie et des objets précieux dont il s'est emparé, évaluant le tout à 22 000 sous limousins! Puis, trouvant sans doute le procédé commode, il fait de même avec le trésor de Grandmont. Allait-on voir le seigneur féodal, le roi d'Angleterre, qui revendiquait ses droits à la couronne, se muer en seigneur-brigand?

C'est alors, vers la fin du mois de mai, que le Jeune Roi est atteint d'une maladie dont les chroniqueurs ne précisent pas la nature et que ses médecins ne savent soigner. Dans le beau château de la cité de Martel, qui a conservé jusqu'à nos jours des restes impressionnants du XIIe siècle, sur les bords de la Dordogne, Henri le Jeune va connaître une fin des plus édifiantes. Il confesse ses fautes, ordonne à ses familliers de faire restituer tout ce qu'il a pillé injustement et envoie l'évêque d'Agen implorer son pardon auprès d'Henri II. Celui-ci, après un moment d'hésitation – se demandant s'il n'est pas le jouet d'une nouvelle ruse –, va chercher dans son trésor une très belle bague en or enchâssant un saphir précieux, et la remet à l'évêque en précisant qu'elle est le signe du pardon qu'il accorde à son fils. Lorsque l'évêque revient, le jeune prince est mourant; il prend la bague, appuie longuement ses lèvres sur le saphir avant de se la passer au doigt; puis, se tournant vers Guillaume le Maréchal qui n'a cessé de l'assister, lui demande d'accomplir à sa place le pèlerinage de Jérusalem qu'il a juré de faire. Il distribue ensuite tous ses biens à ses compagnons, fait répandre de la cendre en forme de croix sur le dallage et, vêtu d'une simple tunique, s'y fait étendre après avoir reçu l'Eucharistie et les saintes huiles.

Là se place un épisode entre tous émouvant : le moine qui l'assiste lui fait remarquer que, s'il a tout distribué aux pauvres, aux clercs, et à ses familiers, il lui reste la très belle bague qu'il porte au doigt. Et Henri de répondre : « Cette bague, je ne la garde pas par désir de possession, mais pour témoigner devant mon Juge que mon père me l'a remise en gage du pardon qu'il m'accordait. » Il ajoute qu'on pourra la lui enlever après sa mort. Mais, lorsqu'il eut fermé les yeux, on ne put lui retirer la bague et chacun considéra qu'il s'agissait là d'un signe : Dieu ratifiait le pardon du père à son fils. C'était le 11 juin 1183.

A Martel mourut, ce me semble,
Cil qui eut dedans soi ensemble
Toute courtoisie et prouesse,
Débonnaireté et largesse

lit-on dans la *Vie* de Guillaume le Maréchal, qui allait se rendre en Terre sainte pour accomplir, fidèle à sa parole, le vœu du Jeune Roi.

CHAPITRE IV

Comte de Poitou et duc d'Aquitaine

La mort du Jeune Roi allait provoquer de violents bouleversements dans le royaume Plantagenêt, et d'abord au sein de sa propre famille. Sa mère, la première, allait ressentir profondément la perte du séduisant héritier, du fils incorrigible et attachant : elle avait eu, la nuit même de cette mort, un rêve prophétique; le Jeune Roi était étendu sur sa couche et portait deux couronnes, l'une en or, celle qui lui avait été remise le jour de son sacre, l'autre faite d'une lumière inconnue aux mortels, comme le Saint Graal.

Quand l'archidiacre de l'église de Wells, chargé de venir lui annoncer la mort de son fils aîné, vint la trouver, Aliénor l'interrompit; elle connaissait d'avance ce qu'il allait lui dire et se contenta de lui raconter le rêve qu'elle avait eu, elle, dans ce donjon de Salisbury où elle se trouvait en résidence surveillée, pratiquement depuis neuf années...

Quant à Henri II, si son despotisme avait contribué à faire le malheur de ce fils auquel il n'avait su laisser, en fait, la moindre parcelle d'autorité, il ne pleura pas moins sa perte. *La Vida* de Bertran de Born raconte de façon très émouvante l'entrevue du roi et du troubadour, quelque temps après le tragique événement : Bertran s'était vanté d'avoir suffisamment d'intelligence (de « sens ») pour pouvoir défendre son château contre toute attaque; Henri, après s'être emparé de Hautefort, le fit venir devant sa tente : « Bertran, vous allez avoir besoin de tout votre sens ! » Il répondit que tout son sens avait perdu quand le Jeune Roi mourut. Et le roi pleura son fils et lui pardonna, et le fit vêtir, et lui donna terre et honneurs. » Tous pleuraient le « meilleur roi qui oncques naquit de mère, large et bien parlant, de belle façon et d'humble semblant ».

Parmi les vœux exprimés par le Jeune Roi avant sa mort, l'un d'entre eux était pour recommander à son père, de façon pressante, qu'il rendît à la reine, son épouse, une entière liberté. Quelque temps après, leur fille Mathilde passait la Manche avec son époux pour lui rendre visite, et, cette visite, Aliénor fut autorisée à la lui rendre l'année suivante à Winchester où Mathilde mit au monde un fils nommé Guillaume. L'année 1184 allait voir une sorte de réconciliation générale de la famille dans le palais de Westminster pour la fête de Saint-André, le 30 novembre. Henri II Plantagenêt allait même à cette occasion faire cadeau à son épouse d'une très belle robe d'écarlate, fourrée de petit-gris, et d'une selle dorée avec parements de fourrure. Les dissentiments qui s'étaient élevés et avaient séparé Aliénor de son fils très aimé, Richard, s'étaient déjà apaisés quelque temps auparavant, et cette réunion de la Saint-André, comme celle qui allait avoir lieu pour Noël à Windsor, marquait pour l'ensemble des Plantagenêts une réconciliation publique. Peu après, comme en toutes les circonstances importantes de sa vie, Aliénor faisait un don à l'abbaye de Fontevraud à laquelle allait sa prédilection depuis bien longtemps, avant même son remariage avec le Plantagenêt.

En fait, un problème de succession restait en suspens. L'Aquitaine était alors en paix, le comte Aymar de Limoges s'étant résigné à faire sa soumission le 24 juin 1183, peu après la mort du Jeune Roi, tandis que Bertran de Born, accablé de douleur, composait deux beaux « planh » en l'honneur du jeune prince que chacun pleurait; car, en dépit de ses faiblesses, de ses prodigalités sans mesure, de ses accès de colère injustifiés, il possédait un charme qui le faisait aimer et savait se montrer, avec tous, gracieux et courtois. Les deux aînés des Plantagenêts, de l'avis général, avaient été favorisés par la nature : tous deux étaient beaux, généreux, ouverts à la poésie et à la musique; cependant c'était Richard qui se ressentait surtout de l'héritage méridional qu'il tenait de sa mère. Un véritable Aquitain, avec le goût de l'élégance, la passion de l'aventure, le sens inné du rythme qui, en certains cas, se révélait un peu abruptement : on l'avait vu, agacé par le chant des moines, un peu trop traînant à son goût, se lever et prendre la direction du chœur « de la voix et du geste », dit la chronique. Il était, comme son père, résolu dans l'action, peut-être avec une certaine rudesse qu'Henri le Jeune, lui, avait toujours su éviter. On disait de lui, dans cette Aquitaine qu'il avait pris goût maintenant à parcourir en tous sens : « Nulle montagne, si haute et raide fût-elle, ni tour si élevée et inexpugnable ne pouvaient l'empêcher d'avancer; aussi habile qu'il était hardi, aussi appliqué et persévérant qu'impétueux. » Un magnifique baron, d'ailleurs plein de zèle pour l'ordre et la justice; il est visiblement heureux dans cette région qui a la réputation d'un pays fertile, plantureux, où il fait bon vivre. Le chroniqueur anglais contemporain, Raoul de Diceto, en fait une description enthousiaste dans son ouvrage qu'il intitule *Imagines historiarum* (Images de l'Histoire) : « Les richesses y affluent de toute antiquité; c'est l'une des plus riches provinces de Gaule, des plus heureuses et fertiles avec ses champs cultivés, ses villes, ses bois giboyeux, ses eaux très saines »; et de décrire le cours de la Garonne et de ses affluents navigables des Pyrénées à l'Océan; quant aux gens, ils sont diserts et gourmets – et ce sont des épithètes qu'on pourrait attribuer encore aux natifs du Médoc ou de la Dordogne. Les Poitevins aiment le bon bœuf et le bon vin, remarquet-il, ils apprécient la cuisine au poivre et à l'ail; il note même leur goût pour la chasse au canard sauvage qu'on attrape au filet – on sait comment, aujourd'hui encore, la chasse aux palombes est pour les habitants de la région une distraction attendue chaque année. On les cuit au feu de sarments. Enfin, il ajoute que le pays abonde dans ses fleuves en lamproies et en esturgeons.

La nature de Richard s'accommode de tous ces détails donnés par son contemporain : il appréciait les services de son cuisinier, et le goût de la bonne chère ne l'a pas quitté. Au reste, le chroniqueur en question est l'un des familiers de Richard, et on le verra officier à son couronnement à Londres.

On juge, dans ces conditions, quelle peut être la réaction du comte de Poitou et duc d'Aquitaine lorsqu'il apprend que son père entend faire don de l'Aquitaine à son plus jeune fils, Jean « Sans Terre ». Pour Richard, il ne suffit pas que le royaume insulaire lui soit promis, l'Aquitaine doit rester son fief personnel. Réfrénant sa fureur, lorsque la proposition lui a été faite, il a demandé un délai de réflexion, et s'est empressé de regagner précisément l'Aquitaine d'où il adressera un refus sans équivoque. A nouveau c'est la discorde, cette fois, entre Richard, d'une part, Geoffroy et Jean, de l'autre; ceux-ci ont fait appel à quelques-uns des routiers qui suivaient Henri le Jeune, entre autres au fameux Mercadier qui longtemps fera parler de lui en Périgord et même dans la région bordelaise.

Pourtant, lors des deux Cours de la Saint-André et de Noël 1184, la paix sinon la bonne entente était rétablie entre les trois frères. Henri II pouvait, d'autre part, se vanter d'avoir conclu un accord satisfaisant avec le roi de France : s'étant rencontrés à Trie, ils étaient convenus que la forteresse de Gisors – sempiternelle pomme de discorde! – resterait au roi d'Angleterre et à son domaine normand moyennant une pension de 2 750 livres de monnaie angevine; il avait aussi apaisé les inquiétudes de Philippe Auguste sur le sort de sa sœur Adélaïde qui présentement demeurait à Winchester; elle épouserait « l'un des fils du roi d'Angleterre ». Pour finir, Henri II avait même rendu hommage dans les termes habituels et sans aucune réserve à son seigneur, le roi de France, pour tous ses domaines continentaux.

Quelque temps après, et toujours dans un but d'apaisement, Aliénor avait été autorisée à se rendre à Rouen où son fils Henri le Jeune avait été inhumé. Richard vint la rejoindre et consentit à lui rétrocéder, sa vie durant, la suzeraineté de l'Aquitaine. Au reste, c'était une question d'entente entre la mère et le fils, et l'accord profond qui régnait entre eux n'avait été rompu que bien passagèrement : Richard continuait d'exercer ses droits de comte de Poitou et duc d'Aquitaine, d'ailleurs avec beaucoup d'attention à chacun de ses vassaux. On le voit confirmer la fondation du monastère de Fontaine-le-Comte, en accord avec l'abbé de Maillezais; ce dernier reçoit le fief de Coulanges tandis que Richard édifie une ville neuve à Saint-Remy de la Haie et édicte pour elle une charte de franchise. Il renouvelle aussi divers privilèges concédés à l'aumônerie de Chizé ou encore aux usagers de la forêt de Montreuil.

C'est à Domfront qu'Henri II allait tenir sa Cour de Noël en 1185. Elle fut solennelle et marquée par la sollicitation faite au Plantagenêt, d'accepter la couronne de roi de Jérusalem : Baudouin IV, le Lépreux, était mort le 16 mars de la même année – mort à vingt-quatre ans, sa courte vie marquée de souffrances et d'héroïsme. Henri II avait pris la croix depuis douze ans déjà; il n'en refusa pas moins la succession; ses ambitions, de toute évidence, étaient plus proches et moins hautes.

Divers incidents se produisent l'année suivante. Tout d'abord, lors d'une nouvelle entrevue à Gisors pendant le temps du carême, donc au début du printemps, Philippe Auguste et Henri II décidèrent à nouveau qu'Adélaïde serait mariée avec le roi Richard. C'était à peu près le moment où celle qui avait été l'épouse du Jeune Roi, Marguerite de France, se remariait avec Béla III, roi de

Hongrie. Ensuite, Geoffroy, comte de Bretagne, toujours mécontent des projets de son père, répondit complaisamment à une invitation du roi de France et vint passer l'été dans ses domaines. Pendant quelques semaines, on allait partout voir les jeunes gens ensemble : à table, à la chasse, aux festins qui se succédaient, aux tournois. Ce qui allait se terminer tragiquement, car c'est à l'un de ces tournois, au mois d'août, que fut tué Geoffroy de Bretagne : un accident comme il en arrivait parfois au cours de ces jeux d'adresse et d'élégance, mais non dépourvus de brutalité.

Le désespoir du roi Philippe Auguste dans la circonstance a frappé les contemporains. Peut-être craignait-il d'être accusé ou soupçonné d'avoir entraîné Geoffroy de Bretagne dans un traquenard; ou peut-être, après tout, éprouvait-il pour lui une amitié véritable. Toujours est-il qu'au cours des funérailles solennelles qui furent faites à Geoffroy, on eut peine à l'empêcher de se précipiter à son tour dans la tombe fraîchement creusée. Cela se passait à Notre-Dame de Paris, dans la cathédrale toute neuve dont la première pierre avait été posée vingt-trois ans plus tôt, sur l'initiative de l'évêque de Paris, Maurice de Sully. En vingt ans les travaux avaient été menés assez loin pour que des offices y fussent célébrés, tandis que le chantier restait ouvert. Philippe fit le meilleur accueil à la veuve de Geoffroy, Constance, qui était alors enceinte et allait mettre au monde le fils posthume de son époux, auquel elle donna le nom d'Arthur – inspiré des romans de chevalerie. Le garçonnet devait être élevé principalement à la Cour de France, ainsi que sa sœur aînée qui portait le nom d'Aliénor. Plus tard on vit Philippe Auguste faire jurer à son propre fils Louis de ne jamais prendre part à aucun tournoi.

Pour la lignée des Plantagenêts, la mort de Geoffroy, trois ans seulement après celle du Jeune Roi, était un coup très dur : la branche masculine s'amenuisait, et les possessions continentales du beau royaume Plantagenêt pourraient en souffrir. Henri II était trop fin diplomate pour ne pas comprendre que son intérêt lui faisait un devoir de ménager plus que jamais la paix avec le roi de France. Il eut une entrevue avec Philippe à Nonancourt, au jour de l'Annonciation, le 25 mars 1187. Des trêves y furent décidées; Richard, ne s'estimant pas lié par ces trêves, continuait les hostilités. Philippe Auguste allait en profiter pour mener une incursion dans le Berry où il s'empara de deux places : Graçay et Issoudun.

Une circonstance qui n'était pas totalement imprévue, mais dont on ne pouvait encore mesurer l'importance, allait intervenir et modifier quelque peu le comportement des princes d'Occident : depuis plusieurs années déjà, on savait la Terre sainte en péril grave, et, après les événements dans le Berry, c'est une intervention immédiate du pape Urbain III qui avait fait rétablir la paix entre le comte de Poitou et le roi de France. Mais, outre-mer, les événements allaient se précipiter : dissensions entre princes croisés, incapacité du roi de Jérusalem – c'était un Lusignan, Guy – résultat d'un choix malheureux fait par celle à qui la royauté de la Ville sainte était échue, Sibylle; enfin et surtout, valeur militaire et humaine du sultan Saladin qui était parvenu à réunir entre ses mains l'Égypte et la Syrie. Tout cela mettait le fragile Royaume latin, dont la position avait toujours été précaire, au bord de la catastrophe. Celle-ci allait avoir lieu lors de la célèbre bataille des Cornes de Hattîn, au jour de saint Martin « le bouillant », 4 juillet 1187. Après quoi, l'armée franque étant pratiquement anéantie, ce devait être un jeu pour le vainqueur de s'emparer successivement de toutes les villes dont la conquête, une centaine d'années auparavant, avait coûté tant de sang et de larmes : Acre, le 10 juillet, Jaffa et Beyrouth, le 6 août, enfin, la Ville sainte elle-même, Jérusalem, le 2 octobre de cette fatale année 1187.

Dans tout l'Occident, ces nouvelles allaient semer l'alarme et provoquer une émotion favorable à un regain d'attention pour la défense de ce que la Chrétienté considérait comme son fief : la Terre sainte, où le Christ avait vécu, était mort et ressuscité.

Richard prend la croix l'un des premiers – dès le lendemain du jour où parvint la nouvelle –, des mains de l'évêque Barthélemy de Tours. Il a fait auparavant un séjour auprès du roi de France – réconciliation voulue par lui-même et ménagée par son cousin, le comte Philippe de Flandre. Le chroniqueur Gervais de Cantorbéry rapporte une conversation entre les deux hommes; Richard, songeur, et soudain, possédé d'un désir de paix qui lui permît de se rendre outre-mer : « J'irais bien pieds nus à Jérusalem pour avoir sa bonne grâce. » A quoi Philippe aurait répondu : « Inutile d'y aller à pied, nus ou chaussés; mais tel que tu es, à cheval, dans ta splendide armure, tu peux bien aller le trouver. »

Il est probable que, suivant ce qu'affirment certains chroniqueurs, ce soit pendant ce séjour que le roi de France lui ait révélé les bruits qui couraient au sujet de sa sœur Adélaïde séduite par Henri II, dont elle aurait eu un enfant, un fils, mort dans ses premiers mois. Quoi qu'il en soit, l'alliance entre Richard et Philippe ne pouvait être que dirigée contre Henri II.

Ce qui allait achever de convaincre les princes chrétiens fut la venue en Occident du patriarche de Tyr. Son prédécesseur, Guillaume de Tyr, avait joui d'un grand prestige, non seulement en Terre sainte, mais aussi en Europe. Figure éminente au sein de la Chrétienté, c'est lui qui nous a laissé la chronique la plus détaillée, la plus exacte sur l'ensemble des événements survenus en Terre sainte depuis le grand ébranlement, l'appel d'Urbain II au concile de Clermont en 1095. Son successeur, en tout cas, fut écouté. Il y eut une réunion solennelle entre Gisors et Trie, le 21 janvier 1188.

On décida de lever une dîme spéciale dans toutes les églises aussi bien de France que d'Angleterre – ce qu'on devait appeler bientôt la Dîme saladine – pour une prise d'armes générale. Rois et barons prirent la croix avec des couleurs différentes selon les régions : celles de France étaient rouges, celles d'Angleterre, blanches, et vertes celles de Flandre. Tous étaient solennellement exhortés à faire cesser leurs querelles afin d'avoir pour première préoccupation le bien de la Chrétienté, c'est-à-dire, la reconquête de Jérusalem.

***

On allait pourtant voir renaître les différends entre France et Angleterre et dans ce pays, entre père et fils. De nouvelles révoltes, en effet, n'allaient pas tarder à secouer le Poitou; les seigneurs de la région, peu soucieux du sort de la Terre sainte – où pourtant c'était un Lusignan qui venait de subir les défaites mettant pratiquement fin au royaume de Jérusalem – ne prêtaient attention qu'à leurs querelles sans cesse renaissantes. À nouveau, un complot unissait le comte Aymar d'Angoulême, Geoffroy de Rancon et Geoffroy de Lusignan; en arrière-plan, on percevait la complicité du comte Raymond de Toulouse contre qui Richard avait soutenu des luttes fort vives durant les deux années précédentes; plus encore, mais tout à fait à l'arrière-plan, les visées d'Henri II, qui souhaitait toujours déposséder Richard au profit de Jean, trouvaient là un prétexte à s'accomplir : à ses yeux il suffirait désormais à Richard, puisqu'il était devenu l'héritier du royaume Plantagenêt, d'exercer son pouvoir royal sur l'ensemble du pays.

Or le comte de Poitou sut faire front; il y fut aidé notamment par les Hospitaliers auxquels il venait de faire une importante concession : à leur maître de la langue d'Angleterre, Girard, il avait attribué, en franchise, une maison à La Rochelle, celle d'un certain Guillaume Cotrel, qui devait être bien placée dans le port, sur l'océan; les Hospitaliers tenaient à tous leurs débouchés vers la mer grâce auxquels ils pouvaient ravitailler leurs châteaux de Terre sainte en chevaux, en foin, en froment pour les hommes de garnison. Là-bas, au-delà des mers, leur principale forteresse, le fameux Krak des Chevaliers, s'organisait pour résister aux coups de Saladin. Aussi bien les voit-on tenir, à La Rochelle comme à Marseille, aux points d'ancrage et aux entrepôts dont ils pouvaient disposer.

Richard agit d'ailleurs en administrateur et remplit ses devoirs de seigneur féodal en leur octroyant ces concessions. De plus en plus attentif à tout ce qui entretient la vie ou contribue à l'animer sur ses domaines, il s'occupe du Poids public à La Rochelle qu'il concède à une femme, une nommée Petite, épouse de Guillaume Légier, qui remettra en échange, chaque année, un gobelet d'argent pesant un marc; ou encore, il permet à Geoffroy Berland de louer des magasins qu'il possède à la foire de Poitiers pour les marchands qui s'y rendent...

Les événements allaient pourtant se compliquer, et les rapports avec le comte de Toulouse s'envenimer en cette année 1188. Richard, qui dès ce moment paraît s'intéresser de près à la croisade – en Poitou, il libère tous ceux parmi les prisonniers qui acceptent de prendre la croix –, finit par s'exaspérer des escarmouches que provoque ici et là Raymond VI de Toulouse; il fait prisonnier l'un de ses familiers, Pierre Seilun. Aussitôt, Raymond riposte en emprisonnant au hasard deux chevaliers revenant du pèlerinage de Saint-Jacques de Compostelle, qu'il propose à Richard d'échanger contre Pierre Seilun. Mais celui-ci refuse, et c'est vainement que Richard fait appel au roi de France en cette affaire. Il reprend donc les armes, s'empare de Moissac et s'approche de Toulouse qu'il menace. Nouvel appel, de Raymond cette fois, à Philippe Auguste, qui attaque les villes du Berry : Châteauroux, Buzançais, Argenton, Levroux, Montrichard. Henri II décide alors d'intervenir et soumet le litige qui oppose le comte de Poitou et celui de Toulouse à un arbitrage. C'est l'archevêque de Dublin, Jean Cumin, qui est désigné par lui. Le prélat se prononce en faveur de Richard : les deux chevaliers que Raymond de Toulouse a capturés étaient des pèlerins, donc inviolables.

Sur ces entrefaites, la tension augmente avec Philippe Auguste : Richard, ripostant aux attaques sur les villes du Berry, s'empare du château des Roches appartenant à un chevalier français proche du roi, Guillaume des Barres. Celui-ci est fait prisonnier, mais parvient à s'échapper, au cours d'un engagement très violent, près de Mantes, le 28 juillet 1188. Plusieurs entrevues allaient suivre entre le roi d'Angleterre et le roi de France. L'une d'elles allait demeurer célèbre dans les annales. C'était entre Gisors et Trie, l'endroit traditionnel où se rencontraient les deux rois, aux confins de la Normandie. Il y avait là un orme immense, plusieurs fois centenaire, dont neuf hommes, disait-on, pouvaient à peine étreindre le tronc. Un jour du mois d'août, Henri Plantagenêt installa ses hommes, arrivés les premiers, par une chaleur étouffante; ils occupèrent toute la place à l'ombre de l'orme, tandis que, face à eux, Philippe Auguste et ses familiers restaient au soleil, en plein champ. La journée se passa comme de coutume, en va-et-vient de messagers entre Français et Anglais, quand, vers le soir, une flèche fut décochée par l'un des mercenaires gallois dont Henri II faisait volontiers son escorte. Furieux, à la fois de l'attitude discourtoise des Anglais pendant cette journée et de la violation des usages chevaleresques, les Français se jetèrent sur les Anglais qui se retirèrent en désordre et trouvèrent abri derrière les puissantes murailles du château de Gisors qu'ils continuaient à occuper. Se retournant sur l'orme, l'escorte française passa sa colère sur lui : l'arbre fut entièrement dépecé et abattu. Philippe Auguste, qui s'était retiré, en fut d'ailleurs fort mécontent : « Suis-je venu ici pour faire le bûcheron? » dit-il.

Après cet épisode, Richard à nouveau se rapprocha de Philippe Auguste. Plus que jamais, il reprochait à son père de ne pas lui laisser une parcelle de ce pouvoir auquel il avait droit, et de retarder aussi le couronnement auquel, selon les usages féodaux, il aurait dû procéder comme il l'avait fait pour Henri le Jeune.

Une nouvelle entrevue avait été fixée pour le 18 novembre 1188 entre Henri II et le roi de France, cette fois à Bonmoulins puisque l'orme de la paix n'existait plus. Elle allait avoir le dénouement le plus imprévu. Henri Plantagenêt eut d'abord la stupéfaction de voir son fils, son futur héritier présumé, Richard, comparaître aux côtés du roi de France; Philippe allait renouveler les requêtes qui revenaient à chaque entrevue, presque comme un rituel, entre les deux rois : d'abord le mariage de sa sœur Adélaïde. Allait-elle enfin épouser l'héritier du royaume d'Angleterre? Mais il ajouta une autre demande : que Richard, ici présent, reçoive, en dehors de son comté de Poitou, l'ensemble des provinces qui lui revenaient en propre : Touraine, Anjou, Maine et Normandie – en bref, les provinces dont Philippe en tant que roi de France, demeurait le seigneur.

C'était précisément ce qu'Henri II n'entendait pas accorder à Richard; se souvenant des difficultés qui l'avaient séparé de son fils aîné, il se serait gardé d'accorder au puîné la moindre parcelle de pouvoir. « Vous me demandez ce que je ne suis pas préparé à accepter », répondit-il aux requêtes de Philippe.

« Je vois clair comme le jour ce qui jusqu'ici me paraissait incroyable », répondit Richard. Et, devant les deux escortes qui se faisaient face, il dénoua son ceinturon, s'agenouilla devant le roi de France et, selon le geste habituel de l'hommage, plaça ses mains entre celles de Philippe, se déclarant son homme lige pour tous ses domaines français, et implorant son aide et sa protection pour en être régulièrement investi.

Inutile d'ajouter que l'entrevue ne devait pas se prolonger davantage. L'hommage ainsi prêté par le fils était une véritable déclaration de guerre à son père. Et pour bien affirmer sa révolte, comme on se trouvait à un mois, ou à peu près, des fêtes de Noël, Richard prit avec Philippe la route de Paris, clamant son intention d'y passer le temps qu'il aurait dû aller fêter auprès du Plantagenêt. Celui-ci allait être, cette année-là, à Saumur, assisté de son seul et dernier fils fidèle, Jean Sans Terre. Le temps des brillantes Cours où il rassemblait sa famille autour de lui était bien révolu. On murmurait qu'à son dernier fils Henri avait l'intention de donner son royaume, car, aux yeux de tous, il n'était plus qu'un vieil homme épuisé par la vie qu'il avait menée, et on le sentait désormais proche de sa fin. Des trêves furent néanmoins conclues, puis renouvelées.

Richard semblait mener très joyeuse vie en France aux côtés de Philippe, comme cela s'était produit autrefois avec Geoffroy. Les deux princes paraissaient inséparables, partageant la même table, au besoin le même lit – ce qui à l'époque n'avait rien d'extraordinaire ni de suspect –, présidant ensemble assemblées, festins et les cérémonies de cette fin d'année.

La guerre devait reprendre avec le printemps, mais Henri, dont la santé déclinait visiblement, tenta d'obtenir un revirement de la part de Richard. Il lui envoya, quelque temps avant Pâques, l'archevêque de Cantorbéry, Baudouin; l'entrevue eut lieu à La Ferté-Bernard. Il y fut question, une fois de plus, du mariage de Richard et d'Adélaïde : il y avait vingt-deux ans que la jeune femme avait été promise au comte de Poitou! Richard, sans donner de réponse, formula une nouvelle exigence : étant lui-même décidé à partir pour la Terre sainte, il souhaitait que son frère, Jean, vînt lui aussi. En fait, sensible aux bruits qui couraient à ce propos, il craignait que son père ne profitât d'une absence prolongée pour faire couronner son plus jeune fils à sa place...

Quelques faits d'armes, d'ailleurs assez indécis, eurent encore lieu. En tout cas, une attaque sur la ville du Mans où Henri s'était retiré. Elle était menée par Richard alors que Philippe, lui, entrait dans la cité de Tours. Une nouvelle entrevue fut décidée, fixée cette fois à Colombiers, entre Tours et Azay-le-Rideau. Lorsque Henri II se présenta, il semblait si pâle, si exténué, que le roi de France parut saisi de pitié; pliant sa chape en quatre, il la lui offrit pour s'asseoir, mais Henri refusa. Les deux souverains convinrent de s'adresser mutuellement la liste des seigneurs qui les suivaient. Lorsque Henri Plantagenêt se retira, il se fit transporter à Azay-le-Rideau, puis à Chinon où il se coucha pour ne plus se relever.

C'est alors qu'eut lieu la scène dramatique que tous les historiens ont rapportée : le Plantagenêt demande à Guillaume le Maréchal, demeuré à peu près seul fidèle parmi ses barons, de lui lire la fameuse liste que son chancelier Roger vient d'apporter de la part de Philippe Auguste. Guillaume ne peut réprimer, en y jetant un premier coup d'œil, un cri de surprise : en tête de la liste se trouve le nom de Jean Sans Terre, le fils chéri du roi. Il dut révéler cette défection dernière, celle à laquelle Henri s'attendait le moins. Il reprenait sa lecture, lorsque le roi l'interrompit : « Assez en avez dit », et, tournant son visage vers le mur, il demeura immobile. Une journée allait se passer sans qu'on sache s'il demeurait conscient; le troisième jour, un peu de sang lui sortit par la bouche et les narines : il était mort. C'était le 6 juillet 1189.

CHAPITRE V

Roi d'Angleterre

Richard devenait roi d'Angleterre en des circonstances tragiques. Au moment de la mort d'Henri le Jeune, le père et le fils s'étaient mutuellement accordé leur pardon. Alors qu'en ce mois de juillet 1189 rien ne venait adoucir la dureté de la séparation : au contraire, on raconte que quand Richard se présenta au château de Chinon devant la dépouille de son père, le cadavre se mit à saigner, les narines s'empourprèrent comme en un sursaut de colère du vieux roi contre ce fils qui l'avait trahi et qui plus est avait entraîné Jean, son plus jeune enfant, le dernier « aiglon », dans la trahison.

Il semble pourtant que Richard ait éprouvé quelque chagrin à la mort de celui qu'il avait tant combattu. Le même chroniqueur qui voit dans ce saignement du visage désormais immobile de Henri II, un témoignage d'ultime indignation, montre le comte de Poitou pleurant et se lamentant lorsqu'il escortait le corps de son père jusqu'à l'abbaye de Fontevraud où il le fit ensevelir. Il avait dû apprendre en même temps la mort survenue le 28 juin de sa sœur Mathilde, la duchesse de Saxe dont la tombe existe toujours à Brunswick. Son époux ne devait mourir qu'en 1195, léguant à sa cité le bel évangéliaire dont une enluminure représente le couronnement de Mathilde...

Sombre période, décidément, pour les Plantagenêts! Les usages des funérailles avaient été respectés; Henri II reposait dans tout l'appareil de la majesté royale, portant sur sa tête une couronne d'or, un anneau d'or au doigt, le sceptre en main, le glaive à son côté. Le choix de Fontevraud comme sépulture, dans cette abbaye royale où les moniales et les moines allaient prier pour le souverain, ouvrait une ère importante pour la dynastie qui avait régné à la fois sur l'île et sur une grande partie du continent. Et non moins pour la magnifique abbaye devenue le lieu élu par la dynastie royale d'Angleterre [1].

Des conventions avaient été acceptées de part et d'autre, entre Henri II et Philippe Auguste : il était entendu que le nouveau roi d'Angleterre ferait hommage au roi de France pour ses fiefs continentaux. La sœur de Philippe, éternelle fiancée, épouserait Richard aussitôt après son retour de Terre sainte; car le départ, pour une expédition que celui-ci semblait souhaiter aussi vivement que son père avait paru soucieux de la retarder, était prévu pour le temps du carême, donc le printemps de 1190. Ceux qui durant les guerres avaient été les adversaires du roi Henri et s'étaient rangés aux côtés de Richard ne devraient se rendre de nouveau auprès du roi d'Angleterre qu'un mois avant le départ pour Jérusalem. Enfin, le défunt roi avait promis au roi de France une somme de 20 000 marcs d'argent et remis en gage à

1. Il est cruel d'avoir à évoquer l'abbaye de Fontevraud qui, à peine tirée de l'avilissement où elle s'est trouvée, puisque la Révolution l'avait convertie en prison, aura connu en 1987 une autre sorte d'avilissement : livrée à une société qui gère par ailleurs le futur Parc de Loisirs de Marne-la-Vallée, elle se trouve transformée en hôtel, avec une publicité ainsi conçue : « L'Abbaye Royale de Fontevraud : un hôtel " trois étoiles " au cœur de l'an mil » (!); ce qui fait toucher du doigt le souhait (inavoué) de nos autorités en fait de Culture, qui est de voir nos monuments historiques devenir « rentables » – un souhait et une politique qui nous transportent très loin des temps de Richard Cœur de Lion!

Richard et à Philippe les deux cités du Mans et de Tours ainsi que les châteaux du Loir et de Troô.

Quelle allait être l'attitude de Richard vis-à-vis de ceux qui avaient fidèlement servi son père – donc agi contre lui? Plus d'un dut redouter sa colère en voyant sa conduite envers Étienne de Marçay, le sénéchal d'Anjou. Aussitôt après l'enterrement d'Henri II, Richard le fit jeter en prison, chargé de chaînes et de fers aux mains et aux pieds, et exigea de lui qu'il rende aussitôt tous les châteaux et trésors du défunt roi, qu'il avait en charge. Il alla jusqu'à faciliter le départ et le remariage de l'épouse d'Étienne! Mais là se borna sa revanche car, au contraire de ce qu'on aurait pu attendre, il fit savoir que tous ceux qui avaient fidèlement servi le défunt roi d'Angleterre, conserveraient leurs offices et recevraient chacun selon son mérite. Mais ceux qui avaient abandonné Henri II dans sa détresse n'avaient rien à attendre de son fils. C'est ainsi que trois seigneurs qui avaient trahi son père pour s'attacher à lui-même comme comte de Poitou, Guy de Vallée, Raoul de Fougères et Geoffroy de Mayenne, allaient être cruellement déçus : ils espéraient récupérer les biens dont Henri II les avait spoliés, mais Richard n'était nullement disposé à les leur rendre, en raison même de la trahison dont ils s'étaient rendus coupables. Réaction difficile à comprendre de nos jours, mais typique d'un temps où l'on accorde une grande importance au lien féodal. et où le manquement à la parole entraîne le mépris – fût-ce du bénéficiaire de ce manquement...

Il fit toutefois bon accueil à Jean, son frère, et le reçut avec honneur lorsqu'il se présenta. Ajoutons qu'il avait aussitôt retenu à son service les deux plus fidèles serviteurs d'Henri II, Maurice de Craon et Guillaume le Maréchal. Il aurait pu cependant garder rancune à ce dernier qui l'avait directement combattu pour protéger la retraite du Plantagenêt vers la ville du Mans.

Le dialogue bien connu que nous a rapporté l'auteur de la *Vie* de Guillaume le Maréchal est un véritable morceau d'anthologie qui serait digne de figurer dans un roman de chevalerie. En effet, quand Guillaume se présenta devant celui qui était devenu son souverain après avoir été jadis son élève, celui-ci commença par l'apostropher sévèrement : « Maréchal, dit-il, l'autre jour [cela remontait à une dizaine de jours à peine, en effet] vous avez voulu me tuer, et vous l'auriez fait si de mon bras je n'avais détourné votre lance.

– Sire, avait répondu Guillaume, je n'ai pas voulu vous tuer; je suis assez habile pour diriger ma lance à l'endroit exact où je le veux. Il m'aurait été aussi facile de frapper votre corps que celui de votre cheval. J'ai tué votre cheval, je ne crois pas avoir mal fait et n'en éprouve aucun regret. » Sur quoi, Richard s'était contenté de répondre : « Je vous pardonne et ne vous en garderai pas rancune ».

Une telle scène donne bien le ton du nouveau règne. Par-delà les accès de fureur, les ambitions, les brutalités, il y a une droiture et une générosité qu'on ne peut dénier à ce futur roi d'Angleterre. Elle ne se démentira pas au long de son règne. Seuls la trahison et le mensonge lui sont insupportables.

Aussitôt après les derniers devoirs rendus à son père à Fontevraud, Richard se rendit en Normandie, à Rouen. Le 20 juillet, jour de la fête de sainte Marguerite, il devait être solennellement investi du duché et recevoir l'épée ducale en présence de l'archevêque Gautier et des évêques, comtes et barons normands, après avoir prêté serment de maintenir et de garder toute fidélité à son peuple. Cette première cérémonie fut pour le nouveau duc l'occasion de diverses libéralités. D'abord, à la jeune Mathilde, sa nièce, fille du duc et de la duchesse de Saxe, il donna en mariage Geoffroy, fils de Rotrou du Perche, l'un des plus hauts seigneurs normands; à Guillaume le Maréchal, il accorda la main d'Isabelle, fille de Richard de Striguil, comte de Pembroke, l'une des plus riches héritières du royaume; à Gilbert, fils d'un serviteur de son père – son sénéchal, Roger Fitz-Rainfroi – il accorda celle d'Héloïse, fille de Guillaume de Lancastre, baron de

Kendal – autre riche héritière ainsi mariée à l'un des barons dont il appréciait le zèle.

C'est surtout envers son jeune frère, le seul qui lui restât, qu'il allait déployer ses largesses : Jean Sans Terre ne méritait plus son surnom après la cérémonie de Rouen. D'autre part, à son demi-frère, Geoffroy – l'un des deux bâtards de son père, qui était entré dans la cléricature et qui faisait partie de l'église de Lincoln – il octroya l'archevêché d'York, dont celui-ci allait d'ailleurs prendre possession avec une hâte significative et sans aucun ménagement pour les chanoines et prélats qui l'administraient auparavant. Quant à Jean, il devenait comte de Mortain et recevait 4 000 livrées de terre en Angleterre. Richard lui confirmait en outre tous les domaines qui lui avaient été octroyés par son père. Jean n'allait pas tarder à épouser, au mois d'août suivant, Havise de Gloucester [1].

Le samedi suivant, fête de sainte Marie-Madeleine (le 22 juillet), Richard eut sa première entrevue de roi – il n'était pas encore couronné, mais bien près de l'être – avec le roi de France, Philippe Auguste. Cela se passait entre Chaumont et Trie, toujours aux confins de cette Normandie dont il était désormais le duc. L'amitié exubérante qui régnait entre les princes du vivant de Henri II sembla, dès cet instant, un peu refroidie. Philippe s'empressa en effet de réclamer la possession du château de Gisors. Richard parvint à éluder le terme auquel la forteresse et le pays adjacent seraient remis à la France mais s'engagea à épouser enfin Adélaïde, son éternelle fiancée. Il ajouta une promesse de subsides assez conséquente : 4 000 marcs d'argent, 4 000 marcs d'esterlins, en plus des 20 000 marcs que son père avait déjà promis. L'entrevue qui ne se passait pas sous l'orme fameux, et pour cause, faillit avoir une conclusion tragique. Richard approchait de Gisors quand un pont de bois se rompit sous lui. Il tomba avec sa monture dans le fossé, mais leur

1. Elle est la petite-fille et héritière d'un puissant seigneur normand, Robert de Caen.

chute fut sans doute amortie par l'eau dont il devait être à demi rempli; le roi s'en tira avec quelques contusions sans gravité. Ensuite de quoi, il se dirigea vers Barfleur où son frère Jean vint s'embarquer en même temps que lui.

Il avait cru bon de déléguer en Angleterre Guillaume le Maréchal pour faire libérer sa mère, la reine Aliénor. Celui-ci arrivé à Winchester, la trouva, dit-il, « déjà libérée et plus grande dame que jamais ». La reine n'avait pas perdu son temps. A peine débarrassée de la surveillance des trois hommes de confiance qu'Henri avait placés auprès d'elle – Ralph Fitz-Stephen, Henri de Berneval, Renouf de Glanville –, elle avait agi avec une promptitude et une décision qui devaient étonner toute l'Angleterre, pour préparer la venue et le couronnement de son fils, celui qu'elle aimait entre tous et le seul qui lui restât réellement, car elle s'était toujours méfiée de Jean Sans Terre. « Tout d'abord elle ordonna de rendre libres tous les captifs emprisonnés », c'est ainsi qu'est résumé l'édit proclamé en son nom. Tous ceux qui avaient été pris et emprisonnés pouvaient venir en personne présenter leurs arguments de défense. Ceux qui l'avaient été pour des délits de forestage étaient immédiatement libérés, les forfaits qui leur avaient été imputés étant annulés; c'est qu'en effet, Henri, soucieux de protéger ses chasses dans les forêts qui toujours furent rares en Angleterre, avait multiplié des édits allant jusqu'à la barbarie : mutilation ou autres peines afflictives simplement pour des bois coupés ou des animaux pris. Un grand vent de liberté dissipait toutes les brumes de l'île, pourvu que fidélité fût jurée au nouveau souverain. Pour commencer, Richard s'était empressé de faire rendre ses terres à Robert, comte de Leicester, que son père avait dépouillé de tous droits et fit de même pour tous les droits et libertés précédemment annulés ou suspendus par Henri II. Il avait aussi octroyé permission aux principaux évêques d'Angleterre – Baudoin de Cantorbéry, Gilbert de Rochester, Hugues de Lincoln, Hugues de Chester – de regagner leur diocèse insulaire. Certains évêques du continent, Gautier de

Coutances, archevêque de Rouen, Henri, évêque de Bayeux, Jean, évêque d'Evreux, devaient le suivre pour venir assister à son couronnement à Westminster.

Ce couronnement se présentait donc sous les meilleurs auspices. Chacun espérait qu'avec l'avènement de Richard se relâcherait une administration qui tournait au despotisme, en Angleterre surtout. Henri avait été un roi sage et ce que de nos jours on appellerait un gestionnaire avisé. Mais peu à peu son autorité, renforcée encore par les luttes qu'il avait dû mener contre sa propre famille, avait tourné à l'autoritarisme le plus complet. Dès le moment où Aliénor avait été repoussée, écartée du pouvoir, supplantée par la belle Rosemonde, aucune influence n'avait su contrebalancer celle du roi. Lorsqu'on voit avec quelle maîtrise, une fois devenue la reine mère, elle sut se concilier les peuples et surtout préparer les voies à ce fils, qu'on appelait Richard le Poitevin et qui, bien que né à Oxford, n'avait guère mis les pieds sur le sol anglais, on comprend la faute commise par le feu roi lorsqu'il l'avait éloignée des affaires publiques. Elle parcourait désormais le pays, allant « de cité en cité, de château en château », ouvrant les prisons sur son passage, multipliant les franchises, instaurant des mesures qui peuvent nous étonner et qui prennent avec le temps toute leur importance, par exemple, l'unification de l'aune et du boisseau à travers le royaume; pour les commerçants, pour l'ensemble du peuple, abolir les menues différences qu'entraînait l'usage de multiples unités de mesure (elles variaient auparavant avec les villes ou avec les provinces), c'était apporter un soulagement considérable à la vie quotidienne, en un temps où le commerce et l'économie de marché se développaient, stimulés par la prospérité revenue.

Aliénor, au moment où elle est libérée, a soixante-sept ans. La vieillesse à laquelle elle atteint sera pour elle l'âge de la sagesse, de décisions pleines de maturité et de discernement, car elle ne s'est aucunement laissé couper du monde durant ce temps d'inaction qu'elle a transformé en un temps de réflexion. Les années qui vont s'écouler jusqu'à sa mort en 1203, la montreront sous les traits de cette « femme incomparable » que célèbre Richard de Devizes : « La reine Aliénor, une femme incomparable, belle et pudique, puissante et modeste, humble et diserte, ce qui se trouve très rarement chez une femme, qui avait eu deux rois pour mari et deux rois pour fils et que son activité n'avait en rien épuisée... »

Benoît de Peterborough, ou plutôt l'auteur discuté des *Gesta Henrici*, qui est un observateur particulièrement attentif de cette époque, traduit bien l'attente générale du pays à l'avènement de Richard : « Le royaume tout entier se réjouit de l'arrivée du duc, car chacun espérait, grâce à lui, se trouver remis en meilleur état. » Et de donner à l'appui quelques citations : « Chose admirable : le soleil s'est couché et la nuit n'a pas suivi. » Ou de se livrer à ces jeux de mots qui frisent le calembour et auxquels se plaît l'époque : « En effet, il est vrai qu'aucune nuit n'a suivi le coucher de ce soleil [Henri II], car le rayon du soleil tenant le sol sous sa lumière éclaira de son soleil plus clair et plus loin; bien plus, au moment où le soleil descendit vers le sol depuis son seuil, son rayon, cependant, ne connaissant ni chute ni éclipse, se dégagea aussitôt du noyau solaire, et le soleil se trouvant en lui solidement réverbéré, le rayon de ce soleil, sans aucun voile de nuage ni aucune lésion interceptée, se fit beaucoup plus grand et plus lumineux... Le père était soleil, et son fils, le rayon. »

A travers cette littérature quelque peu alambiquée, mais non sans éclat, le moine chroniqueur traduit l'impression générale au moment où Richard approche des côtes d'Angleterre. Il s'en explique d'ailleurs : « C'est ainsi que le fils montant sur l'horizon développa les œuvres bonnes de son père et trancha ce qui était mauvais. Ceux que le père avait deshérités, le fils les restitua dans leurs premiers droits. Ceux que le père avait bannis, le fils les rappela. Ceux que le père avait tenus dans les fers, le fils leur permit de s'en aller sains et saufs. Ceux que le père avait affligés de diverses peines au nom de la justice, le fils les soulagea au nom de la piété. »

Richard, cependant, allait aborder les côtes anglaises le dimanche après l'Assomption de Notre-Dame, à Portsmouth, tandis que son frère Jean abordait à Douvres. Il fut reçu par le clergé et le peuple avec « honneur et dévotion ». Son itinéraire passa par Winchester et Salisbury. Là fut célébré le mariage de l'un des dévoués serviteurs des Plantagenêts, André de Chauvigny, devant l'évêque Gilbert de Rochester et en présence de la reine Aliénor : il épousait cette Denise, fille de Raoul de Déols, dont jadis la garde avait causé tant de préoccupations à son père et qui était veuve de l'époux qu'on lui avait alors donné, Baudoin de Revers. Elle avait hérité du domaine de Châteauroux avec ses appartenances dans le Berry.

Puis, comme il ne perdait pas de vue les préoccupations financières liées du reste à son projet de croisade, Richard fit dresser un état de tous les trésors du roi son père : l'évaluation diffère un peu selon les chroniqueurs : 90 000 livres en or et en argent, pour Benoît, et plus de 100 000 marcs, pour Roger de Hoveden, autre témoin très attentif de ces débuts du règne.

Tandis que se poursuivaient les préparatifs du couronnement, Richard eut à intervenir dans quelques démêlés, notamment à propos de la nomination de son demi-frère, Geoffroy, à l'archevêché d'York, dont le moins qu'on puisse dire est qu'elle avait été quelque peu irrégulière, bien que les chanoines de la cathédrale l'eussent élu et même intronisé solennellement. Mais la double opposition de l'archevêque Hubert Gautier et de la reine Aliénor, qui n'aimait pas ce bâtard de son époux, allait remettre ses droits en question. De même devait avoir lieu, le 29 août, le mariage de Jean avec Havise de Gloucester, cérémonie qui fut l'occasion de nouvelles largesses de la part de son royal frère : Nottingham, Wallingford, Tickhill et plusieurs châteaux anglais avec leurs domaines allaient s'ajouter aux biens continentaux dont il l'avait déjà pourvu.

Le couronnement de Richard était fixé au 3 septembre 1189, à Westminster; en toute régularité il allait recevoir le sacre de la main de l'archevêque de Cantorbéry, assisté par l'archevêque de Rouen, Gautier; l'archevêque de Dublin, Jean; l'archevêque de Trèves, un certain Fulmar ou Formal; le saint évêque Hugues de Lincoln et à peu près tous les prélats d'Angleterre, évêques ou abbés, dont celui de Rievaulx, et l'abbé de Saint-Denis, en France, Hugues Foucaut, accompagnés d'un cortège non moins impressionnant de barons; parmi ceux-ci on pouvait remarquer non seulement Jean Sans Terre, devenu comte de Mortain et de Gloucester, mais aussi ce Robert de Leicester qui, peu de temps auparavant, avait été un proscrit; Guillaume le Maréchal, devenu par son mariage comte de Strighil, le roi d'Écosse, le frère de ce dernier, David, comte de Huntingdon. Au nombre des serviteurs de son père figurait celui qui avait été justicier d'Angleterre, Raoul de Glanville, rentré en grâce en dépit du zèle dont il avait fait preuve dans la surveillance de la reine Aliénor lorsqu'elle avait été assignée à résidence. En bref, « à peu près tous les abbés, prieurs, comtes et barons d'Angleterre étaient présents », comme le remarque Roger de Hoveden.

Une imposante cérémonie, donc, qui nous est décrite avec la précision d'un reportage par l'un des chroniqueurs, Benoît de Peterborough; c'est probablement à propos de Richard que nous est légué le récit minutieux d'une cérémonie de couronnement d'un roi d'Angleterre, la première, semble-t-il, qui eût été ainsi retracée.

Donc, évêques, abbés et clercs, beaucoup revêtus de la chape de pourpre, la croix les précédant, avec cierges et encensoirs, allèrent en cortège jusqu'à la porte de la chambre du roi et là, ils reçurent Richard et le conduisirent dans l'église de Westminster jusqu'à l'autel, en procession solennelle avec chants. En tête marchaient les clercs vêtus de blanc, portant l'eau bénite, la croix, les cierges et les encensoirs. Puis venaient les abbés, ensuite les évêques. Au milieu d'eux allaient quatre barons portant des candélabres avec des cierges.

Après eux venait Jean le Maréchal, portant dans ses mains deux grands éperons, pesants, provenant du trésor royal. À côté d'eux allait Geoffroy de Lucy tenant la calotte royale.

Derrière eux se trouvaient deux comtes dont voici les noms : Guillaume le Maréchal, comte de Strighil, et Guillaume, comte de Salisbury. L'un d'entre eux, Guillaume le Maréchal, portait le sceptre royal au sommet duquel était une croix en or. L'autre Guillaume, comte de Salisbury, portait la verge royale avec une colombe au sommet.

Après eux venaient trois comtes : David, frère du roi d'Écosse, comte de Huntingdon, Robert, comte de Leicester, et au milieu, Jean, comte de Mortain et de Gloucester, portant trois glaives dans des fourreaux d'or provenant du trésor royal; puis six comtes et barons tenant une table sur laquelle étaient posés les insignes royaux et les vêtements.

Ensuite Guillaume de Mandeville, comte d'Aumale et d'Exeter, avec la couronne d'or dans les mains. Enfin Richard lui-même, duc de Normandie; à sa droite, Hugues, évêque de Durham, et à sa gauche, Renaud, évêque de Bath. Il s'avançait sous un dais de soie, et toute la foule des comtes, des barons, des chevaliers et autres, tant clercs que laïcs, suivaient jusqu'aux portes de l'église, et ensuite, dans l'église, jusqu'à l'autel. On imagine ici la présence silencieuse, mais triomphante, de la reine Aliénor qui avait organisé ce couronnement et en avait réglé les détails...

Lorsqu'ils furent parvenus à l'autel, devant tous, archevêques et évêques, abbés, comtes, barons, clercs et peuple, Richard fit trois serments : il jura et promit devant les saints Évangiles et plusieurs reliques de saints, qu'il porterait tous les jours de sa vie paix, honneur et révérence à Dieu et à la sainte Église et à ceux par lui ou par eux ordonnés. Ensuite, il jura qu'il exercerait une droite justice envers le peuple qui lui était confié. Enfin, il jura qu'il détruirait les lois mauvaises et coutumes perverses, s'il s'en trouvait en son royaume, et garderait les bonnes. Alors, on le dépouilla de ses vêtements, sauf la chemise qui lui couvrait les épaules et les braies. On le chaussa avec des sandales tissées d'or. L'archevêque lui mit dans la main droite le sceptre et dans la gauche, la verge royale.

Puis Baudouin, archevêque de Cantorbéry, versant l'huile sainte en trois endroits, fit les onctions au roi, c'est-à-dire sur la tête, sur les épaules et au bras droit en disant les oraisons d'usage. Il posa sur sa tête le tissu de lin consacré et, par-dessus, la calotte. Ensuite, il le revêtit des vêtements royaux : la tunique, puis la dalmatique. L'archevêque lui remit alors le glaive pour poursuivre les ennemis de l'Église. Puis deux comtes lui fixent les éperons d'or venant du trésor royal, et enfin le roi revêtit son manteau.

Le souverain est maintenant conduit à l'autel et conjuré par l'archevêque qui lui interdit, au nom de Dieu, d'assumer cet honneur s'il n'a dans l'esprit de tenir les serments et les vœux qu'il vient de faire. Richard répond : « Avec l'aide de Dieu, je les garderai en toute bonne foi. »

Il prend la couronne de l'autel et la remet à l'archevêque et l'archevêque la pose sur la tête du roi; ainsi couronné, le roi est conduit vers son trône par l'évêque de Durham, à droite, et Renaud de Bath, à gauche, précédé des porteurs de candélabres et de ceux qui tenaient les trois glaives. Commence alors la messe du dimanche. À l'Offertoire, les deux évêques le conduisent à l'offrande et le ramènent à son siège.

Une fois la messe célébrée et tous les rites accomplis, ces deux évêques, l'un à droite et l'autre à gauche, le ramènent couronné, portant le sceptre dans la main droite et la verge royale dans la gauche, de l'église jusqu'à sa chambre, selon le cortège précédemment ordonné, puis la procession revient au chœur. Entre-temps, le roi a déposé sa couronne et ses vêtements royaux; il a pris un diadème plus léger et des vêtements préparés, et, ainsi couronné, vient dîner; archevêques, évêques, abbés et autres clercs sont assis avec lui à sa table, chacun selon son ordre et sa dignité. Les comtes, barons et chevaliers le sont à d'autres tables et tous festoient splendidement.

Ni oncques ne vis en ma vie
Cour plus courtoisement servie,
Je vis de la riche vaisselle
En la salle qui tant est belle...
Grand fut la fête, riche et fière,
Trois jours dura toute plénière;
Là donna le roi de grands dons
Et si rendit à ses barons
Et leurs fiefs et leurs héritages.

La superbe ordonnance ainsi décrite s'acheva malheureusement sur une fausse note grave : le roi avait fait défense, la veille, qu'aucun juif, homme ou femme, ne vienne assister au couronnement, ce qui prouvait une certaine prudence : des troubles pouvaient en effet naître dans une foule passablement échauffée, car viandes et vins étaient servis largement à la population en cette occasion. Or, malgré la défense qui leur était faite, plusieurs des principaux entre les juifs voulurent venir au couronnement. Les sergents de la cour allaient les repousser sans ménagement; il y eut coups et blessures, quelques morts même, au dire de Benoît de Peterborough. Il raconte l'histoire de l'un d'entre eux, un nommé Benoît, juif d'York, qui, se voyant blessé et en danger de mort, demanda le baptême... Sur ce, les gens de la cité de Londres, sachant ce qui s'était passé aux portes de Westminster, donnèrent un véritable assaut aux maisons des juifs dans la cité et en tuèrent quelques-uns, mirent le feu à leurs maisons; en un sauve-qui-peut général, les uns tentèrent de se réfugier dans la Tour de Londres et d'autres, chez des amis.

Le lendemain du sacre, le roi Richard, au récit de ce qui était survenu, envoya ses sergents par la cité, fit prendre quelques-uns des responsables et les fit comparaître. Trois d'entre eux furent, par jugement de la cour, condamnés à la pendaison, l'un pour vol, deux autres pour incendie. Il fit aussi comparaître le Juif qui s'était fait baptiser et lui demanda s'il voulait véritablement devenir chrétien. Réponse : non. « Que faut-il en faire?, demanda Richard à l'évêque de Cantorbéry. – S'il ne veut pas être homme de Dieu, qu'il soit homme du diable », répondit sans ménagement l'archevêque. Et ainsi celui qui avait été chrétien revint à la loi judaïque, raconte le chroniqueur. Le roi Richard allait par la suite envoyer messagers et lettres dans tous les comtés d'Angleterre, interdisant que qui que ce soit porte la main sur les Juifs et prescrivant pour eux la paix du roi.

La journée du 5 septembre fut consacrée à recevoir les hommages, d'abord du clergé : archevêques, évêques, abbés de monastères, puis des comtes et barons de sa terre anglaise.

Il n'allait pas s'écouler beaucoup de temps, avant que Richard Ier, roi d'Angleterre, ne révèle le grand dessein qui l'habitait, ce grand dessein qui domine l'ensemble du règne : l'expédition de Terre sainte. À peine est-il couronné que tous les actes du roi seront dictés par le départ qu'il projette et qui répond, du reste, à l'engagement pris par son père et par lui-même sur les instances des papes successifs, tous préoccupés au premier chef par le sort de Jérusalem depuis deux ans retombée entre les mains de ceux qu'on appelle les Infidèles. Rentrés dans leurs manoirs, les barons « n'y purent guère remanoir [demeurer] ».

Car le roi leur avait mandé
A tous, par nom et commandé

Qu'ils appareillassent leurs erres... [se préparent au départ]
Car il voulait faire mouvoir
Son navie...
Si qu'il fût à temps au passage
Pour faire son pèlerinage
Car nuit et jour son cœur tendait
A sa preue gent qui l'attendait
Et de Normandie et d'Anjou
Et de Gascogne et de Poitou
Et de Berry et de Bourgogne
Dont moult en eut en la besogne.

Ainsi le poète Ambroise, qui nous a retracé toute l'expédition, nous décrit-il la préoccupation du roi, sachant qu'on l'attend outre-mer, où nombre de croisés, barons ou petites gens, l'ont précédé.

Un tel départ implique la mise en place d'une administration susceptible de remplacer le roi. On voir alors Richard instituer des justiciers, sortes de juges itinérants dotés de pouvoirs étendus. Renouf de Glanville qui exerçait cette charge avait demandé à en être libéré, se disant trop âgé et fatigué; mais il demandait en même temps au roi la permission de partir pour l'expédition de Terre sainte, ce qui lui fut accordé. Richard le remplaça par l'évêque de Durham, Hugues, et Guillaume de Mandeville, comte d'Aumale. Un peu plus tard, il nomma Jean, frère de Guillaume le Maréchal, gardien et receveur de ses revenus de l'Échiquier – ce qui revenait à en faire son trésorier principal. Jean ne devait d'ailleurs garder cet office que peu de temps; un peu plus tard, au moment de quitter l'Angleterre, le roi choisit comme chancelier Guillaume Longchamp, évêque d'Ely, dont on aura l'occasion de reparler.

Dans la même intention de prévoir toute révolte, il envoyait Jean, son frère, combattre Rhys-ap-Griffin, celui qu'on appelait le roi de Galles du Sud, qui devait venir, un peu plus tard, faire une soumission quelque peu forcée;

Richard d'ailleurs refusa de le recevoir. Mais surtout il procéda à un vaste remaniement de ses baillis, vicomtes et autres représentants royaux dans les provinces, et ce moyennant finance. De l'argent, il lui en fallait beaucoup pour une expédition qui exigeait une flotte nombreuse et bien équipée, des chevaux et surtout des hommes qui, même volontaires, devaient forcément être soldés, nourris, etc. Si bien que Richard se trouve peut-être le premier souverain à avoir songé à des ventes d'offices. Le mécanisme était simple : déposer baillis et vicomtes, puis exiger d'eux qu'ils se rachètent, faute de quoi ils étaient jetés en prison. Du moins agissait-il ainsi avec tous ceux qui s'étaient montrés serviteurs zélés de son père, renversant donc, une fois de plus *(oc e no)* sa ligne de conduite précédente. « Et tout lui était vendable, aussi bien puissance, domination, comtés, vicomtés, châteaux, villes, butins et autres choses semblables », remarque Benoît de Peterborough. Les évêques n'échappaient pas à la règle. Hugues de Durham acheta à perpétuité pour lui et pour son église, d'abord un domaine, puis tout le comté de Northumbrie avec ses châteaux et appartenances. Lorsqu'il eut ajouté à l'usage du roi 1 000 marcs d'argent, il comprit que désormais Richard n'exigerait plus rien de lui et en profita pour déclarer qu'il renonçait à son vœu d'aller à Jérusalem. Le roi y consentit. Sur quoi, l'évêque s'empressa d'envoyer ses délégués au pape pour qu'il en fasse autant et le délie également de son vœu.

Le reste de ce mois de septembre allait se passer, pour Richard, en tractations et ventes diverses. Geoffroy, l'évêque de Winchester, lui acheta deux beaux manoirs; Samson, abbé de Saint-Edmond, fit de même avec le manoir de Mildenhall qui de tout temps, disait-il, avait dépendu de son abbaye, et ce pour la somme de mille marcs; Guillaume Longchamp, évêque d'Ely, avait versé, disait-on, trois mille livres d'argent pour l'octroi de la chancellerie. « En fait, comme l'écrit Richard de Devizes, le roi déchargea avec beaucoup d'empressement tous ceux à qui leur argent pesait quelque peu, livrant à chacun selon son goût, pouvoirs et possessions. » « Je vendrais Londres même, si je pouvais trouver un acheteur », disait-il. Si bien que, selon Benoît de Peterborough, il amassa un immense trésor en argent, plus qu'aucun de ses prédécesseurs ne semble en avoir possédé.

Son domaine insulaire, il le connaissait à peine : n'avait-il pas toujours vécu, pratiquement, en Normandie ou en Aquitaine? Il semble avoir considéré l'Angleterre avant tout comme une source de revenus; et de fait, l'île était en plein développement, stimulée par l'ordre que son père Henri II y avait fait régner – avec certes une énergie assez brutale, mais efficace, incontestablement. Le pays, qu'il avait trouvé en pleine anarchie, était parcouru par les justiciers et les juges itinérants qui savaient assurer la paix autant que percevoir les revenus qui aboutissaient sur la Table de l'Échiquier.

On ne peut ici moins faire que de rappeler le tableau malicieux que Richard de Devizes trace des villes anglaises – en se gardant d'ailleurs de le reprendre à son compte : il le met dans la bouche d'un vieux juif anglais qui s'adresse à un jeune coreligionnaire français prêt à partir pour l'Angleterre; on la lui a décrite comme une terre bienheureuse « où coulent le lait et le miel », selon l'image biblique. « Une fois en Angleterre, si tu te trouves à Londres, passe rapidement; c'est une cité qui me déplaît beaucoup. On y trouve des gens de tous genres, de toutes les nations qui sont sous le ciel, et tous y ont amené avec eux leurs vices et leurs mœurs. Personne qui y vive en toute innocence; pas un quartier qui n'y abonde en tristes obscénités; le meilleur là-bas, c'est celui qui a été le plus fort dans le crime. Je n'ignore pas à qui je parle, poursuit-il : tu as plus qu'il n'est coutume à ton âge l'ardeur de l'esprit, la fraîcheur de la mémoire, et, les réglant l'un et l'autre, la modération qu'apporte la raison. Je ne crains, quant à moi, rien pour toi, sinon le commerce de gens de mauvaise vie; car c'est la fréquentation des autres qui forme les mœurs. Soit, soit. Tu vas aller à Londres. Eh bien! je te l'affirme, tout ce qui existe de mal ou de malice, en chacune et en toutes les parties du monde, tu le trouveras réuni dans cette seule cité. » Et d'énumérer toutes les horreurs qui l'y attendent : les jeux de dés, les théâtres, les tavernes et ceux qui viendront le tenter de diverses façons.

C'est pour le pseudo-juif l'occasion de se livrer à une savoureuse énumération : « Histrions, coureurs de filles, eunuques, garamantes, dragueurs, pédophiles, pédérastes, sodomites, rôdeurs, marchands de drogues, parasites, pythonisses, empoisonneurs, noctambules, mages, mimes, mendigots, baladins, toute cette engeance en remplit les demeures. Donc, si tu ne veux pas habiter avec des êtres pleins de turpitudes, n'habite pas Londres. Je ne parle pas des gens lettrés ou religieux ou des juifs, bien que, à cause de cette cohabitation avec des gens de mal, je serais porté à croire qu'il leur est plus difficile qu'ailleurs d'être parfaits. »

Après ce coup de semonce, notre juif passe en revue les principales cités du royaume : « Si tu t'en vas du côté de Cantorbéry, tu risques de perdre ton chemin... Tout ce qui est là se trouve voué à l'usage d'on ne sait qui, honoré depuis quelque temps à l'égal d'un dieu – un ancien archevêque de Cantorbéry –, au point que les gens meurent au soleil sur les places, manquent de pain et restent oisifs. » Il fait allusion au grand nombre de pèlerins qui encombrent la ville en l'honneur de « saint Thomas le Martyr ». « Rochester et Chichester sont de petits bourgs, et on se demande pourquoi on les appelle des cités... Oxford a de la peine à faire vivre ses gens, je ne dis même pas à les nourrir. Exeter fait manger la même fromentée aux hommes et aux bêtes de somme. Bath, au fond de ses vallées, se trouve dans un air pollué et des vapeurs sulfureuses, qu'on se croirait aux portes de l'enfer. Ne va pas te choisir une résidence dans ces villes surpeuplées comme Worcester, Chester, Hereford, à cause de ces Gallois peu respectueux de la vie. York est remplie d'Écossais, des espèces d'homuncules, puants et sans foi. Ely et son terroir sont toujours putrides en raison des marais qui les environnent. À Durham, Norwich ou Lincoln, tu trouveras très peu de gens riches de ta condition, et tu n'entendras jamais parler français; à Bristol, il n'y a personne qui ne soit ou n'ait été marchand de savon, et on sait que les Français estiment les marchands de savon à peu près autant que des éboueurs; en dehors des villes et des places fortes, il n'y a, en fait d'habitants, que des gens rustiques; en tout temps tu peux tenir pour tels les gens de Cornouailles; on les estime à peu près autant qu'en France on le fait des Flamands [!]; et pourtant la région est en elle-même extrêmement riche, en raison de la rosée du ciel et de la fertilité de la terre. D'ailleurs, disons qu'en tous lieux on peut trouver quelque chose de bien, mais beaucoup moins en tous qu'en une seule ville : Winchester. »

Et après cette diatribe sans pitié, le même juif se lance dans un éloge sans mesure de la ville de Winchester, « la Jérusalem des juifs » : « En elle seule, en effet, ils jouissent d'une paix perpétuelle, car c'est une véritable école de bien-vivre et de se bien-porter; là, on trouve vraiment des hommes; là, du pain et du vin pour presque rien; il y a dans la cité, des moines si remplis de douceur et de miséricorde, des clercs de bon conseil et d'esprit libéral, des citoyens remplis de foi et fort civilisés, des femmes belles et pudiques, au point que j'ai du mal à me retenir d'aller là-bas et d'y vivre en chrétien parmi de tels chrétiens; c'est là, vers cette cité, que je te conseille d'aller, la Ville des villes, mère de toutes, et meilleure que toutes. »

Cette description pleine de verve de l'Angleterre de ce temps correspond-elle à une réalité? L'humour acide de Richard de Devizes s'y donne libre cours; lui-même était moine au couvent de Saint-Swithun, à Winchester; il raconte avec la même ironie, macabre cette fois, les massacres de juifs lors du couronnement du roi – et ne manque pas de préciser que ceux-ci ne furent aucunement molestés à Winchester, où l'on se conduit toujours « en civilisé ».

Le sentiment de Richard sur l'Angleterre, quel qu'il fût, ne l'a pourtant pas retenu longtemps dans l'île. Quelque temps, des démêlés avec son demi-frère Geoffroy, évêque d'York, le retinrent, non sans qu'il ait pris soin d'envoyer, auparavant, Guillaume de Mandeville en France pour prendre soin de ses affaires, toujours en vue de sa prochaine expédition dans le Proche-Orient.

À peu près à cette époque, il reçut la visite de Rotrou, comte du Perche, venu lui faire part des préparatifs du roi de France, Philippe Auguste, lequel lors d'une assemblée à Paris avait juré qu'il se trouverait pour le grand départ à Vézelay dès le terme de Pâques et qu'il prendrait là, selon un usage désormais bien établi, le départ pour Jérusalem. Il demandait que le roi d'Angleterre et ses barons fassent de même et qu'ils s'y donnent rendez-vous. Sur quoi, Richard s'empressa de réunir une semblable assemblée dans la cité de Londres où tous les barons croisés jurèrent de se trouver eux aussi à Vézelay à la date du 1er avril.

En ce même mois de novembre, le cardinal Jean d'Anagni, légat du pape, était arrivé à Douvres. Il devait être reçu solennellement à Cantorbéry où il venait arbitrer une querelle entre l'archevêque Baudouin et les moines de l'abbaye de la Sainte-Trinité; les litiges qui les avaient séparés étaient d'ailleurs apaisés au moment de son arrivée. Le roi Richard lui-même, après plusieurs étapes à Westminster, à Saint-Edmond, où il célébra la fête du saint, s'était rendu à Cantorbéry pour régler ces questions pendantes entre les moines et l'archevêque Baudoin. Il s'agissait d'annuler le choix d'un certain Roger Norreys comme prieur. Après des discussions auxquelles se mêlèrent nombre de prélats et d'abbés, Richard et Aliénor obtinrent la déposition de celui dont les moines ne voulaient pas et lui firent attribuer l'abbaye d'Evesham. Dans l'esprit du roi, il s'agissait avant tout d'assurer paix et concorde dans l'île durant son absence.

On vit aussi arriver, toujours à Cantorbéry, au mois de décembre, le roi d'Écosse, Guillaume, et son frère, David, pour une solennelle cérémonie d'hommage, en suite de quoi le roi d'Angleterre leur rendit le château de Roxburgh et celui de Berwick. Il alla même jusqu'à délier ses successeurs de toute allégeance et sujétion envers le trône d'Angleterre moyennant, il est vrai, une somme de 10 000 marcs d'esterlins, qui vinrent grossir le trésor destiné à la future expédition. Son frère se vit encore attribuer en ce mois de décembre quatre comtés : Cornouailles, Devon, Dorset et Somerset. Le cadet ne pouvait que se louer de la générosité de son aîné. Mais surtout le roi octroya à sa mère, la reine Aliénor, le douaire de trois reines : celui que le roi Henri Ier, grand-père de son père, avait donné à son épouse la reine Mathilde, celui que le roi Étienne avait donné à son épouse, la reine Aélis, et celui que le roi Henri II lui avait remis. Aucune de celles qui l'avaient précédée sur le trône d'Angleterre n'avait joui d'un pouvoir personnel comparable au sien désormais.

Les assemblées qui s'étaient succédé à Cantorbéry n'allaient pas se terminer sans que Geoffroy le Bâtard eût été confirmé à l'archevêché d'York par le légat pontifical. Des voix puissantes s'étaient pourtant élevées contre lui, entre autres celle de Hugues du Puiset, l'évêque de Durham, et celle d'Hubert de Salisbury, certainement selon le désir de Richard; mais le cardinal d'Anagni tint fermement et ratifia son élection qui fut confirmée par le pape Clément III, au mois de mars suivant. « Après quoi, chacun revint en sa région, louant la grandeur et la magnificence du roi. »

Richard quittait Cantorbéry avec le sentiment d'avoir apaisé bien des querelles et assuré la paix de son royaume insulaire. Dès le 5 décembre, il s'était incliné devant la décision pontificale et avait finalement confirmé l'élection de son demi-frère, Geoffroy, avec une bonne volonté à laquelle les 3 000 livres d'esterlins que celui-ci lui avait versées n'étaient sans doute pas étrangères. On prit donc le chemin de Douvres où déjà les divers vaisseaux qu'il avait fait construire ou acheter dans les ports d'Angleterre commençaient à se rassembler pour la grande traversée.

C'est le 11 décembre, à la vigile de Sainte-Lucie, que lui-même s'embarqua pour accoster quelque temps après à Calais, en France. Il devait être reçu par Philippe, le comte de Flandre, avec beaucoup de démonstrations de joie, et accompagné par lui jusqu'en Normandie. À peu près vers le même temps, on apprit la mort de Guillaume, roi de Sicile, duc de Pouille et prince de Capoue, l'époux de Jeanne, sœur de Richard, que le roi avait jadis escortée lors de son passage dans le sud de la France, à la rencontre de celui qui prétendait à sa main. Guillaume était mort à Palerme, ne laissant pas d'héritier. On pouvait prévoir quelques difficultés pour sa succession, car il avait, plusieurs années auparavant, désigné comme héritière sa jeune tante, Constance, fille de Roger II de Sicile, laquelle avait épousé Henri, fils de l'empereur germanique Frédéric Barberousse; cette désignation allait longtemps peser sur l'avenir de la Sicile aussi bien que de l'Empire. Pour commencer, Tancrède de Lecce, un bâtard neveu du roi Guillaume, dénonçait le serment qu'il avait jadis prêté à Constance et déclarait s'attribuer le royaume de Sicile. Comme l'île était l'un des relais prévus pour l'expédition vers Jérusalem, la présence de Richard ne pouvait qu'être bienvenue pour sa sœur Jeanne.

Cependant, les fêtes de Noël approchaient; Richard allait tenir sa première Cour de roi couronné à Bures, en Normandie. Elle fut solennelle comme il se devait.

Quelques jours plus tard, il rencontrait le roi de France pour fixer les détails d'un départ qui approchait. La rencontre eut lieu, disent les textes, au Gué de Saint-Remy, probablement dès le 30 décembre et devait être confirmée quelques jours plus tard, le 13 janvier. Ce Gué de Saint-Remy se trouvait à égale distance de Dreux et de Nonancourt, et il semble bien qu'entre les deux dates

Richard ait séjourné à Verneuil-sur-Avre. Quoi qu'il en soit, les deux rois, par acte dûment mis en écrit et scellé de leurs sceaux, jurèrent de s'aider l'un l'autre et de garder leur foi concernant leur vie, leurs membres et leurs domaines. Ils se juraient aussi une alliance mutuelle dans le cas où serait attaquée la cité de Rouen pour le roi d'Angleterre, et, pour le roi de France, celle de Paris : c'est probablement l'un des actes dans lesquels on constate l'importance grandissante et somme toute nouvelle de Paris dans le royaume de France. Il est certain que pour Philippe Auguste, c'est Paris qui commence à jouer un rôle de capitale – notion étrangère aux rois qui l'ont précédé et qui ne jouera guère durant le siècle qui va suivre; mais elle sera, beaucoup plus tard, reprise par Philippe le Bel : ce Paris – que son ancêtre du même nom a fait paver et ceindre de hauts murs suivant un plan renouvelé, où il a installé les Halles, bâti sur la rive droite ce qu'on appelait la Tour du Louvre (que notre XXe siècle a redécouverte) et résidé avec prédilection – deviendra la cité du Parlement et celle de la Chambre des comptes, comme elle est devenue d'ailleurs, cela depuis les premières années du XIIIe siècle, celle de l'Université.

Donc, chacun des deux rois jurait de se prêter main forte pour défendre sa ville principale, normande ou française, et après eux, les comtes et barons jurèrent de même, s'engageant aussi à ne soulever ni guerre ni hostilités sur leurs terres respectives aussi longtemps que durerait le pèlerinage. Archevêques et évêques s'engagèrent ensuite à frapper d'excommunication ceux qui transgresseraient ce serment et cette convention de paix. Une autre clause prévoyait qu'au cas où l'un des deux rois mourrait au cours de l'expédition, son survivant recevrait l'argent et les hommes du défunt pour accomplir le service de Dieu. Enfin, dans leurs conventions, jugeant qu'ils ne pourraient ni l'un ni l'autre être prêts pour le terme fixé du 1er avril, ils reculèrent la date du rendez-vous, arrêtée désormais à la fête de la Saint-Jean-Baptiste (24 juin) à Vézelay.

Tout était donc mis en place pour assurer la paix au sein des deux grandes puissances de l'Occident qui s'engageaient pour le secours de la Terre sainte. Un imprévu pourtant allait se produire : la mort de la reine de France, Isabelle de Hainaut, le 15 mars. La blonde et fragile princesse mit au monde deux jumeaux, mais ni les enfants ni leur mère ne survécurent. Ils furent ensemble enterrés à Saint-Denis, et l'on devait à notre époque retrouver dans la sépulture le sceau de la reine de vingt ans, qui n'en légua pas moins à sa descendance capétienne sa beauté blonde et sa santé fragile. Le départ général n'en fut pas retardé.

Au mois de février, Richard reçut la visite de la reine Aliénor et d'Adélaïde, la sœur du roi de France, accompagnées de nombreux évêques du royaume d'Angleterre et aussi de Jean Sans Terre, et de Geoffroy, le demi-frère du roi. Celui-ci confirma le titre et les pouvoirs de chancelier à Guillaume Longchamp, évêque d'Ely; il en faisait son justicier pour l'Angleterre, tandis que Hugues, l'évêque de Durham, exerçait cette même charge de justicier depuis le fleuve Humber, de l'Ouse et du Trent à la hauteur de Kingston-upon-Hull, jusqu'à la terre du roi d'Écosse. D'autre part, il exigea de ses deux frères le serment de ne pas revenir en Angleterre durant les trois années suivantes, si ce n'est avec son autorisation. (Mais on verra par la suite qu'Aliénor, sous la pression des événements, allait permettre à Jean d'y retourner.) On est frappé du grand nombre de privilèges qu'il distribue aux abbayes de ses domaines, au cours de son séjour : dès le 3 février à l'abbaye de la Sauve, à La Réole, le 7 mai à La Grâce-Dieu à Saint-Jean-d'Angély, et encore, à la veille du départ, à Montierneuf. Entre-temps il a fondé à Talmond le monastère de Lieu-Dieu, et celui de Saint-André de Gourfaille à Fontenay. Dons traditionnels pour un croisé, auxquels il n'a pas manqué.

Le séjour de Richard en France, où il activait les préparatifs du prochain départ, fut troublé par une affreuse nouvelle durant le mois de mars 1190. Quelques jours avant le dimanche des Rameaux, les juifs d'York, craignant un massacre, allèrent se réfugier dans la tour de cette cité par crainte de la persécution. Ils étaient haïs du petit peuple, car la plupart étaient usuriers, prêteurs sur gages, et donc créanciers de beaucoup de gens, dans les villes surtout où commençait à s'entasser une population besogneuse. Les autorités municipales menacèrent de leur donner l'assaut, sur quoi les juifs réfugiés allaient se suicider en masse en mettant le feu à leur refuge. Pendant ce temps, certains des habitants de la ville pillaient leurs maisons et recherchaient notamment, pour les brûler, leurs chartes portant mention des dettes contractées. Ce devait être l'un des premiers actes de Guillaume Longchamp comme justicier que d'aller arrêter les autorités de la ville et de rechercher les persécuteurs.

Le roi d'Angleterre, entre-temps, avait dû faire une nouvelle expédition punitive en Gascogne où les Basques à nouveau s'étaient rendus coupables de brigandages et d'exactions diverses contre des pèlerins de Saint-Jacques de Compostelle : incorrigibles Basques dont la réputation de banditisme était solidement établie : l'auteur du *Guide du pèlerin de Saint-Jacques*, Aimery Picaud, s'en est d'ailleurs fait l'écho et se répand dans son ouvrage en invectives contre les Basques pillards et menteurs : « C'est un peuple barbare, différent de tous les peuples et par ses coutumes et par sa race, plein de méchanceté, noir de couleur, laid de visage, débauché, pervers, perfide, déloyal, corrompu, voluptueux, ivrogne » – l'énumération n'en finit plus! – « expert en toute violence, féroce et sauvage, malhonnête, cruel et querelleur, inapte à tout bon sentiment, dressé à tous les vices et iniquités... Pour un sou seulement, le Navarrais ou le Basque tue, s'il le peut, un Français. » Richard partageait-il ces sombres vues? L'expédition fut, cette fois, menée rapidement. L'un des détrousseurs de pèlerins, Guillaume de Chisy, fut pris dans l'assaut du château d'où il surveillait les routes, et pendu haut et court.

Après quoi, le roi revint sur Chinon prendre ses dernières dispositions avant le départ.

CHAPITRE VI

Le croisé

« Adonc si comme le roi de France et d'Angleterre allèrent vers Jérusalem, le roi de France prit son chemin vers la cité de Gênes et le roi d'Angleterre vers Marseille. » C'est en ces termes que le *Livere des reis d'Angleterre* entame le récit de ces quatre années qui vont avoir dans la vie de Richard et dans l'histoire de son règne de si profondes répercussions qu'elles éclipseront toutes les autres et vaudront, à celui qui n'était, encore un an auparavant, que le « comte de Poitiers », une si extraordinaire renommée. De fait, les conséquences des événements qui se déroulèrent ont été déterminantes pour l'histoire future de l'Occident comme pour celle du Proche-Orient.

***

Le départ des deux rois de France et d'Angleterre avait été solennellement marqué par une cérémonie qui eut lieu à Vézelay, le 4 juillet 1190. La colline semblait toujours résonner de la grande voix de saint Bernard qui s'était élevée là une quarantaine d'années auparavant, le 31 mars 1146, lors du départ du roi de France, Louis VII, et de son épouse, Aliénor; l'immense assemblée réunie pour écouter l'abbé de Clairvaux avait si profondément marqué les esprits que le pèlerinage outre-mer prenait depuis lors son point de départ sur la colline vouée à Marie-Madeleine, celle qui avait embaumé les pieds du Christ avant son grand départ vers le Calvaire. Vézelay, du reste, voyait se rassembler de même les pèlerins en route pour Saint-Jacques de Compostelle, et l'on sait qu'au siècle suivant, le roi Saint Louis allait s'y rendre quatre fois au cours de son existence.

Richard et Philippe Auguste s'étaient rencontrés quelque temps auparavant à Tours, sans doute pour renouveler les engagements pris l'un envers l'autre. Philippe s'était rendu à l'abbatiale de Saint-Denis pour recevoir, conformément à la tradition, la gourde et le bourdon (le bâton) du pèlerin, tandis que Richard gagnait Vézelay en s'arrêtant successivement à Azay, à Montrichard, où il se trouvait le 27 juin, à La Celle-sur-Loire, puis enfin, à Donzy, où il fit étape dès le 1er juillet. C'est à Vézelay même que devaient lui être remis la gourde et le bourdon, et l'on raconte qu'au moment où il s'en saisit, le bâton se brisa entre ses mains, ce qui ne pouvait être qu'un mauvais présage pour l'expédition qu'il entreprenait... Le détail, toutefois, n'est pas mentionné par les historiens les plus proches de Richard, comme Benoît de Peterborough (ou plutôt sa source), et il se peut bien qu'il s'agisse d'une légende née après-coup.

Ce qui n'était aucunement légendaire, c'était le désastre qui s'était produit sur la route des croisés. Sans doute, les rois de France et d'Angleterre ne savaient-ils pas encore, au moment où se déroulait sur la colline l'imposante cérémonie de leur départ, que l'empereur germanique, lui, avait abruptement terminé son pèlerinage, en se noyant quelque part en Arménie, dans les eaux du Selef.

L'accident avait eu lieu le 10 juin précédent. Frédéric Barberousse s'était mis en marche à Ratisbonne avec son fils, Frédéric de Souabe, dès le 11 mai 1189. Il était à la tête d'une « immense armée », la plus forte peut-être qui se fût engagée pour le passage outre-mer. Jusque dans les pays scandinaves, la nouvelle de la perte de Jérusalem avait ému les populations. Des troupes se rassemblaient du nord de l'Allemagne, du Danemark, des villes du Rhin. Dans tout l'Empire, on montrait du doigt ceux qui n'étaient pas marqués de la croix, racontent les chroniqueurs contemporains. L'itinéraire choisi avait été, comme pour la première expédition, la voie de terre jusqu'à la frontière de l'Arménie. Des difficultés n'avaient pas d'ailleurs tardé à surgir avec l'empire de Byzance. Le bruit s'était répandu que des négociations avaient été engagées avec Saladin par l'empereur Isaac Ange – celui que les chroniqueurs nomment Kyrsac. L'armée allemande avait progressé lentement, parfois en butte à des attaques de pillards, et, arrivé le 24 août à Philippopoli, Frédéric avait résolu d'y prendre ses quartiers d'hiver. Finalement, demeuré à Andrinople, il décida, au mois de mars 1190, de poursuivre sa route par les Dardanelles, bouscula les troupes du sultan de Roum et s'empara d'une place fortifiée dépendant de Konya (Iconium).

C'est alors, au moment où chacun s'attendait à une marche triomphale vers la Terre sainte, que Barberousse s'était noyé dans ce « vaste fleuve qui court au milieu de la terre des Turcs et la sépare de la terre de Rupen [prince d'Arménie] et se jette dans le golfe de Satalia. Arrivé là, poursuit le chroniqueur, l'empereur posa ses vêtements sur la rive du fleuve et entra dans l'eau pour se baigner, car il faisait extrêmement chaud. À l'exemple de l'empereur, beaucoup de ses compagnons d'armes déposèrent leurs vêtements et entrèrent dans le fleuve, et comme tous s'efforçaient de le traverser, l'empereur seul y parvint, d'une rive à l'autre. Et comme il revenait, nageant toujours, les forces lui manquèrent et la violence du courant l'entraîna au fond. Ses compagnons, étonnés, stupéfaits et pleurant, tout en émoi, le traînèrent jusqu'au rivage » et tentèrent de le ranimer. Mais Frédéric Barberousse était bien mort et ils n'eurent plus qu'à se livrer à la macabre opération devenue usuelle pour les grands personnages qui mouraient dans cette terre lointaine : découper son corps, ensevelir les chairs et retirer les ossements qui devaient être enterrés un peu plus loin, dans la cité de Tyr. L'étonnant est que cette armée, privée de son chef, se débanda et s'évanouit littéralement. Comme l'écrit l'historien des croisades Joshua Prawer, « la disparition de cette splendide armée reste une énigme insoluble ». Frédéric de Souabe, fils de Barberousse, prit pourtant la décision de diriger vers la Syrie les troupes scindées en trois parties : l'une en direction de Tyr, l'autre d'Antioche, par mer, tandis que la troisième prenait la route de terre, toujours vers Antioche. Mais on ne voit pas que par la suite cette force si imposante ait joué un rôle quelconque; elle devait cruellement manquer aux croisés français et surtout anglais qui au moment même où ces événements se déroulaient, prenaient la route et en espéraient un renfort puissant.

Ils arrivèrent ensemble à Lyon où leur séjour fut marqué par un autre accident : un pont sur le Rhône se rompit sur le passage des croisés; probablement étaient-ils trop nombreux à s'y presser. « Beaucoup d'hommes et de femmes y furent blessés », raconte le chroniqueur. Richard devait passer trois jours à Lyon, du 14 au 17 juillet, la marche de Vézelay à Lyon ayant pris huit jours. Les deux expéditions se séparèrent ensuite pour plus de facilité : nourrir et loger toute cette multitude n'allait pas sans problèmes. Philippe se dirigea vers le port de Gênes où il allait s'embarquer. Richard, lui, continua le long du Rhône jusqu'à Marseille. Il y trouva, dit la chronique, « de nombreux pèlerins qui déjà avaient attendu longtemps, au point qu'ils avaient dépensé toutes leurs ressources. Ils vinrent au roi lui offrir leurs services et le roi en retint beaucoup à sa suite parmi eux ».

Richard espérait trouver à Marseille la flotte qu'il avait fait équiper en Angleterre; de jour en jour il attendait l'arrivée des bateaux, et ce retard l'exaspérait. Finalement, le 7 août, il s'embarqua sur des navires probablement loués à des armateurs marseillais : vingt galées « bien armées » et dix grands buzzes. Et on note que, s'embarquant avec ceux qui l'entouraient, Richard était « dolent et confus ».

En réalité, les vaisseaux qu'il attendait avaient quitté Dartmouth dès le 18 mai précédent, mais en cours de route, la flotte n'était pas restée inactive. Sur les côtes du Portugal, ces croisés s'étaient emparés de la cité de Silvia, alors occupée par les « Sarrasins »; ils avaient relevé une église transformée en mosquée et l'avaient restaurée pour qu'elle fût de nouveau consacrée « en l'honneur de Dieu et de la bienheureuse Vierge Marie mère de Dieu ». La consécration, à laquelle avaient procédé plusieurs évêques portugais, avait eu lieu au jour de la Nativité de Notre-Dame, le 8 septembre. La flotte devait ensuite passer le détroit de Gibraltar pour la fête de saint Michel, le 29 septembre.

Pendant ce temps, Richard, suivant la côte méditerranéenne, cheminait à petites journées qui devaient être longues à son impatience. On signale son passage à l'île Saint-Honorat, donc à Lérins, en face de Cannes, puis à Nice, à Vintimille. Le 13 août, il est à Savone. De là, se rend à Gênes, où il va voir le roi de France qui s'y trouve aussi, malade. Reprenant sa route, il passe cinq jours à Fort-Dauphin. Philippe Auguste éprouvait aussi quelques difficultés pour le transport de ses troupes, car il sollicita de Richard le prêt de cinq galées. Le roi d'Angleterre lui en offrit trois que, finalement, Philippe refusa.

Poursuivant sa route le long des côtes italiennes, Richard fit successivement étape à Porto-Venere et à Pise, où on lui signala la présence de l'archevêque de Rouen, Gautier. Il assistait l'évêque d'Évreux qui se trouvait malade, lui aussi, dans la cité pisane. Le roi décida de chevaucher à terre l'espace de deux lieues, le 23 août, accompagné de quelques chevaliers, sans doute parce que le vent n'était pas favorable et que les galées ne pouvaient avancer. Finalement, profitant d'une reprise du vent, il s'embarqua de nouveau et, le 25 août, arriva à Porto-Ercole. Là, accident sur la galée où il se trouvait, la voile se rompit, et il fallut changer de vaisseau pour aborder finalement à l'embouchure du Tibre, dans le port d'Ostie où l'évêque Octavien vint à sa rencontre. Les chroniqueurs notent qu'en cet endroit « il y a beaucoup de très grandes ruines de murs antiques ». On peut penser que Richard, qui toute sa vie marqua un vif intérêt pour ce qu'on n'appelait pas encore l'archéologie, eut un regard curieux pour ces ruines d'Ostie, si impressionnantes encore de nos jours.

Benoît de Peterborough, qui reste avec Roger de Hoveden, le chroniqueur le plus exact et le plus minutieux pour toute cette période de l'expédition outre-mer, parle aussi avec admiration du bois que traverse le roi, le 26 août. « Il y a là une route faite de marbre comme pavement, et elle dure au milieu du bois l'espace de 80 milles. Le bois lui-même abonde en cerfs, bouquetins et daims. Le même jour, il passa par un château qu'on appelle Leicum. Il y a là un port qui, autrefois, était couvert en cuivre, et il y avait ici l'entrée de la grotte par laquelle on apportait de partout l'argent à Rome. »

Les chroniqueurs ont dû, ici, disposer de récits détaillés, car ils deviennent prolixes, si bien qu'on se trouve mieux renseigné tant sur le voyage du roi Richard que sur celui de sa flotte qu'il n'a pas eu la patience d'attendre à Marseille. Au passage, ils énumèrent les lieux parcourus; ainsi le cap Circeo, sur des hauteurs montagneuses, la ville de Terracina – tous ces lieux que dominent, au-delà de la belle abbaye cistercienne de Fossanova, les hauteurs du Mont-Cassin, victime de nos jours des abominables destructions que l'on sait, mentionnant au passage l'île d'Ischia « qui dégage toujours de la fumée » (les cratères anciens ne devaient pas encore être complètement éteints) ou la baie de Baïes, la fameuse station balnéaire où se trouvent, dit le texte, « les bains de Virgile ».

Richard devait arriver à Naples le 28 août et se rendre à l'abbaye de Saint-Janvier; il demeura dans la région jusqu'au 8 septembre, puis se rendit par la route à Salerne qui possédait alors, on le sait, une école de médecine très renommée. Mais ce n'est probablement pas ce qui attirait le roi qui fit là, le chroniqueur le note, « un long séjour ». Il y resta, en fait, jusqu'au 13 septembre. Il avait tenu à faire l'ascension du Vésuve, s'approchant si près des points de combustion du volcan qu'il faisait frémir ses compagnons.

Sur ces entrefaites, il apprit l'arrivée à Messine de sa propre flotte, laquelle n'avait touché Marseille que le 22 août, mais avait dû passer une huitaine de jours dans le port pour se refaire et se munir à nouveau de provisions. Elle avait en effet, dans l'intervalle, essuyé plus d'une aventure : une tempête dans le golfe de Biscaye, apaisée sur l'intervention de saint Thomas de Cantorbéry qui était apparu à deux croisés, deux citoyens de Londres, Guillaume Fitz-Osbert et Geoffroy l'Orfèvre; sans parler des combats livrés autour de Silvia contre le sultan du Maroc, lequel assiégeait le château de Santarem. Les citoyens de Silvia, remarquant qu'il y avait bon nombre de jeunes gens forts et bien armés parmi les croisés anglais, n'avaient pas voulu les laisser partir sans qu'ils aient prêté la main à leur roi, Sanche de Portugal. Ils étaient allés jusqu'à détruire leurs bateaux pour les obliger à demeurer parmi eux. Le chroniqueur qui raconte les événements ajoute que par la suite le roi du Portugal rendit nef pour nef et paya dépenses pour dépenses. Après quoi, les croisés anglais, parvenus à Lisbonne, avaient successivement pris part aux combats livrés devant Terras-Nuevas et autour du château de Tomar appartenant aux Templiers, que les armées du Maroc avaient investi. Les combats s'étaient d'ailleurs dénoués de façon inattendue, quand le bruit s'était répandu que le sultan du Maroc était mort déjà depuis trois jours et que son armée était en fuite. Cela fait, un autre convoi arriva devant Lisbonne : le gros de la flotte, 63 navires. Mais les pèlerins qu'ils portaient n'étaient pas de la meilleure venue; beaucoup, se répandant dans la cité de Lisbonne, s'étaient mal comportés : injures et attitudes méprisantes envers la population, mauvaise conduite et, parfois, viol des femmes et des filles, pillages des maisons de juifs ou de païens au service du roi. Celui-ci s'était adressé aux maîtres de la flotte, Robert de « Sablul » et Richard de Camville, et tandis que les désordres empiraient au point de provoquer émeutes et massacres, une énergique intervention fit arrêter sept cents hommes qui furent emprisonnés par le roi Sanche. Après quoi un accord fut conclu, qui passait l'éponge et remettait de l'ordre dans la flotte avant son départ des bouches du Tage.

Un nouvel apport de vaisseaux anglais porta leur nombre à 106 grands navires, « chargés d'hommes prêts à se battre, de victuailles et d'armes ».

Richard allait bientôt apprendre l'approche de sa flotte et se réjouir de son arrivée, non sans avoir éprouvé lui-même entre-temps quelques déboires personnels. De Salerne, il s'était rendu à Saint-Euphémie, et puis, attiré sans doute par le renom de ses ancêtres normands, avait poussé jusqu'à Mileto où une tour en bois avait été bâtie jadis par Robert Guiscard lorsqu'il s'était attaqué à l'abbaye de la Sainte-Trinité, dont l'église existe encore aujourd'hui. Là, à l'extrême pointe de la botte calabraise, se trouvait le fameux gouffre de Scylla, réputé en raison des tourbillons que produisent vents et courants face au phare de Messine. Le roi, donc, s'était acheminé à pied, avec un seul compagnon, à travers une localité où, passant devant une maison, il entendit le cri d'un faucon. Il entra, s'empara de l'oiseau et prétendit le garder, ce qui ne fut pas du goût des « *rustici* », des paysans qui se trouvaient là. Ceux-ci appelèrent à l'aide et bientôt le roi se vit entouré d'une foule menaçante, armée de bâtons et lui jetant des pierres. L'un des paysans se précipita même vers lui, brandissant un couteau. Richard, tirant son épée, porta sur le côté du bonhomme un coup du plat si violent qu'il la brisa. Jetant des pierres à son tour, il écarta les autres et, s'évadant à grand-peine de leurs mains, gagna vivement La Bagnara, un château à quelque distance, où il retrouva ses familiers. Mais, sans plus s'attarder, il traversa le jour même le détroit qu'on appelle le phare de Messine pour y dormir à l'abri.

Il devait avoir sa revanche le lendemain, le 23 septembre, lorsqu'il fit une entrée magnifique dans la cité sicilienne et le port, à la tête de sa flotte.

Elle avait été soigneusement préparée, cette flotte de combat; 100 nefs et 14 buzzes, dont les contemporains parlent avec admiration : « Vaisseaux de grande capacité et d'une remarquable mobilité », « vaisseaux forts et parfaitement gréés »; et d'en donner une description détaillée : « Le premier de ces navires avait trois gouvernails, 13 ancres, 30 rames, 2 voiles et des cordages en tous genres en triple quantité; et pour chacun des navires, tout ce dont ils pouvaient avoir besoin avait été prévu en double, sauf le mât et la chaloupe. Pour la conduite de chaque navire, un pilote très expérimenté et 14 aides choisis pour leur connaissance du métier. » La description ajoute que chaque navire pouvait porter 40 chevaux de prix, bien exercés aux armes, et tout ce qui est nécessaire à l'équipement des cavaliers; 40 fantassins et 15 matelots; enfin, des victuailles pour tous ces hommes et ces chevaux pour une année entière. Les buzzes, navires de grandes dimensions, portaient une charge double de celle des nefs et, par précaution, le trésor naval (« il était d'une grandeur inestimable ») écrit Richard de Devizes, avait été réparti entre les nefs et les buzzes, de façon « à ce que si une partie était mise en danger, le reste fût sauvé ». La nef qui portait le roi et ses plus proches ainsi que ceux qui exerçaient un commandement dans l'armée avançait la première et abordait en tête les ports ou cités dans lesquels on faisait relâche. C'est selon cet ordre de marche que Richard, roi d'Angleterre, à la tête de l'expédition, approcha Messine, en Sicile, « en telle gloire, au son des trompettes et des buccins, que la crainte saisit tous ceux qui se trouvaient dans la cité ». Et Richard de Devizes renchérit encore : « Tel était l'aspect glorieux de ceux qui approchaient, tels le fracas et l'éclat des armes, le bruit strident des trompettes et des cors de cuivre, que la cité en frémit et fut frappée d'épouvante et tous les gens, de tout âge, s'en vinrent à la rencontre du roi, un peuple innombrable, admirant et répétant que ce roi arrivait de façon beaucoup plus glorieuse et terrifiante que ne l'avait fait le roi de France qui était arrivé là le 7 septembre avec ses troupes ». Dans les événements qui allaient suivre, le roi de France allait en effet faire pâle figure auprès du roi d'Angleterre...

Pourtant, le premier contact entre eux fut chaleureux : « Ce même jour, le roi de France, mis au courant de l'arrivée de son compagnon et de son frère, vole à sa rencontre et, parmi leurs embrassements et leurs étreintes, on ne pouvait deviner aux gestes de chacun, lequel se réjouissait davantage de l'arrivée de l'autre. Quant à leurs armées, à la façon dont elles s'applaudissaient mutuellement et s'empressaient à parler ensemble, on aurait pu croire que tant de milliers d'hommes n'avaient qu'un corps et qu'une âme. Ce jour de fête allait s'écouler en de telles expressions de joie; les deux rois s'étant éloignés, non qu'ils fussent rassasiés, mais, un peu las, chacun se retrouva parmi les siens. »

Philippe, cependant, avait prévu de quitter Messine le jour même pour faire voile vers Acre. Il sortit du port avec sa flotte, mais le vent était contraire, et, à son grand regret, il dut bien malgré lui, revenir dans le port. Entre-temps, Richard s'était installé dans la demeure d'un nommé Regnaud de Mousquet (ou peut-être de Moac) où un logement lui avait été préparé hors des murs de Messine, « parmi les vignobles » dans la banlieue de la cité. Le roi de France avait été reçu dans le palais de Tancrède, roi de Sicile, donc à l'intérieur des murs, et très sagement on préférait que les barons aussi bien que la soldatesque ne se trouvent pas mêlés et confrontés les uns aux autres.

Arrivé le premier (le 16 septembre en réalité), le roi de France occupait le palais mis à sa disposition par Tancrède; ses dimensions eussent permis de recevoir les deux rois mais Richard préféra s'effacer. Geste de courtoisie de la part du roi d'Angleterre devant celui qui allait être son compagnon de route tout en demeurant son seigneur dans ses possessions continentales; prudente précaution aussi, car les cohabitations de ce genre avaient quelquefois mal tourné.

Chacun s'attendait à un prochain départ vers la Terre sainte qui était le but de l'expédition, et, de fait, le mouvement esquissé par Philippe Auguste prouve que telle était l'intention des deux rois. Personne ne s'attendait au séjour prolongé qu'ils allaient faire en Sicile, contre leur gré probablement.

Le lendemain de son arrivée, Richard exerçait sa justice. Elle fut prompte et énergique à l'égard des fauteurs de pillages, de vols ou de viols parmi ceux qui l'avaient précédé. Il fit dresser des potences, et, sans distinction de sexe ni d'âge, étrangers ou nationaux subirent la loi et le jugement du roi tel qu'il avait été prévu à l'endroit des croisés qui se rendraient coupables d'exactions au cours de l'expédition. Le roi de France, lui, préféra dissimuler et taire les infractions commises par ses hommes, si bien que, selon la chronique, les « Grifons », – terme générique par lequel on désignait chez les croisés d'abord les Byzantins puis, indifféremment, tous ceux chez qui les croisés allaient résider, le surnommèrent l'Agneau, et appelèrent Richard : le Lion. Ainsi le surnom qui devait pour la postérité, caractériser le roi d'Angleterre, s'affirmait-il durant une expédition destinée à demeurer dans la mémoire des temps.

Un événement inattendu allait, une première fois, rompre la paix profonde, l'amitié même, qui semblait établie entre les deux rois. Ils s'étaient mutuellement rendu visite les 24 et 25 septembre, et, comme le constate Benoît de Peterborough, « il semblait que telle était l'affection mutuelle qui régnait entre eux que jamais tels liens d'amour ne pourraient être rompus ou dénoués ». « Une femme survint »... En effet, trois jours après, le 28 septembre, Richard allait au-devant de sa sœur, Jeanne. On se souvient qu'elle avait épousé Guillaume de Sicile et avait donc quitté la France dès l'âge de onze ans pour venir, selon l'usage, habiter à la Cour de son fiancé.

Jeanne avait alors vingt-cinq ans. Elle était veuve depuis un an et plus ou moins prisonnière de Tancrède de Lecce, un bâtard du duc Roger de Sicile (l'oncle de son époux) lequel prétendait à la succession du royaume. L'arrivée de son frère, le roi, avait dû profondément réjouir la jeune femme qui, d'ailleurs, se souciait moins de cette royauté sicilienne que des intrigues menées par la tante de son époux défunt, Constance, fille de Roger II de Sicile et épouse de l'empereur germanique, laquelle revendiquait aussi un héritage très convoité. Tancrède avait cru opportun de consigner Jeanne dans la forteresse de Palerme au moment où son frère le roi d'Angleterre faisait son entrée à Messine pour l'éblouissement de la population. Mais Richard n'avait pas manqué de lui faire comprendre vivement qu'il ne tolérerait pas que Jeanne fût considérée comme une sorte d'otage! Il l'accueillit à son débarquement et la conduisit à l'Hôpital Saint-Jean de Jérusalem où il lui avait fait préparer un hébergement digne d'elle.

C'est dès le lendemain de l'arrivée de Jeanne que se produisit l'incident. En cette fête de la Saint-Michel, le roi de France vint saluer le roi d'Angleterre, et tous deux se dirigèrent vers l'Hôpital Saint-Jean. Or, à la vue de Jeanne, le visage de Philippe Auguste s'illumina soudain : elle était très belle. La dernière fille d'Aliénor d'Aquitaine était probablement celle qui lui ressemblait le plus. On ne possède d'elle aucun portrait mais une superbe tête sculptée, pleine de noblesse, en cuivre doré, que conserve le Musée Saint-Jean d'Angers, provenant de l'abbaye de Fontevraud, passe pour la représenter [1]. Visiblement acclimatée dans cette Sicile où elle avait passé ses années d'adolescence et d'épouse heureuse – Guillaume, surnommé le Bon, a laissé la meilleure réputation –, la jeune veuve devait être pleinement épanouie comme on peut l'être à vingt-cinq ans. Elle avait fait, de toute évidence,

1. Cette admirable pièce a été exposée au Louvre en 1962 lors de l'Exposition qui s'intitulait « Cathédrales » (nº 163 du catalogue).

une forte impression sur Philippe Auguste qui, de son côté, était veuf depuis trois mois de sa première épouse, la blonde et douce Isabelle de Hainaut. « Et le roi de France montrait à ce point un visage épanoui, que dans le peuple on disait que le roi de France allait la prendre pour épouse. » Autrement dit, les habitants de Messine n'avaient pas été longs à se rendre compte de l'effet que produisait sur lui leur reine. Un vrai coup de foudre pour ce roi qui n'avait que vingt-sept ans.

Mais Richard veillait, lui aussi, et s'était rendu compte, tout le premier, du trouble manifesté par Philippe Auguste, à la vue de Jeanne. Or, il n'était pas question d'en envisager les conséquences possibles – en l'espèce un nouveau mariage franco-anglais, au moment où lui-même tentait, non sans peine, de se dégager des liens noués avec Adélaïde de France. Sa décision fut, comme à l'habitude, promptement prise. Dès le lendemain, il passait cet étroit bras de mer qu'on appelait « le fleuve de Far » et prenait possession du lieu fortifié, « la Bagnara » – la bannière –, à la fois forteresse et couvent de chanoines réguliers, y installait des chevaliers, des sergents en nombre suffisant et, surtout, en faisait la résidence de sa sœur Jeanne. Puis il regagna la cité de Messine. Cette opération lui permettait, du même coup, de tenir tête, au besoin, à Tancrède de Lecce qui retenait tout indûment le douaire de la reine et, avec son trône doré, la totalité du legs de son défunt époux; il consistait, d'après la chronique, en « une table d'or » de 12 pieds de long, une tente de soie, 100 galées garnies pour deux ans de tout le nécessaire, 60 000 mesures de froment, autant d'orge et autant de mesures de vin, plus 24 coupes d'or et 24 disques également d'or. On imagine ce que représentait pareille richesse au moment où le roi entreprenait son expédition vers la Terre sainte à reconquérir. Aussi bien Richard poursuivait-il sa politique d'intimidation en s'emparant deux jours plus tard d'un château fortifié, sur une île, dans le même « fleuve de Far », qu'on appelait le monastère des Grifons (des Grecs).

Semblable procédé ne pouvait qu'éveiller l'inquiétude des citoyens de Messine. Des querelles éclatèrent çà et là entre eux et les croisés anglais, à qui les Siciliens commencèrent à fermer les portes de la cité. Richard, lui-même, intervenant dans la mêlée, tenta, distribuant ici et là des coups de bâton à ses propres sujets, d'arrêter ce qui dégénérait en siège, les uns escaladant les murailles, les autres se portant en force contre les portes; les rixes finirent par s'apaiser. Mais Richard, contournant la cité par mer, vint conférer avec le roi Philippe au matin du 4 octobre. Un conseil avait lieu, réunissant les principaux d'entre les barons et prélats anglais, siciliens et français aussi. Cependant, les violences de la veille reprirent au même moment, et des clameurs s'élevaient, provenant de l'hébergement du comte de La Marche, Hugues le Brun. Richard donna ordre aussitôt à ses barons de s'armer sous sa conduite et de franchir une hauteur (« un mont vaste et escarpé dont personne ne pensait qu'il eût pu l'escalader »). S'élançant de là sur les portes et les murs de Messine, il y perdit cinq chevaliers et vingt sergents de son proche entourage, mais parvint à planter son étendard sur les murs de la cité, prise de vive force. Les Français ne lui avaient nullement porté secours en dépit de leur confraternité dans le pèlerinage qu'ils avaient entrepris – manque de solidarité évident qui provoqua bien des murmures parmi les croisés anglais.

Pourtant, l'entente allait être renouvelée dès le 8 octobre. De nouvelles conventions furent faites, un serment prêté, tant par le roi de France que par le roi d'Angleterre, face à leurs compagnons et barons, de se porter toute aide l'un à l'autre, en bonne foi, durant le pèlerinage, à l'aller comme au retour. Après eux, jurèrent aussi comtes et barons.

Ce renouvellement de l'alliance était assorti de nouvelles dispositions qui nous donnent une idée concrète des conditions dans lesquelles vivaient tous ces hommes embarqués pour le « passage outre-mer ». Tout d'abord, il est spécifié que les pèlerins, quels qu'ils soient, peuvent disposer par testament de leurs armes et de leur équipement, pour eux-mêmes et pour leur cheval; mais, en ce qui concerne les divers biens qu'ils ont apportés avec eux, ils ne disposeront que de la moitié, le reste étant remis au maître de la maison du Temple et au maître de l'Hôpital, ou bien à deux des principaux prélats qui les accompagnent – Gautier, archevêque de Rouen et Manassès, évêque de Langres –, ou encore à l'un des proches du roi de France – Hugues, duc de Bourgogne, dont il sera souvent question dans la suite des événements. Seuls, les clercs pourront disposer de tout ce qu'ils ont apporté, « chapelles et tout ce qui en fait partie y compris les livres saints ». On possède un certain nombre de testaments de croisés parfois fort touchants, comme ce petit croisé de Bologne, qui, lors d'une expédition postérieure (1219), lègue sa chemise à l'un de ses compagnons, sa cotte de mailles à l'hôpital des Allemands, et tout ce qu'on trouvera sur lui à sa femme Guillette. Ces exemples montrent que c'était une habitude courante que de faire ainsi son testament au moment où l'action allait s'engager.

Autre chapitre qui intéresse la vie quotidienne : les jeux de hasard; ils sont interdits à tous dans l'armée sauf aux chevaliers et aux clercs, et encore à condition que, s'ils jouent de l'argent, ils n'engagent pas plus de 20 sous par 24 heures. Autant de fois ils auront dépassé cette somme, autant de fois ils devront payer 100 sous d'amende, qui iront grossir les caisses de l'archevêque et autres personnages nommés précédemment pour veiller aux nécessités des combattants. On ajoute que les deux rois eux-mêmes pourront jouer chez eux, et ceux qui les servent auront la même permission, toujours dans la limite de 20 sous pour un jour et une nuit. Quant à tous les autres, ceux qui auront été surpris à jouer auront le choix entre se racheter par une amende ou, pendant trois jours, circuler nus dans l'armée; s'il s'agit de matelots, trois jours de suite ils seront jetés à la mer une fois par jour du haut du navire.

Ces jeux de dés, seule distraction en usage, et encore comme on le voit, pas pour tout le monde, allaient rester couramment en pratique dans les armées croisées; certain jour, on verra un Saint Louis surprenant ses frères en train de jouer aux dés ou aux échecs, saisir les jeux et les jeter à la mer...

D'autres prescriptions suivent, qui montrent le souci d'un ravitaillement sain et équitable. Ainsi sont surveillés les apports de farine et de pain; faire de la pâtisserie ou en acheter en ville est formellement interdit; en ce qui concerne les viandes, défense est faite d'acheter aucun animal tué, sauf ceux qui ont été amenés vivants dans l'armée et assommés sur place. Une réglementation du prix du vin, et aussi de la monnaie est instituée – on y apprend qu'un denier d'Angleterre vaut 4 deniers d'Anjou.

Restait, cependant, à conclure un accord avec Tancrède de Sicile. C'était la dot de Jeanne qui était en cause et que Richard réclamait. Tancrède offrit une compensation : 20 000 onces d'or pour le douaire auquel elle avait droit et encore 20 000 onces pour le legs que lui avait fait son époux, Guillaume. À l'occasion de cet accord, un projet de mariage fut conclu entre l'une des filles de Tancrède et le jeune Arthur, duc de Bretagne, neveu de Richard puisque fils de Geoffroy.

Toutes ces dispositions étaient prises en vue d'un séjour qui menaçait de se prolonger en Sicile, car le temps n'était pas favorable. Richard l'indique dans la lettre où les accords sont consignés : « Nous nous trouvons forcés de faire un séjour à Messine, votre cité, alors que nous ne comptions qu'y passer, à cause de l'inclémence des vents de la mer et de la température qui retardent notre projet de navigation. » Les serments échangés entre Richard et Tancrède tentaient de pallier ces conditions défavorables qui obligeaient l'armée à prévoir de passer tout l'hiver dans l'île. Richard allait en informer le pape, Clément III, tout en lui détaillant des diverses clauses du traité qu'il venait de conclure avec le roi de Sicile, pour lui demander d'en être le garant. Cependant, deux des familiers de Tancrède, celui qu'on appelait l'amiral Margarit et un autre, Jordan du Pin, à qui le roi de Sicile avait précédemment confié la cité de Messine, s'enfuirent de nuit avec leur famille et tout ce qu'ils possédaient d'or et d'argent. Richard dut faire saisir leurs autres biens, maisons et galées. Après quoi, pour plus de sûreté, il ordonna d'entourer d'un fossé profond la moitié de ville où se trouvait le monastère des « Grifons », afin d'y mettre à l'abri son trésor et aussi les victuailles destinées à l'armée. Et comme, décidément, quelque méfiance subsistait entre lui et la population locale, on le vit faire élever sur ce mont très escarpé, qui dominait la ville de Messine, un château auquel il donna le nom significatif de Mategrifon (Mate Grecs).

À travers ces épisodes, on saisit ce qui subsiste de haine et de rancœur entre Byzantins et Normands. Pourtant, un autre rival, combien plus redoutable, allait se révéler – et Tancrède le savait bien – dès ce même été 1190. En effet, le nouvel empereur germanique allait revendiquer les droits de son épouse Constance sur la Pouille et la Sicile, et, pour plus d'un demi-siècle, l'Italie allait être l'objet d'une convoitise que l'empereur Frédéric II de Hohenstaufen allait porter à son comble.

L'hiver venu, le temps ne s'améliora pas. Il y eut même, le 19 décembre, en rade de Messine, un orage épouvantable; les éclairs se succédaient; « toute l'armée des rois de France et d'Angleterre était figée de terreur ». La foudre tomba sur une des galées du roi d'Angleterre qui fut précipitée par le fond. Une partie même de la cité s'effondra sous l'orage.

Quelques autres incidents allaient marquer la mémoire des croisés. On peut se demander quels furent les sentiments de l'armée et du peuple lorsqu'ils virent le roi Richard, dépouillé de ses vêtements, portant dans sa main trois fouets faits de verges légères liées ensemble, se prosterner devant tous les prélats et les archevêques présents dans le camp et s'accuser des fautes qu'il avait commises à haute voix et « avec une telle humilité et contrition de cœur que l'on peut croire, sans aucun doute, que c'était là l'œuvre de Celui qui regarde la terre et la fait trembler ».

Le roi Richard, comme l'écrit Benoît de Peterborough, s'était, sous le coup de la grâce divine, « souvenu de l'abomination de sa vie ». Il s'était laissé aller à des actes d'homosexualité dont il tenait à faire pénitence publique. « Il renonça à son péché et implora une digne pénitence des évêques qui étaient présents. » L'homosexualité, la faute des gens de Sodome, est marquée dans la Bible, dans l'Ancien Testament, comme entraînant le châtiment divin. Sans plus s'étendre sur celui qui fut administré publiquement au roi, le chroniqueur exprime aussitôt son impression personnelle : « Heureux celui qui tombe ainsi pour se relever plus fort, heureux celui qui après sa pénitence ne retombe pas dans la faute ! » Ce sentiment du pardon imploré et reçu retient seul son attention et celle de Roger de Hoveden, qui a évoqué l'incident avec la même discrétion.

Cette scène si étrange pour notre mentalité à nous, gens du XXe siècle, se place peu avant Noël de cette année 1190. Peut-être est-ce l'approche de la fête qui poussa Richard à cet acte spectaculaire. Le scandale ayant sans doute été de notoriété publique, la pénitence devait l'être aussi.

Toujours est-il que les deux rois Richard et Philippe célébrèrent ensemble la Nativité et que les cérémonies liturgiques furent suivies de fêtes au château de Mategrifon : il y avait là l'évêque de Chartres, Reginald, Renaud de Monçon, Hugues, duc de Bourgogne, Guillaume, comte de Nevers, Pierre de Courtenay, et Guillaume de Joigny, Geoffroy du Perche et la plupart des familiers du roi de France. Le banquet fut troublé par des cris et hurlements provenant de la flotte : des querelles s'étaient élevées entre Pisans et Génois sur les vaisseaux du roi d'Angleterre et dégénéraient en rixes. Rois et barons se précipitèrent pour tenter de mettre fin aux combats, sans grand succès; seule la nuit devait séparer les combattants. Le lendemain, alors que la foule était réunie dans l'église de l'Hôpital Saint-Jean, l'un des Pisans sortit un couteau et poignarda quelqu'un, un Génois probablement; les violences reprirent, mais, cette fois, l'intervention tant du roi de France que du roi d'Angleterre fut efficace et la paix fut conclue.

Un autre épisode se place très probablement durant le mois de janvier 1191 : il s'agit de la venue du singulier personnage qu'était Joachim, alors abbé de Corazzo, une abbaye cistercienne de Calabre. Il est aujourd'hui beaucoup plus connu sous le nom de Joachim de Flore, qui désigne l'Ordre qu'il devait fonder en 1192 peu après son passage en Sicile devant le roi d'Angleterre. Assez extraordinaire cette rencontre du roi Richard, ce combattant en pleine force de l'âge (il a trente-quatre ans) avec le vieillard vaticinant qui exercera sur les siècles à venir une influence si étrange. Joachim approche alors des quatre-vingts ans; il mourra dix ans plus tard, en 1202. Il est très probable qu'il est venu en Sicile sur l'invitation du roi, car, en évoquant cette confrontation, on précise que « le roi d'Angleterre écoutait volontiers ses prophéties, sa sagesse et sa doctrine »; en fait, les deux chroniqueurs qui en parlent, Benoît de Peterborough et Roger de Hoveden, ont raconté l'entrevue avec quelques détails et certainement d'après des témoins qui y ont pris part et qui la rapportent avec quelques variantes – ce qui prouve leur véracité.

La spécialité de Joachim était le commentaire de l'Apocalypse de saint Jean. Visiblement, Richard s'intéressait aussi à cet ouvrage, si abondamment commenté, qui termine le Nouveau Testament. « Lui et les siens se délectaient à l'entendre » souligne l'un des narrateurs. L'entretien a d'abord pour objet la vision de la « femme vêtue de soleil, la lune sous les pieds et sur la tête une couronne de douze étoiles ». Pour Joachim cette femme

« signifie la Sainte Église couverte et vêtue du soleil de justice qui est le Christ Seigneur, et sous ses pieds, se trouve [...] un monde avec ses vices et ses désirs injustes qu'Elle foule aux pieds continuellement ». Quant au dragon qui la menace avec ses sept têtes et ses dix cornes, il signifie le diable dont les têtes sont en réalité infinies, car elles représentent les persécuteurs de l'Église; les dix cornes sont les hérésies et les schismes que leurs fauteurs opposent aux dix préceptes et commandements de Dieu, et ses sept diadèmes sont les rois et les princes de ce monde qui vont les croire. Quant à sa queue qui entraîne un tiers des étoiles du ciel et les envoie sur la terre, cela veut dire qu'à la fin il mènera à leur perte ceux qui auront cru en lui et qu'il les enverra dans la géhenne; ou encore sa queue signifie la fin du monde, lorsque surgiront certaines gens iniques qui détruiront l'Église de Dieu : « Au temps de l'Antéchrist beaucoup de chrétiens se terreront dans les cavernes et dans les solitudes des montagnes et serviront la foi chrétienne dans la crainte de Dieu jusqu'à la consommation de l'Antéchrist. »

Mais l'abbé de Corazzo allait plus loin dans ses interprétations. Il précisait le nom des sept principaux persécuteurs de l'Église : « Hérode, Néron, Constance, Mahomet, Melsemut (ou encore Massamut que l'on donnait comme fondateur de la dynastie des Almohades), et enfin Saladin et l'Antéchrist. » Et de donner comme prochaine la fin de Saladin : « Et il y en a un, à savoir Saladin qui présentement opprime l'Église de Dieu et la réduit en servitude avec le Sépulcre du Seigneur et la sainte Cité de Jérusalem et cette terre que foulèrent les pieds du Christ. Et lui, à présent, va prochainement perdre le royaume de Jérusalem et sera tué et la rapacité des prédateurs [les Sarrasins] périra, et on fera d'eux un énorme massacre comme il n'en fut jamais dès le début du monde, et leur habitation sera rendue déserte et leurs cités seront désolées, et les chrétiens reviendront vers leurs campagnes perdues et ils y feront leurs nids. »

Semblable prophétie avait de quoi faire sursauter un roi

qui espérait tant reconquérir Jérusalem. Richard, aussitôt, interrogea le moine : « Quand cela aura-t-il lieu? » À quoi Joachim répondit : « Quand sept années se seront écoulées depuis le jour où fut reprise Jérusalem. – Sommes-nous alors venus ici trop tôt? – Non, répondit Joachim. Ta venue est très nécessaire, car Dieu te donnera la victoire sur ces ennemis et exaltera ton nom sur celui de tous les princes de la terre. » Perspective réconfortante s'il en fut... Et le moine d'ajouter : « C'est cela que t'a réservé le Seigneur et Il permet que cela arrive par toi. Il te donnera la victoire sur tes ennemis et Lui-même glorifiera ton nom pour l'éternité; et toi, tu Le glorifieras et Lui sera glorifié en toi si tu persévères dans l'œuvre commencée. »

Une telle apostrophe est pour nous, rétrospectivement, comme une garantie de l'authenticité de cet entretien – sinon de la réalité du sens prophétique de Joachim de Flore... On sait, au reste, qu'il diffusa plus d'erreurs que de vérités dans son enseignement et comment ses vaticinations à propos de l'Esprit – dans lequel une partie de l'ordre franciscain crut pouvoir se reconnaître – allaient engendrer une multitude d'erreurs. Récemment, le père H. de Lubac en a montré de façon lumineuse les prolongements jusque dans notre temps [1]. Cependant, on se doute que ses prédictions provoquaient un murmure admiratif chez tous ceux qui l'écoutaient, et parmi ses auditeurs, on cite : Hubert Gautier l'évêque de Salisbury, l'archevêque de Rouen, deux autres archevêques, N. d'Apamée et Girard d'Auch, l'évêque d'Évreux, Jean, et de Bayonne, Bernard, « et beaucoup d'autres honnêtes personnes, tant clercs que laïcs ». C'est devant cette assemblée que Richard posa encore la question : « Où est né l'Antéchrist et où doit-il régner? – On peut croire, répond fermement Joachim, que cet Antéchrist est né dans la ville de Rome et qu'il y obtiendra le siège apostolique. » « Si l'Antéchrist est né à Rome, rétorqua aussitôt le roi et doit y posséder le siège apostolique, je

1. *La Postérité spirituelle de Joachim de Flore*, 2 vol., in-8°.

sais que c'est celui qui est pape en ce moment. » Il disait cela, ajoute Benoît de Peterborough, parce qu'il avait en haine ce pape Clément III.

« Je croyais, ajouta Richard, que l'Antéchrist naîtrait à Babylone ou à Antioche, qu'il serait de la lignée de Dan et régnerait sur le temple de Dieu qui est à Jérusalem et marcherait sur cette terre que foulèrent les pieds du Seigneur, qu'il y régnerait trois ans et demi, disputerait avec Enoch et Elie et les ferait tuer et ensuite, mourrait et qu'après sa mort, Dieu donnerait soixante jours de pénitence durant lesquels se repentiraient ceux qui avaient erré hors de la voie de vérité et avaient été séduits par la prédication de l'Antéchrist et de ses pseudo-prophètes. »

La réponse de Joachim n'est pas donnée par les chroniqueurs, mais ce propos et son long commentaire disent assez combien Richard se passionnait pour semblables questions et avait lui-même réfléchi auparavant aux prophéties qu'elles avaient pu susciter. Benoît de Peterborough et Roger de Hoveden ajoutent que, en ce qui concerne ce que l'abbé de Corazzo disait de la venue de l'Antéchrist, « beaucoup parmi les clercs, savants dans les écritures divines, s'efforçaient de prouver le contraire, et ici et là, bien des opinions fort vraisemblables furent avancées; pourtant le débat sur la question reste ouvert ».

Cette visite de Joachim de Flore resta, pour eux en tout cas, l'un des événements marquants durant cet hiver passé en Sicile; sa « dispute » – pour employer le terme de l'époque – avec le roi Richard devait demeurer dans les esprits.

Un incident, qui n'aurait dû être que simple plaisanterie et qui faillit tourner au tragique, devait avoir lieu peu après le jour de la Purification Notre-Dame, c'est-à-dire le 2 février. Un samedi, après le repas. Richard et Philippe, l'un et l'autre entourés de plusieurs chevaliers, leurs familiers, se retrouvèrent « selon la coutume » comme ils avaient pris l'habitude de le faire aux jours de fête, et organisèrent divers jeux en dehors de la cité de Messine. Au moment où ils y entraient, passant au milieu de la cité, vint à leur rencontre un paysan avec un âne chargé de longs roseaux, ceux qu'on appelle dans le Midi des cannes. Le roi d'Angleterre en prit, et aussi d'autres qui marchaient à ses côtés, et chacun d'eux, se choisissant un adversaire, s'y affronta les cannes à la main. Or, il advint que le roi d'Angleterre s'opposa à Guillaume des Barres, chevalier fougueux parmi les proches du roi de France, et l'un contre l'autre joutèrent avec les roseaux. Le surcot du roi fut déchiré d'un coup que lui donna Guillaume; aussitôt Richard fit un assaut contre celui-ci au point de le faire tituber, lui et son cheval, et, décidé à le désarçonner glissa de sa selle et recommença à l'agresser, tentant de le précipiter à terre. Guillaume s'accrocha au cou de sa monture; le roi, furieux, l'apostrophait. Robert de Breteuil, fils du comte Robert de Leicester, se précipita pour protéger Guillaume et tentait d'aider son sire roi : « Lâche-moi, cria Richard, et laisse-moi seul avec lui. » Et, tout en continuant à le molester, de la voix et du geste, le roi lui cria : « Va-t'en d'ici et prends garde à toi, que jamais je ne te retrouve en ma présence, car dès à présent, toi et les tiens, vous êtes mes ennemis pour toujours. » Guillaume s'éloigna, dolent et confus de la colère du roi d'Angleterre et de sa menace. Il alla retrouver son seigneur, le roi de France, lui demandant aide et conseil sur ce qui venait de se produire sur ce chemin.

Richard, dont les colères étaient célèbres, devait être réellement furieux, car, le lendemain, il ne voulut rien entendre quand le roi de France vint, de la part de Guillaume, lui demander paix et miséricorde. Le jour suivant, ce furent trois autres seigneurs, le comte de Chartres, le duc de Bourgogne et le comte de Nevers. Guillaume des Barres jugea plus sage de ne pas encourir les menaces que Richard avaient proférées contre lui. Il quitta Messine, et ce n'est qu'après plusieurs jours, quand le moment fut venu de prendre la voile et de voguer vers la Terre sainte, que tous, le roi de France, les évêques et archevêques, les comtes et barons de l'armée, implorèrent paix et miséricorde pour Guillaume des Barres et lui remontrèrent combien il serait imprudent de se passer d'un chevalier d'une telle valeur; finalement, le roi d'Angleterre consentit à se réconcilier avec lui.

Curieux personnage, décidément, capable d'une telle rancune envers un chevalier qui aura jouté un peu trop vivement, quoique par jeu, et lui aura déchiré son surcot! Par ailleurs, il sait se montrer étonnamment généreux. Il le prouva d'ailleurs, au cours de ce séjour à Messine, car, durant ce même mois de février, on mentionne qu'il donne plusieurs navires de sa flotte au roi de France qui n'est que maigrement escorté, et que, toujours durant ce seul mois de février, il distribue de son trésor à tous ses compagnons, comtes, barons, chevaliers et sergents, plus qu'aucun de ses prédécesseurs; jamais, disait-on, aucun n'en avait donné en une année autant que lui en un mois. Il y a en Richard toute la violence des Plantagenêts, coexistant avec une libéralité qui va le rendre populaire tout au long de son expédition outre-mer.

Cependant, un autre conflit allait se produire, dont les conséquences eussent pu être plus graves encore, avant que la flotte ait pu quitter la Sicile. Le 1er mars, Richard devait avoir une entrevue avec Tancrède et prit la direction de Taormina où il résidait. Sur son chemin, il s'arrêta dans la cité de Catane où l'on honorait les reliques de sainte Agathe, l'une des patronnes de l'île – les chroniqueurs anglais ne manquent pas de rappeler comment le voile de sainte Agathe avait protégé la cité d'un incendie qui la menaçait.

Tancrède, apprenant qu'il s'était mis en route, vint à sa rencontre. S'il faut en croire les témoins, lui-même et Richard, de son côté, descendirent de cheval du plus loin qu'ils s'aperçurent, « et courant l'un à la rencontre de l'autre, ils multiplièrent étreintes, baisers et salutations ». Puis, remontant à cheval, ils entrèrent dans la cité de Catane; clergé et peuple les accueillirent en procession, chantant des hymnes et des cantiques. Après avoir fait oraison devant la tombe de sainte Agathe, le roi d'Angleterre fut invité à s'installer dans le palais de Tancrède; il devait y demeurer trois jours, reçu avec les honneurs royaux, comme il convenait. Le lendemain, au moment de son départ, Tancrède offrit à Richard toutes sortes de présents : coupes d'or et d'argent, chevaux et tissus de soie, mais le roi ne voulut prendre, d'ailleurs, qu'un petit anneau en signe de mutuelle affection. De son côté, il remit à Tancrède un présent tout à fait remarquable : l'épée du roi Arthur, la célèbre Excalibur, que des fouilles faites à l'abbaye de Glastonbury avaient permis de retrouver, disait-on, dans sa tombe; cette épée était donc une trouvaille archéologique; elle atteste le prix qu'on pouvait attacher à l'époque à un souvenir insigne comme celui du roi Arthur, le noble sire des « Bretons », le héros des chansons de geste, devenu celui des romans de chevalerie, après avoir passé par la plume éblouissante de Geoffroy de Monmouth. On peut se demander si Tancrède attribuait à de tels souvenirs autant d'importance que Richard. Pourtant, il dut s'en trouver satisfait car il fit don au roi d'Angleterre de 4 grandes nefs – de celles qu'on appelait « huissiers » – et de 15 galées pour participer à son expédition.

Les deux rois partirent ensemble pour Taormina, et c'est là qu'une confidence de Tancrède au roi d'Angleterre, vint semer le trouble :

> « Je sais de source sûre, et certains indices me l'ont prouvé, que ce que le roi de France m'a fait savoir de vous par le duc de Bourgogne et par ses propres lettres, provenait plutôt de l'envie que de l'amour qu'il avait pour moi. Il m'a fait savoir en effet que vous n'observeriez avec moi ni paix ni alliance, et que vous aviez transgressé les conventions qui avaient été faites entre vous et qu'en ce royaume vous n'étiez venu que pour me l'enlever, mais que si je voulais aller contre vous avec mon armée, lui-même mettrait

> tout son pouvoir pour vous vaincre et votre armée aussi. » Sans se laisser émouvoir, ni en lui-même ni dans ses paroles, le roi d'Angleterre répondit : « Qu'ils soient confondus, ceux qui agissent mal! Quant à moi, j'ai peine à croire qu'il vous ait fait dire cela, car il est lui-même mon seigneur et aussi mon compagnon dans ce pèlerinage auquel nous nous sommes ensemble engagés. »

Et Tancrède de répondre :

> « Si vous voulez une preuve que ce que je vous dis est vrai, voici : je vous remets les lettres que le roi de France lui-même m'a adressées par le duc de Bourgogne et si le duc de Bourgogne veut les nier, je le lui prouverai par l'un de mes compagnons qui m'a remis ces lettres véritablement scellées du sceau du roi de France. »

Le roi d'Angleterre prenait possession des lettres que lui remettait son interlocuteur quand on apprit que le roi de France, en personne, venait d'arriver à Taormina pour parler avec Tancrède.

Richard revint à Messine par un autre chemin. Philippe Auguste lui-même ne fit qu'un séjour d'une nuit chez Tancrède à Taormina et rentra le lendemain à Messine également. Richard, secoué de colère contre lui, ne lui faisait pas bon visage et cherchait de quelle manière il pourrait se retirer avec les siens. Philippe Auguste s'aperçut du changement et demanda avec insistance par l'intermédiaire du comte de Flandre et de quelques autres de ses barons, ce qui s'était passé. Richard lui fit tenir ce que le roi de Sicile lui avait dit et, comme preuve, leur fit montrer les lettres qu'il en avait reçues. Le roi de France, en entendant cela, se tut, mal à l'aise en lui-même et ne sachant que répondre. Cependant, revenant à la charge, il dit : « Tout cela est faux et vient d'être inventé récemment, car je sais et je suis sûr que le roi Richard cherche des charges à alléguer contre moi. Croit-il que c'est par de tels mensonges qu'il parviendra à se débarrasser de ma sœur qu'il a juré d'épouser? » Réponse du roi d'Angleterre : « Je ne cherche pas à rejeter sa sœur, mais je refuse de la prendre pour épouse, car mon père l'a connue et il a engendré d'elle un fils. »

Ce litige renaissait donc à l'occasion des insinuations de Tancrède et revenait semer la mésentente entre les deux rois. Ils eurent toutes sortes de discussions et d'échanges, forcément vifs, mais Philippe se laissa convaincre par plusieurs de ceux qui se trouvaient là de reconnaître les faits et finit par libérer une fois de plus Richard de ce mariage prévu avec sa sœur, Adélaïde, moyennant promesse de dix mille marcs d'argent. Il fut convenu que quand Philippe reviendrait en France, sa sœur serait libérée en même temps que Gisors lui serait remis, avec tout ce qui avait été convenu en vue de son mariage; moyennant quoi, le roi d'Angleterre avait toute liberté de prendre l'épouse qu'il voudrait. « Ainsi, ce jour-là, le roi de France et le roi d'Angleterre redevinrent amis et confirmèrent toutes les conventions faites entre eux par serments et lettres scellés de leurs sceaux. »

C'est alors, le 30 mars 1191, un samedi, que Philippe Auguste quitta avec sa flotte le port de Messine. Il allait avoir un mois de navigation avant de pouvoir aborder en Palestine et rejoindre ceux qui assiégeaient la ville d'Acre, le samedi de la semaine de Pâques, 20 avril.

Ce même jour – et ce ne pouvait être simple coïncidence! –, on vit arriver à Messine la reine Aliénor elle-même, mère du roi Richard d'Angleterre. À vrai dire sa venue était annoncée déjà depuis plus d'un mois, avec celle de Philippe, comte de Flandre, venu rejoindre les croisés; mais alors que celui-ci avait pu aussitôt joindre Messine, les gens du roi de Sicile s'étaient opposés à ce que la reine, en fait régente d'Angleterre, puisse débarquer en Sicile, étant donné, dit le texte de Benoît de Peterborough, « la multitude d'hommes qui l'accompagnaient ». Aliénor avait en effet débarqué à Naples avec une escorte imposante. Elle dut, contournant la Calabre, aller jusqu'à Brindisi, et c'est évidemment pourquoi le roi Richard était allé trouver Tancrède et exiger de lui des comptes.

Aliénor d'Aquitaine n'était pas seule : la fille de Sanche, roi de Navarre, l'accompagnait. Elle se nommait Bérengère et représentait l'arme secrète de la reine qui désirait vivement le mariage de son fils, mais refusait avec obstination qu'il épousât celle qui lui était destinée, Adélaïde de France. Craignant sans doute à la fois les excès auxquels Richard pouvait se porter – et l'on a vu qu'elle n'avait pas tort si l'on se réfère à la pénitence publique qui avait eu lieu à Messine même! – et les intrigues du roi Philippe qui s'entêtait à ce que fût accompli l'engagement de mariage envers sa sœur, elle avait entre-temps décidé cette solution qui pouvait satisfaire l'un et couper court aux intrigues de l'autre. Ambroise déclare que Richard « l'avait moult aimée [Bérengère], dès qu'il était comte de Poitiers ». Chacun devait s'attendre à ce qu'Aliénor restât pour assister aux noces de son fils bien-aimé. Mais elle était manifestement pressée de repartir. Les nouvelles qu'elle apportait n'étaient pas excellentes, et c'est elle certainement qui inspira à Richard certains changements dans les dispositions qu'il avait prises pour le gouvernement du royaume (il en sera question plus loin). Elle ne demeura que quatre jours à Messine et repartit dès le 2 avril. On ne sait s'il faut s'étonner davantage de la vigilance qu'elle apportait aux affaires du royaume en l'absence de son fils ou de la résistance physique de cette femme septuagénaire; et l'on comprend l'exclamation qu'elle suscite chez un Richard de Devizes et que nous avons déjà citée : « La reine Aliénor, une femme incomparable, belle et pudique, puissante et modeste, humble et éloquente, toutes qualités qu'on trouve bien rarement ensemble chez une femme! » Et, d'ajouter, sur la fille du roi de Navarre, qu'il la trouve « plus sage que belle ». Il semble bien pourtant que Richard lui avait envoyé des vers enflammés quelques années auparavant, mais il faut faire la part de la lyrique courtoise et de cette louange de la Dame qu'elle exigeait.

Bérengère allait être confiée aux soins de Jeanne, l'ex-reine de Sicile, tandis qu'Aliénor reprenait le chemin de l'Angleterre en passant par Rome. Elle y arriva sans doute au moment où l'on apprenait la mort de ce pape Clément III en qui Richard eût souhaité voir l'Antéchrist en personne. Le jour même de sa mort fut élu à sa place Hyacinthe Bobo qui avait été étudiant aux écoles de la cathédrale de Paris et avait connu Pierre Abélard; il avait peut-être même assisté à la séance fameuse durant laquelle, à Sens, Abélard avait été confronté à Bernard de Clairvaux, en présence du roi de France Louis VII. Hyacinthe Bobo était alors simple diacre. Élu le 10 avril, il avait été consacré quatre jours plus tard sous le nom de Célestin III. Dès le lendemain, qui se trouvait être le lundi de Pâques, il couronnait Empereur et Impératrice Henri VI, roi des Romains, et son épouse, Constance. Aliénor assistait probablement à une cérémonie qui, s'il faut en croire Roger de Hoveden, n'aurait pas été marquée de toute la solennité désirable, puisqu'il raconte que le pape (alors âgé de quatre-vingt-cinq ans) aurait envoyé rouler d'un coup de pied la couronne de l'Empereur. Une violente altercation avait eu lieu au sujet de la ville de Tusculum que ce dernier voulait détruire.

Cependant, à cette même date du 14 avril, Richard avait déjà quitté Messine, non sans avoir détruit le château de « Mategrifon » qu'il ne se souciait pas de laisser derrière lui. Cent cinquante grands navires et cinquante-trois galées voguaient à présent vers la Terre sainte au secours des chrétiens qui assiégeaient Acre depuis bientôt deux ans. Mais dès le 12, jour du Vendredi saint, cette superbe flotte essuyait « un vent horrible » – une tempête qui dispersa les navires. Le roi atteignit l'île de Crète avec une partie d'entre eux seulement. Ce n'était encore qu'un premier épisode dans son approche mouvementée de la Terre sainte.

***

Seigneurs, de la mort d'Alexandre...
Des aventures de Tristan
Ni de Pâris ni de Hélène
Qui pour amours eurent tel[le] peine
Ni des faits Arthur de Bretagne
Ni de vieilles chansons de gestes
Dont jongleurs font si grandes fêtes
Ne vous sais mentir ni vrai dire,
Ni affirmer ni contredire...
Mais de ce que tant de gens virent
Et que eux-mêmes le souffrirent
Ceux de l'ost d'Acre, les méchefs
Qu'ils eurent au cœur et au chef
Des grands chaleurs, des grands froidures
Des infirmités, des injures,
Ce vous puis-je pour vrai conter,

déclare Ambroise, qui fit partie, tout au long, de l'expédition. Et il faut dire qu'elle laisse loin derrière les récits des chansons de geste.

Richard ne passa qu'un seul jour dans l'île et se rembarqua le lendemain, 18 avril. Le 22, seconde étape, cette fois à Rhodes. Là, il demeura dix jours, sans doute pour refaire un peu les forces des équipages, réparer les avaries et renouveler l'eau et les vivres. Il repartit le 1er mai.

Ce même jour, quatre buzzes faisant partie de sa flotte avaient été poussés par la tempête jusqu'au rivage de l'île de Chypre. Trois d'entre eux se démantelèrent, et n'étaient plus que des épaves lorsqu'ils parvinrent devant le port de Limassol (à l'époque Limisso). La plupart de leurs passagers furent noyés. Ils appartenaient aux familiers du roi; parmi eux se trouvait entre autres son vice-chancelier, celui qu'on appelle Roger Mauchat. On retrouva son corps avec le sceau du roi suspendu à son cou.

L'empereur Isaac l'Ange, se conduisit, en l'occasion, comme un pilleur d'épaves et rafla tout ce qu'il put des trésors de la flotte échouée sur son rivage. Quant à ceux qui échappèrent au naufrage, il s'en empara et les fit emprisonner pour en exiger une rançon. Qui plus est, l'un de ces buzzes demeurait secoué par les vents, en proie aux flots déchaînés. Or c'était celui qui portait l'ex-reine de Sicile, Jeanne, et la fille du roi de Navarre, Bérengère; Isaac leur interdit l'entrée du port.

La chose parvint aux oreilles du roi d'Angleterre. Alerté soit par signaux, soit par des témoins, il s'empressa de pointer sur l'île avec ses galées et les nefs, qui constituaient toujours une marine impressionnante, et trouva, à proximité du port de Limassol, le vaisseau qui transportait sa sœur et sa future épouse. Aussitôt, il envoie des messagers au Byzantin, une fois, deux fois, trois fois, lui demandant avec beaucoup d'humilité de rendre la liberté aux pèlerins qu'il tenait emprisonnés et de leur restituer aussi leur avoir. Isaac ne fit qu'une réponse dédaigneuse, disant qu'il ne fallait s'attendre ni à l'un ni à l'autre et qu'au surplus il n'avait pas peur du roi d'Angleterre ni de ses menaces.

On se doute de la fureur de Richard : « Armez-vous et suivez-moi, dit-il alors, à son armée. Vengeons les injures que cet hérétique a faites à Dieu et à nous en opprimant des innocents auxquels il refuse de rendre la liberté. Mais, qui ne veut rendre selon la justice sera bien obligé de le faire à qui tient les armes, et j'ai toute confiance en Dieu qui Lui-même nous donnera aujourd'hui victoire sur cet empereur et sur ses gens. »

L'histoire est plus piquante telle qu'elle est racontée par le chroniqueur Ambroise qui fut témoin oculaire des événements et en écrivit la chronique en partie rimée. Cet épisode de la conquête de Chypre tient une telle place, tant dans la vie même de Richard que par la suite, dans les rapports entre Angleterre et Proche-Orient, que l'on ne résiste pas au plaisir de transcrire ce récit d'Ambroise.

« C'est un lundi matin que Dieu avait préparé l'affaire qu'Il voulait que le roi fît : Il voulait qu'il recueillît les naufragés, qu'il délivrât sa sœur et qu'il emmenât son amie. Toutes deux maudissaient le jour où elles étaient arrivées là, car l'empereur les eût prises, s'il avait pu. Quand le roi voulut s'emparer du port, il ne manqua pas de gens pour l'en empêcher, car l'empereur était lui-même sur le rivage avec tout ce qu'il avait pu faire venir de gens, par argent et par commandement. Le roi prit un messager et l'envoya dans un bateau à terre, priant courtoisement l'empereur de rendre leur avoir aux naufragés et de réparer les torts qu'il avait faits aux pèlerins et qui avaient coûté des pleurs à maints orphelins. Celui-ci se moqua des messagers jusqu'à en perdre la raison. Il ne put modérer sa colère et dit aux messagers : " Troupt, sire ! " [Nous dirions aujourd'hui : « Pfutt ! »] Il ne voulut jamais donner une réponse plus honnête, mais il se mit à grogner en ricanant. Le messager revint promptement en arrière et répéta cela au roi.

« Quand le roi se vit ainsi moqué, il dit à ses gens : " Armez-vous ! " Ils le firent aussitôt et ne demeurèrent pas grand temps. Il leur fallut entrer tout armés dans des chaloupes de leurs vaisseaux. Il entra là de bons chevaliers et de hardis arbalétriers. Les Grecs aussi avaient des arbalètes, et leurs gens étaient tout près vers le rivage, et ils avaient cinq galères tout armées. Mais, quand ils virent leur allure, ils se sentirent peu en sûreté. Dans la ville de Limassol où avait commencé la bataille, ils n'avaient pas laissé une porte ni une fenêtre ni rien qui puisse servir de projectile, ni tonneaux, ni écu ni targe, ni vieille galère ou vieille barque, poutres ni planche ni degrés [escaliers] : ils apportaient tout sur le rivage pour attaquer les pèlerins. Tout armés sur la rive, plus arrogants que gens qui soient au monde, avec des pennons et des bannières d'étoffes de riches couleurs, montés sur de grands chevaux forts et rapides et sur de grands mulets, puissants et beaux, ils se mirent à nous huer comme des chiens; mais on rebattit bientôt leur orgueil. Nous avions désavantage, car nous venions de la mer, nous étions entassés dans de petites barques étroites, tout étourdis de grandes fatigues, tout harassés par l'agitation des flots et tout chargés de nos armes; et nous étions tous à pied. Eux étaient dans leur pays. Mais nous savions mieux la guerre. »

Et Ambroise de conclure :« Que vous dirais-je de plus? En quinze jours, que je ne mente, Dieu ayant tout mené, le roi eut Chypre à sa disposition et au pouvoir des Francs. »

On raconte que les flèches tombaient sur les combattants comme la pluie sur les semences. Richard qui est ici qualifié de *« magnificus triumphator »* déploie une telle habileté que « si la nuit n'était survenue trop tôt, il se fût emparé de l'empereur, mort ou vif ». Mais, ignorant les sentiers et chemins de montagne, il ne se souciait pas de les suivre en voyant les naturels du pays s'enfuir; il revint à la cité de Limassol demeurée déserte, avec un immense butin, « tant d'hommes que d'animaux ». Ce même jour, Jeanne et Bérengère, demeurées sur le navire en souffrance, purent entrer dans le port, escortées par la flotte du roi.

Et ce n'est pas tout. Ayant appris que l'empereur et ses hommes s'étaient dispersés à une quinzaine de milles, dès avant le jour, Richard se mit en route avec son armée et, avançant sans bruit, arriva jusqu'aux forces de l'empereur et au camp qu'il avait établi, où tout le monde dormait encore. Ils furent tirés du sommeil par les violentes exclamations des assaillants et demeurèrent inertes, ne sachant que faire et où fuir. L'empereur lui-même s'échappa avec un petit nombre de gens, laissant derrière lui ses trésors, ses chevaux, ses armes et sa tente qui était très belle, ainsi que l'étendard impérial tout tissé d'or.

Aussitôt, le roi d'Angleterre décida de le donner à saint Edmond, le glorieux martyr.

Dès le lendemain, 9 mai, une partie des seigneurs de Chypre vinrent trouver Richard et lui jurer fidélité contre l'empereur et contre tous ses hommes, en lui donnant des otages. Enfin, le 11 mai, arrivèrent dans l'île quelques hauts personnages de la terre de Palestine : Guy de Lusignan, portant le titre de roi de Jérusalem, et son frère Geoffroy, Onfroy de Toron, Raymond, prince d'Antioche et son fils Bohémond, comte de Tripoli, et Lion, frère ou cousin de Rupen, prince d'Arménie, qui tous se déclarèrent « hommes du roi d'Angleterre » et lui jurèrent fidélité.

Il n'en avait pourtant pas fini avec Isaac. Celui-ci, comprenant qu'il était abandonné par la plupart de ses gens, envoya en effet des délégués du roi d'Angleterre et lui proposa la paix moyennant 20 000 marcs d'or pour compenser les pertes des naufragés; il lui promit d'autre part de libérer ceux qui avaient été pris lors du naufrage avec tous leurs biens et se déclara prêt à se rendre lui-même en terre de Syrie avec cent chevaliers, quatre cents Turcoples et cinq cents sergents de pied. De plus, pour conclure comme de coutume ce traité de paix par un mariage, il offrit de donner sa fille unique comme épouse à celui que l'on désignerait. En témoignage de sa fidélité au traité de paix proposé, il remettrait plusieurs châteaux en gage. Richard accepta l'ensemble de ces propositions. Isaac vint, dit-on, faire sa soumission devant le roi et les princes qui l'entouraient, il jura fidélité au roi d'Angleterre, se déclara son homme lige et promit de conserver en toute bonne foi, fermement et sans mauvais esprit la convention proposée.

Or ce même jour, après le repas de midi, l'empereur s'était retiré dans sa tente; les chevaliers du roi chargés de le garder faisaient tranquillement la sieste, quand Isaac se retira furtivement : il regrettait la paix conclue avec le roi d'Angleterre; il fit dire à Richard que, décidément, il ne tiendrait ni paix ni convention avec lui. Rendu circonspect et prudent, Richard réunit immédiatement une forte armée qu'il confia à Guy de Jérusalem et aux autres princes en leur disant : « Suivez-le, saisissez-vous de lui si vous le pouvez; quant à moi je vais faire le tour de l'île de Chypre avec mes galées et mettre des gardes sur tout le circuit, de façon à ce que ce parjure n'arrive pas à s'évader de mes mains. »

C'est ce qu'il fit. Il répartit ses galées en deux flottilles dont il confia une partie à Robert de Turnham et garda l'autre. Se dirigeant l'un d'un côté, l'autre de l'autre, ils firent le circuit complet de l'île raflant chemin faisant toutes les nefs et les galées qu'ils trouvèrent. Quand les Grecs et les Ermins (Arméniens) qui avaient été chargés de garder les cités et les châteaux de l'Empereur ainsi que leurs munitions, virent tant d'hommes armés et de vaisseaux venir à eux, ils abandonnèrent tout et s'enfuirent dans les montagnes. Le roi, donc, et Robert prirent tous les châteaux et les villes et ports – tout ce qu'ils trouvèrent vide, et, les garnissant d'hommes et d'armes, de vivres et de bateaux, revinrent à Limassol.

Le lendemain, 12 mai, qui était un dimanche, fête des saints Achille et Pancrace, Richard, roi d'Angleterre, épousa Bérengère, fille du roi de Navarre, devant son chapelain Nicolas, et, le même jour, il fit couronner Bérengère reine d'Angleterre dans la ville de Limassol par Jean, évêque d'Évreux, en présence de nombreux prélats, archevêques et évêques, dont l'évêque de Bayonne, qui avaient pris la croix.

Ensuite, comme le roi d'Angleterre avait appris que la fille de l'Empereur se trouvait dans un château très fortifié appelé « Chérines », il s'y transporta avec son armée; au moment où il approchait du château, elle-même vint à sa rencontre et, se prosternant, se livra à lui ainsi que son château, s'en remettant à sa miséricorde. Puis lui fut rendu un autre château très fortifié qui s'appelle Buffavant, et peu à peu lui furent remises toutes les cités et les richesses de l'empire.

« Le malheureux Empereur se cachait dans une abbaye très fortifiée qui s'appelle le Chef-Saint-André (Capo San Andrea). Apprenant que le roi se dirigeait de ce côté, se précipitant à ses pieds, il remit aussi à la miséricorde du roi sa vie et ses membres, sans faire mention du royaume, car il savait déjà que tout était dans la main et la puissance de Richard. Mais il implora du roi de ne pas lui mettre aux fers les pieds et les mains. Ayant entendu sa requête, le roi le donna à garder à Raoul Fitz-Godefroy, son chambrier et lui ordonna de lui faire pour les pieds et les mains des chaînes d'or et d'argent et de le mettre ainsi " aux fers ". Cela fut fait dans l'île de Chypre au moins de juin, le 1er de ce mois, vigile de la Pentecôte. Richard, après avoir tout ordonné pour la sécurité de l'Empereur, et ayant constitué des gardes pour les cités et les châteaux, en laissa le pouvoir à Richard de Camvil et Robert de Turnham pour garder Chypre en son nom. »

« Le roi d'Angleterre s'éloigna de Chypre sur ses galées le 5 juin, emmenant avec lui le roi de Jérusalem, le prince d'Antioche, le comte de Tripoli et les autres princes qui étaient venus le trouver à Chypre. Il envoya Raoul Fitz-Godefroy avec l'Empereur de Chypre à Tripoli. » Un autre vaisseau transportait la reine Bérengère, ainsi que Jeanne de Sicile et la fille d'Isaac.

On imagine la gloire que devait valoir à Richard cette rapide conquête menée de main de maître : Chypre était l'escale la plus proche de la Palestine, et les croisés n'allaient pas tarder à se rendre compte de l'apport inappréciable qu'elle pouvait constituer dans l'approche de la Terre sainte; mais la rapidité avec laquelle le roi, d'ailleurs en toute bonne foi et pour défendre les pèlerins qui l'accompagnaient, avait investi l'île, était un coup d'éclat digne de rester dans les mémoires. Une véritable aura de conquérant valeureux allait désormais l'accompagner, et cette aura devait persister à travers les temps.

En approchant d'Acre, un exploit supplémentaire allait la rendre plus éclatante encore. Le 7 juin 1191, on aperçut sur mer un grand buzze portant les couleurs du roi de France. Richard dépêcha vers le vaisseau quelques messagers pour demander qui ils étaient, d'où ils venaient, où ils allaient. Il fut répondu qu'ils étaient chrétiens, gens du roi de France et qu'ils venaient d'Antioche avec du ravitaillement et des armes destinés à celui-ci. Ils voulaient aller à Acre, mais les messagers s'étonnèrent de constater qu'il s'agissait uniquement de « Sarrasins » dont aucun ne leur était connu. La réponse laissa Richard quelque temps rêveur : « Le roi de France ne possède pas de buzzes de cette dimension. Si pourtant ils sont de sa maison, dites-leur qu'ils viennent me parler. » Or quand les messagers retournèrent près du vaisseau étranger, ils furent reçus à coups de flèches et de feu grégeois. Comprenant à qui ils avaient affaire, le roi ordonna aussitôt de les poursuivre et de s'emparer du vaisseau, promettant à tous ses gens, matelots et pèlerins, que le butin serait à eux. En quelques heures, le vaisseau était envoyé par le fond. Il transportait quelque 1 500 passagers destinés à venir renforcer, dans la cité d'Acre, les combattants de Saladin. Beaucoup furent faits prisonniers. Le chargement comportait surtout des armes, du ravitaillement et de ces vases d'argile remplis d'huile de naphte – de pétrole – que redoutaient tant les armées franques et qui donnaient aux Sarrasins une supériorité évidente dans les combats. Cette victoire ajoutait encore au prestige de Richard, roi d'Angleterre, au moment de son entrée dans la baie de Saint-Jean d'Acre, le lendemain, 8 juin 1191, et l'on imagine le réconfort qu'elle dut apporter à ceux qui l'accueillirent, et combien elle était faite pour relever le moral des combattants.

Il était temps. Le siège d'Acre était engagé, en réalité, depuis trois ans. Entreprise désespérée dont les suites allaient se faire sentir pendant un siècle exactement, alors que personne ne doutait de l'expulsion radicale et prochaine des Occidentaux, après la victoire totale des armées de Saladin aux Cornes de Hâttin, en 1187, au jour de saint Martin « le bouillant », 4 juillet. Tandis que, selon l'expression de Joshua Prawer, « les ossements des morts de Hâttin blanchissaient au pied des Cornes » et que le vainqueur s'emparait de Jérusalem et des principales places de Terre sainte, raflant les châteaux et les villes franques, quelques faits isolés et totalement imprévus provoquaient une résistance dont le siège d'Acre est l'image très significative.

Entre autres, il y avait eu l'épisode de Tyr. Conrad de Montferrat, celui que les chroniques appellent « le marquis », un Italien mi-seigneur mi-aventurier, prenait la mer à Constantinople à peu près à l'époque où se déroulaient les désastreux événements qui allaient entraîner la perte de la Ville sainte. Ne sachant rien, et pour cause, de ce qui s'y passait (son propre père, Guillaume de Montferrat, venait d'être fait prisonnier à Hâttin), il allait accoster dans le port d'Acre quand il fut surpris de l'aspect inhabituel de la rade. En général, lorsqu'un navire chrétien s'annonçait, on s'empressait d'en faire part à la population. Les cloches des églises s'ébranlaient en signe de joyeux accueil, et les clercs venaient en processions au-devant des pèlerins occidentaux. Que les cloches d'Acre ne se soient pas mises à sonner, c'était mauvais signe. On sait qu'en pays musulman, le son des cloches, tenu pour maléfique, est banni. Conrad, en homme prudent, battit en retraite et fut assez heureux pour pouvoir sortir du port et gagner la haute mer. On ne songea pas à le poursuivre : les nouveaux occupants, dont les bannières, du reste, flottaient sur les remparts et avaient contribué à éveiller sa méfiance, l'avaient pris pour un simple vaisseau marchand. Il tenta sa chance vers le port de Tyr et fit tant que cette cité, remplie de réfugiés jusqu'alors complètement désemparés, allait devenir le centre de la résistance chrétienne. Secourue par une escadre pisane et quelque 200 chevaliers siciliens, supportant avec héroïsme un siège mené sur terre et sur mer, galvanisée par la présence de l'intrépide « marquis », elle tenait tête aux armées de Saladin. Revers de la médaille : lorsque l'ex-roi de Jérusalem, Guy de Lusignan, libéré par Saladin sur les instances de son épouse, la reine Sibylle, (et moyennant la reddition de la cité d'Ascalon) se présenta devant les murailles de Tyr, les portes de la ville demeurèrent fermées devant lui : Conrad entendait rester maître de sa conquête, et peu s'en fallait qu'il ne se considérât dès lors comme successeur de ce royaume que l'incapable Guy de Lusignan n'avait su conserver.

Cependant, au printemps suivant, en 1189, l'ex-roi prouvait son courage en tentant à son tour une offensive et réussissait, avec une petite armée composée des débris des défenseurs de la Terre sainte, grossie des Templiers et des Hospitaliers qui subsistaient, à établir une position fortifiée sur une colline qu'on appelait Tell-Fukhâr, – le tell des Potiers –, face à l'une des portes d'Acre, du côté de l'est. L'emplacement était bien choisi, le Toron des Chevaliers ainsi nommé par les chroniqueurs, emplacement probable de la cité antique, à quelque 1 200 mètres de la ville et du port, dominait la plaine. Guy et ses hommes allaient tenir pendant des mois, se livrant à d'audacieuses sorties contre les murailles d'Acre et exploitant les petites baies des alentours pour recevoir les renforts qui pouvaient leur être apportés par mer. Peu à peu, Acre devint l'objectif de toutes les tentatives pour récupérer la Terre sainte; le campement des Francs sur la colline et aux proches alentours se renforçait de pèlerins danois, frisons, flamands, de quelques Français aussi sous la bannière de Jacques d'Avesnes, dont la valeur ne tarda pas à être renommée, enfin sous le commandement de Louis, landgrave de Thuringe, l'avant-garde de cette expédition allemande qui suscitait tous les espoirs, si cruellement déçus par la suite. Non sans encourir d'ailleurs les pires difficultés, car l'armée de Saladin était venue encercler les positions tenues par les croisés, si bien que le siège dégénérait en une sorte de guerre de tranchées et qu'à plusieurs reprises les malheureux croisés d'assiégeants devenus assiégés, connurent la faim.

Pendant l'hiver 1190-1191, surtout, la situation allait être tragique : « Un pain qui aurait à peine suffi à la nourriture d'un seul homme pour le repas, se vendait dix sous de la monnaie d'Anjou. La viande de cheval leur était un régal, et l'on vendait 200 besants une charge de froment » (quelque temps plus tard, l'abondance étant revenue, elle ne se vendait plus que 6 besants). En cette occasion, au début de février 1191, c'est l'archevêque de Salisbury qui sauva la situation, organisant des collectes pour les plus pauvres des croisés, jusqu'à ce que, trois jours plus tard, un navire parvînt à forcer le blocus, chargé de froment, de vin et d'huile qui furent aussitôt distribués dans l'armée.

Reste que la liste est longue de ceux qui moururent durant ce siège d'Acre. Parmi eux, entre autres, la reine même de Jérusalem, Sibylle, et ses deux filles, qui moururent avant le mois d'octobre 1190. Comme les droits de Guy de Lusignan sur le royaume de Jérusalem ne provenaient que de sa femme – Sibylle ayant succédé à son demi-frère le Roi Lépreux – Conrad de Montferrat s'empressa de se mettre sur les rangs pour le supplanter; c'est alors que, pour plus de sûreté, il demanda à épouser celle qui désormais avait droit à la succession : la sœur de Sibylle, Isabelle. Une difficulté, pourtant : Isabelle était déjà mariée, et elle aimait passionnément son jeune époux, Onfroi de Toron, lequel était d'une extrême beauté. Les barons l'obligèrent à divorcer pour épouser Conrad qui désormais se considérait comme le maître dans un royaume à reconquérir, il est vrai. Mis au courant, le pape les excommunia. Dans les rangs des croisés, on devait considérer les événements tragiques dont Conrad allait être plus tard la victime comme la punition du Ciel pour ce mariage insolite.

L'arrivée de Richard, auréolé de ses derniers exploits, devait faire beaucoup pour relever le moral d'une armée terriblement hétéroclite : il y avait ceux qui étaient fatigués par l'interminable siège au cours duquel, à maintes reprises, on ne distinguait plus les assiégeants des assiégés tant les armées de Saladin retranchées sur les collines harcelaient perpétuellement les arrières de ceux dont l'objectif était les murs d'Acre. Et il y avait aussi, ce dont il faut tenir compte, le jeu inextricable des fidélités dues par les combattants à tel ou tel seigneur. Tous voulaient relever du roi de Jérusalem, mais qui était désormais le roi? Guy de Lusignan écarté, Onfroy de Toron rejeté, Conrad de Montferrat regardé, non sans raison, comme un ambitieux dénué de scrupules? La confusion était totale dans les rangs des croisés.

Richard lui-même s'en rend immédiatement compte. À son arrivée, il reçoit simultanément une délégation de Pisans et de Génois. Les uns et les autres sont avant tout des armateurs et des marchands; ils savent que Saint-Jean d'Acre va très probablement redevenir une ville « franque »; d'avance, ils voient l'intérêt de s'y assurer comptoirs et liberté de commerce. Les Pisans estiment y avoir quelques droits : une escadre venue de Pise avec son archevêque, Ubaldo, avait combattu depuis le printemps de 1189 et pris part aux premières tentatives de Guy de Lusignan en direction d'Acre. Le roi d'Angleterre consent donc volontiers à recevoir les promesses de fidélité qui lui sont faites de la part des Pisans. En revanche, il repousse les Génois, car ils ont prêté serment de fidélité et au roi de France et au marquis Conrad. Par la suite, l'hommage prêté en la circonstance au roi d'Angleterre par ceux de Pise aura sa contrepartie, car celui-ci leur a aussitôt confirmé toutes les libertés qu'ils ont eues auparavant en Palestine et a renouvelé leurs privilèges.

La cité de Saint-Jean d'Acre s'élève sur un promontoire qui domine la mer et commande la longue côte sablonneuse s'étendant jusqu'à Haïfa, sur laquelle circule entre les dunes le petit fleuve, lent et boueux déjà du temps des croisés, qui s'appelle le Na'man. Un coup de main heureux avait permis à Guy de Lusignan de s'emparer de la seule éminence proche d'Acre, qu'on appellera le Toron des Chevaliers. Mais, plus à l'est, de nombreux « tells » s'élèvent, dont l'un, que les croisés désignent comme « le Toron de Saladin », était devenu le principal campement des troupes musulmanes. On a parlé déjà de la petite crique, juste au nord d'Acre, le mont Musard des chroniques occidentales, où les vaisseaux de ravitaillement francs ou italiens pouvaient approcher les combattants et leur porter armes et vivres. La plupart des troupes franques se trouvaient rassemblées sur ce mont Musard qui dominait la crique, tandis que les corps d'armée se succédaient autour des murailles : Templiers, Hospitaliers, Génois, Allemands; les Pisans, eux, occupaient, au sud d'Acre, l'embouchure du Na'man, dans lequel Saladin, après l'une des batailles livrées au mois d'octobre 1189, fit jeter tous les cadavres, de manière à empester l'atmosphère dans cette dépression où circulait le fleuve.

La seconde année du siège avait vu se transformer quelque peu les moyens d'attaque, et l'hiver 1190-1191 avait été employé en grande partie à construire de nouvelles machines de jet. Le roi de France, Philippe, dès son arrivée, avait fait édifier de nouvelles tours dont une, qu'on appela Malevoisine, répondait à une tour de combat dressée par les musulmans à l'intérieur de la ville d'Acre qui était surnommée Malecousine. Les unes et les autres lançaient soit des flèches soit des pierres, et Richard n'avait pas manqué de faire provision de pierres de jet au moment de quitter Messine : des galets de mer qui devaient être énormes – l'un d'entre eux tua douze hommes – il fut ensuite apporté à Saladin. Depuis le camp musulman, les combattants qui se trouvaient sur la tour lançaient aussi le redoutable feu grégeois – ainsi nommé parce qu'il s'agissait d'une invention « grecque », c'est-à-dire byzantine – généralement des pots d'argile remplis de ce pétrole qu'on envoyait sur l'assaillant et qu'on enflammait ensuite en projetant des morceaux de métal ou d'argile portés au rouge. L'armée franque s'en protégeait en tapissant ses machines de guerre de peaux de bêtes fraîchement écorchées, ou encore de terre glaise; les combattants avaient rapidement appris à ne pas chercher à éteindre le feu ainsi provoqué avec de l'eau, mais avec du vinaigre ou de la terre.

En 1191, on s'était de part et d'autre installé dans la guerre. Joshua Prawer cite la description du marché qui se trouvait installé dans le camp musulman : « Le marché établi dans le camp du sultan devant Acre était énorme et occupait une grande étendue de terrain. Il contenait 140 loges de maréchaux-ferrants. J'ai compté chez un seul cuisinier 28 marmites pouvant contenir chacune un mouton entier... On dit que l'armée s'était bâti des habitations : elle était restée si longtemps dans le même endroit! » Et d'ajouter qu'on comptait dans le camp plus de 1 000 bains, creusés à même le sol et abrités de nattes. [1] » Ajoutons qu'entre deux combats les messagers circulaient d'un camp à l'autre. Le sultan Saladin, dont on a souvent et à juste titre vanté la générosité, envoya à plusieurs reprises, lorsqu'il eut connu la présence des rois de France et d'Angleterre, des poires de Damas et d'autres présents notamment lorsqu'il sut que l'un et l'autre étaient tombés malades.

A peine arrivé, Richard allait en effet être atteint de cette maladie « qu'on appelle léonardie », dit Ambroise; probablement la « suète » ou peut-être la malaria; peu de temps après, Philippe succomba à son tour à cette indisposition qui sévissait dans l'armée. Le patient y perdait ses cheveux – ceux de Philippe ne repoussèrent pas – ses ongles aussi, et la mort menaçait. Ils se rétablirent pourtant l'un et l'autre, Richard un peu plus tôt que le roi de France. Mais tout n'était pas allé sans désordre ni incertitude; en particulier Philippe, n'ayant pas prévu de gardes autour de ses machines de sièges, celles-ci furent brûlées par quelques-uns des assiégés, peut-être au cours d'une sortie de nuit; Richard, lui, avait

1. *Histoire du royaume latin de Jérusalem* t. II, p. 59.

pris soin de faire garder les machines de guerre qu'il avait apportées et d'en assurer la surveillance de jour et de nuit.

De ces machines de siège, des descriptions détaillées ont été faites; en dehors des perrières ou mangonneaux qui lançaient des flèches ou pierres, il semble qu'on ait fait durant ce siège d'Acre grand usage de béliers; le chroniqueur Ambroise en décrit un dont il attribue la construction à l'archevêque de Besançon : « Ce bélier ressemblait à une maison à toit pour détruire les murailles. A l'intérieur se trouvait un long mât de vaisseau à tête ferrée. Après avoir été poussé par les hommes contre la muraille, il reculait pour heurter de nouveau avec une force encore plus grande la muraille. Il travaillait de la sorte à détruire la muraille ou à y créer une brèche par des coups répétés. Ceux qui actionnaient ainsi le bélier frappaient la muraille sans arrêt et étaient protégés à l'intérieur du bélier contre tout péril susceptible de surgir d'en haut [1]. » À condition qu'on puisse l'approcher suffisamment de la muraille tout en demeurant à l'abri du toit qui recouvrait ceux qui le manœuvraient, ce bélier était très efficace. Les Francs avaient porté leurs efforts sur celle des tours qu'ils appelaient la Tour Maudite à l'angle nord-est des remparts. En même temps était mené un incessant travail de sape, et l'on s'employait à combler une partie des fossés, qui empêchaient d'approcher trop près des murailles, en entassant la terre des remblais, formant des tertres circulaires qui permettaient d'avancer vers les remparts.

Les opérations se succédèrent pendant le mois de juin, entrecoupées d'arrêts dus à la maladie de Richard vers le 15 puis à celle de Philippe Auguste, un peu plus tard, après le 23. « Par la miséricorde de Dieu, l'un et l'autre des rois se remit de sa maladie et en revint plus robuste et plus zélé dans le service de Dieu », notent les chroniqueurs anglais. Plusieurs assauts n'avaient rien donné. Le 14, puis

1. Cité par Prawer, t. II p. 53, n. 74.

le 17 juin 1191, l'armée du sultan, qui défendait lui-même cette cité d'Acre, avait réussi à lancer sur les arrières des attaques qui obligeaient à lâcher prise. Au début de juillet, les assauts des Francs se portèrent sur la Tour Maudite tandis qu'une partie de l'armée était maintenue pour parer aux offensives de Saladin.

Les assiégeants avaient dans la ville quelques amis qui se faisaient leurs espions; certaines flèches qu'ils recevaient portaient des messages, leur indiquant l'état de la cité et les décisions prises par ses défenseurs. Les chroniqueurs attribuent à « un homme dévot à Dieu qui, en cachette, parce qu'il craignait les païens », envoyait ces messages sur lesquels il écrivait : « Au nom du Père et du Fils et du Saint-Esprit. » Au reste, personne ne sut parmi les chrétiens de qui il s'agissait, avant ni après la prise de la cité. Peut-être avait-il été surpris ou était-il tombé durant les opérations de siège... Reste qu'à plusieurs reprises ses indications furent utiles aux croisés, en particulier lorsque Saladin voulut organiser une évasion clandestine de la garnison d'Acre. Son projet fut connu de cette façon et échoua.

Cela se passait dans la nuit du 4 au 5 juillet. L'attaque précédente, menée le 3, avait été importante. L'assaut, une fois de plus, avait été donné contre la Tour Maudite et les murailles avoisinantes, tandis que la diversion tentée par Saladin sur les arrières avait échoué. Ambroise fait longuement mention de l'exploit héroïque du maréchal de France Aubry Clément. Il parvint avec quelques compagnons à appliquer des échelles sur la muraille près de la fameuse tour, mais un assaut les repoussa. Aubry fut tué avec la poignée d'hommes qui l'accompagnaient. Il était le fils d'un dévoué conseiller du roi Louis VII, Robert Clément.

Malgré l'échec de ces tentatives, les assiégeants progressaient, et les défenseurs d'Acre se sentaient acculés à se rendre. Des négociations s'engagèrent en ce début de juillet 1191, pour tenter d'obtenir une reddition honorable. Chacun sentait le prix décisif qu'allait avoir une telle victoire, et les détails abondent chez les chroniqueurs arabes comme chez les occidentaux, à propos des exploits accomplis de part et d'autre. Beha-Eddin, en particulier, parle de ce croisé d'une taille impressionnante qui, participant à la défense du camp chrétien contre l'attaque de Saladin, ne cessait d'envoyer des pierres contre l'armée musulmane et semblait lui-même indestructible jusqu'au moment où « il fut brûlé vif par une bouteille de naphte qu'un de nos officiers lui lança ». Ou encore, il évoque cette femme en mante verte qui se battait comme un homme et envoyait sans arrêt des flèches contre les musulmans jusqu'au moment où, accablée sous le nombre, elle fut elle-même tuée. « Nous portâmes son arc au sultan, signale-t-il, comme un trophée. »

Deux « princes des païens qui étaient dans la cité d'Acre » se présentèrent le 4 juillet devant les chrétiens, offrant de rendre la cité avec leurs armes et tout l'or et l'argent qui s'y trouvaient contre la liberté d'en sortir sains et saufs. Mais les rois de France et d'Angleterre exigeaient davantage. En échange d'Acre, ils ne voulaient pas moins que la restitution de toute la terre qui leur avait été prise depuis le désastre de Hâttin, celle de la Vraie Croix et la libération de tous les chrétiens que Saladin ou ses hommes retenaient captifs depuis 1187. Les représentants des assiégés, que la chronique appelle Mestoch et Karracois (El Meshtoub, Karakoush), ne pouvaient évidemment prendre de tels engagements sans en référer à Saladin. Ils se retirèrent, laissant des otages, mais le sultan ne voulut rien entendre, et ils durent rentrer dans la cité. La négociation était rompue. En revanche, dans la ville franque, on réagissait déjà en vainqueurs.

La nuit suivante, autour de minuit, Saladin tenta de nouveau un assaut contre les fossés extérieurs du camp des chrétiens. Son intention était de permettre l'évasion d'un certain nombre des défenseurs d'Acre lors de cette diversion, mais, la tentative ayant été dénoncée aux deux rois, les murs étaient soigneusement gardés. Toutes les troupes furent mises en alerte, et l'assaut fut repoussé avec de fortes pertes. Un peu plus tard, le 5 juillet, une vaste brèche était faite dans l'un des murs par les hommes et les machines du roi d'Angleterre. La nuit d'après, une tour était abattue et le lendemain, 6 juillet, un assaut tenté de nouveau contre la cité. Les deux délégués des assiégés, Mestoch, et Karracois, plus un troisième qu'ils nomment Elsedin Jardic, reprenaient les négociations. Richard, complètement revenu à la santé, offrait une pièce d'or à chacun des combattants qui lui apporterait une pierre de la Tour Maudite, tandis que continuait le travail de sape des murailles.

Finalement, en dépit des exigences de Saladin qui eût voulu prolonger la résistance, les assiégés, épuisés, à bout de force, prirent la décision de capituler par l'intermédiaire des Hospitaliers et de Conrad de Montferrat; le vendredi 12 juillet, « on vit les croix et les drapeaux se dresser sur les murs de la ville », écrit un chroniqueur arabe, Abou-Shama [1]. « Une immense clameur retentit du côté des Francs. Tous étaient saisis d'épouvante, frappés de stupeur, le camp retentissait de cris, de plaintes, de sanglots et de gémissements. Ce fut un spectacle odieux, poursuit-il en bon musulman, quand le marquis, entrant dans Acre avec quatre drapeaux de rois chrétiens, en planta un sur la citadelle, un autre sur le minaret de la grande mosquée – c'était le vendredi! – un troisième sur la tour du combat à la place des drapeaux de l'islam. » De son côté, le chroniqueur Ambroise rappelle triomphalement ce qui s'était passé quand les " Sarrasins " avaient fait la conquête d'Acre.

> « Il y avait quatre ans que les Sarrasins avaient conquis Acre, et je me rappelle nettement qu'elle nous fut rendue le lendemain de la fête de saint Benoît malgré leur race maudite. Il fallait voir alors les églises qui étaient restées dans la ville, comme ils avaient mutilé et effacé les peintures, renversé les

1. Cité par René Grousset, t. VI, p.155.

autels, massacré les croix et les crucifix par mépris de notre foi pour satisfaire leur incroyance et faire place à leurs mahomeries [mosquées]. »

Et les autels jus [à terre] abattus.
Et croix et crucifix battus
Au dépit de notre créance [croyance].

Il avait été convenu que les défenseurs d'Acre auraient la vie sauve et seraient plus tard libérés contre paiement d'une rançon de 200 000 dinars d'or et la libération de 2 500 prisonniers chrétiens, plus la restitution de la Vraie Croix. Les troupes de Saladin s'éloignèrent, non sans transformer la région en désert sur leur passage. Jusqu'à Caïpha, les vignes, les arbres fruitiers furent coupés, les forteresses ou cités, petites ou grandes, détruites.

Les deux rois allaient, dès le lendemain, répartir entre eux la cité et les prisonniers. Philippe Auguste remit les siens entre les mains de Dreux de Mello, et Richard les confia à Hugues de Gournay. Il semble bien que Saladin ait proposé une alliance à l'armée des Occidentaux, demandant une aide militaire contre le fils de Nour-ed-din et proposant de rendre la terre de Jérusalem jusqu'au Jourdain. Il était retiré près de Séphorie et les allées et venues des messagers étaient continuelles entre son camp et la cité d'Acre où Français et Anglais s'occupaient à démonter leurs machines de siège. Des présents furent échangés. Richard envoya à Saladin des chiens de chasse et des faucons. Le sultan, de son côté, adressait « de grands et très précieux présents » au roi Richard, comme le dit Benoît de Peterborough, avec une désagréable imprécision. Cependant, parcourant les anciennes églises d'Acre qui avaient été converties en mosquées, l'évêque de Vérone, Alard, l'archevêque de Tyr, les autres évêques, de Chartres, de Beauvais, de Pise, et généralement tous ceux qui étaient présents, se mettaient en devoir de purifier les sanctuaires et de rétablir partout le culte chrétien. Des messes solennelles furent célébrées dans les églises réconciliées, tandis que l'armée s'employait

à réparer les murs et à relever les maisons détruites.
Le roi de France s'était installé dans la citadelle, le roi d'Angleterre, dans la maison du Temple. Les autres chevaliers étaient hébergés dans les maisons de la cité. Mais une difficulté surgit car les anciens habitants d'Acre entendaient récupérer leurs biens et vinrent présenter leurs requêtes au roi Philippe : « Vous êtes venu, Sire, pour délivrer le royaume de Jérusalem et ce ne serait pas raison que nous fussions déshérités par vous. Les chevaliers sont en nos maisons et disent qu'ils les ont conquises sur les Sarrasins. Donc, Sire, nous vous prions que vous soyez conseil [arbitre] entre nous. » Philippe Auguste semble avoir pris le parti des anciens occupants. Tenant conseil au château d'Acre où vint le retrouver Richard :

> « il commença à parler et à dire la parole [le souhait] des bourgeois d'Acre et leurs requêtes, comment ils avaient prié qu'il prît conseil de façon à ce qu'ils ne fussent déshérités de leurs biens, car ils ne l'avaient vendu ni engagé, mais les Sarrasins le leur avaient pris par force. Et je dis, fit-il, que nous ne sommes venus pour chercher avoir ni héritage ni prendre les maisons des autres. Nous sommes venus pour Dieu et pour sauver nos âmes et pour conquérir le royaume de Jérusalem que les Sarrasins avaient pris aux chrétiens et que nous les dussions rendre et mettre entre les mains de chrétiens. Et bien me semble depuis que Dieu nous a donné le pouvoir de conquérir cette cité, qu'il ne serait raison que ceux qui y avaient un héritage le dussent perdre. Tel est mon conseil, si vous voulez vous y accorder. »

Richard s'y rallia sans difficulté et les autres barons avec lui. Il fut décidé que tous ceux qui pouvaient prouver que telle ou telle maison leur avait appartenu se la verrait restituer; d'autre part ils y hébergeraient les chevaliers qui avaient combattu pendant tout le temps où ceux-ci demeureraient au service de la Terre sainte.
Il y avait aussi les marchands de Pise qui réclamaient

les comptoirs qu'on leur avait promis, les comtes et barons des deux armées – dont certains combattaient depuis plus de deux ans au siège d'Acre –, qui réclamaient un partage du butin que les rois semblaient assez peu pressés de faire. Le 20 juillet, en la fête de sainte Marguerite, Richard vint conférer à nouveau avec le roi de France et proposa que chacun fît le serment de demeurer trois ans sur la Terre sainte pour combattre les ennemis de la croix du Christ à moins qu'ils ne parviennent à faire rendre par Saladin Jérusalem et toute la terre qui l'entourait. Mais il essuya un refus de Philippe qui n'entendait pas prêter serment; « il avait déjà dans l'esprit de s'en revenir chez lui », écrit Benoît de Peterborough.

Cependant, le roi Richard faisait venir son épouse, la reine d'Angleterre, et sa sœur, la reine de Sicile, ainsi que la fille de l'Empereur de Chypre gardée en otage, dans son palais de la cité d'Acre. Probablement étaient-elles demeurées, au cours des opérations, dans l'une des galées du roi d'Angleterre, abritées dans le petit port proche du mont Musard. Le lendemain, jour de sainte Madeleine, une délégation de barons français allait se présenter devant le roi d'Angleterre. Il y avait là Philippe de Dreux, évêque de Beauvais, Hugues, duc de Bourgogne, Dreux et Guillaume de Mello.

> « Ils se tinrent devant le roi et le saluèrent de la part du roi de France, puis tous se mirent à pleurer tant qu'ils ne pouvaient seulement proférer un mot. Ceux qui les voyaient auraient volontiers pleuré à les voir dans un tel état. Comme cela se prolongeait, le roi d'Angleterre, tourné vers eux, leur dit : “ Ne pleurez pas : je sais ce que vous êtes venus me demander. Votre maître, le roi de France, veut retourner dans son pays et vous êtes venus de sa part pour qu'il ait de moi conseil et permission de se retirer. ” Eux, alors, le visage défait : “ Sire, vous connaissez tout, et nous sommes venus vers vous pour qu'il ait permission et conseil de s'en aller. Il dit en effet que s'il ne se retire

au plus tôt de cette terre, il mourra. " " C'est un opprobre éternel, répondit le roi d'Angleterre, pour lui et pour le royaume de France, s'il se retire avant que soit terminée l'œuvre pour laquelle il est venu, et s'il s'agit de mon conseil, il ne se retirera pas d'ici; mais s'il doit mourir, s'il ne revient dans son pays, il fera ce qu'il veut et comme cela lui paraîtra le plus facile à lui et aux siens. " »

La consternation des barons n'était certainement pas feinte : voir leur roi se retirer de l'expédition alors qu'elle ne faisait manifestement que commencer était ressenti par eux, comme par le roi d'Angleterre, comme un déshonneur; dans les mœurs de la chevalerie, manquer à la parole donnée était la faute suprême; or personne ne doutait en s'engageant dans cette expédition qu'elle n'eût pour but de reconquérir la Terre sainte, c'est-à-dire Jérusalem et les terres qui l'entouraient.

Philippe Auguste ne manquait certes pas de courage. On disait que dans les derniers jours du siège on le voyait courir sur les remparts comme un écureuil. Mais il est hors de doute que, venu à contrecœur, il ne songeait qu'au retour; à ses yeux la reconquête d'Acre était un exploit suffisant. D'autre part, il faut reconnaître que la maladie l'avait frappé violemment et qu'il supportait mal le climat, la chaleur de ces régions orientales. Plusieurs de ses réactions par la suite révèlent chez lui une nervosité anormale. Il n'était pas de taille à se mesurer avec Richard... Le roi de France, sous le coup d'une certaine névrose, croyait constamment sa vie menacée. Ajoutons que les exploits personnels de Richard Cœur de Lion n'avaient pu que faire naître en lui un dépit profond; tous les chroniqueurs soulignent la jalousie entre les deux rois.

Quand le roi Richard d'Angleterre
Fut venu à la Sainte Terre,
Ainsi que je vous ai conté,
Si doit bien être raconté

La courtoisie et la prouesse
Qu'il fit alors, et la largesse.
Le roi de France avait donné
A ses gens et abandonné
Que chaque mois trois besants d'or
Aurait chacun de son trésor.
En fut grand parole tenue.
Le roi Richard en sa venue,
Quand il ouït si forte affaire,
Il fit parmi l'ost un ban faire
Que chevaliers de quelque terre
Qu'il fût, qui ses solz voudrait querre
Quatre besants d'or lui don(ne) rait...
En fut toute l'ost réjouie
Quand la parole fut ouïe...
« Or est venu le plus vaillant
Des rois, et le mieux assaillant,
De toute la chrétienté!
Or fasse Dieu sa volonté! »

Philippe, à l'arrivée de Richard, n'avait pas craint de lui demander la moitié de son étonnante conquête : l'île de Chypre. N'étaient-ils pas convenus que tout ce qu'ils devaient acquérir au cours de l'expédition fût partagé entre eux? La réponse de Richard avait été nette : que Philippe lui remette la moitié de la Flandre et lui-même lui remettrait la moitié de sa conquête. En effet, le comte Philippe de Flandre venait de mourir, et le roi de France – motif supplémentaire de retourner dans ses États – comptait bien réclamer l'héritage de son comté. Il était évident, par ailleurs, que les acquisitions qu'ils avaient faites ensemble pouvaient seules être partagées entre eux deux et que Philippe, et pour cause, n'avait pris aucune part à ce coup magistral de Richard sur l'île de Chypre.

La rivalité entre eux deux se doublait de celle qui était depuis longtemps déclarée entre l'ex-roi de Jérusalem, Guy de Lusignan, et le marquis Conrad de Montferrat. Or le roi d'Angleterre, en vrai Poitevin, avait pris parti pour le premier, le roi de France, pour Conrad. Il y avait ainsi entre eux toute une série de litiges, rivalités et querelles. On note à plusieurs reprises qu'une grande familiarité s'était établie entre Philippe Auguste et le « marquis », « par le conseil duquel il a fait beaucoup de choses dont est venu honte et dommage et détriment à une multitude gens pour leur âme ».

Le bruit ne tarda pas à se répandre dans l'armée des projets de Philippe Auguste touchant son départ. Et comme l'écrit Ambroise, cela lui attira plus de malédictions que de bénédictions. Les principaux barons vinrent le trouver en le suppliant de ne pas déserter ainsi ce qui était service de Dieu et de se montrer digne de ses ancêtres. Philippe parut hésiter; peut-être avec l'arrière-pensée de se trouver une raison valable de s'éloigner, il réitéra sa demande à propos de Chypre. Ce fut l'occasion d'une nouvelle et violente querelle avec Richard, suivie de la réconciliation à laquelle s'employèrent les prélats et autres gens de sagesse et d'autorité, au moins morale, dans l'entourage de chacun.

L'auteur inconnu de la *Continuation* de la chronique de Guillaume de Tyr raconte ici un curieux épisode. Avant de mourir, le comte Philippe de Flandre aurait demandé au roi de France de venir le voir et il aurait révélé sur son lit de mort qu'il

> « se gardât, car il y avait gens dans l'armée qui avaient juré sa mort. Le roi tint cette parole en son cœur et fut si fort courroucé qu'il tomba en une maladie qui le greva [l'atteignit] si durement, car peu s'en fallut qu'il ne mourût. En cette maladie où il gisait, le roi d'Angleterre alla le voir et lui demanda comment il était. Le roi de France lui répondit qu'il se sentait fort atteint. Alors lui dit le roi Richard : " Sire, confortez-vous, car Dieu a fait son commandement de Louis votre fils " [il voulait dire : Dieu en a fait sa volonté, donc l'a rappelé à Lui]. Je ne sais, ajoute le chroniqueur, si le roi Richard le fit mali-

> cieusement, pour courroucer le roi de France, ou s'il avait ainsi en ouï-dire. Quand le roi de France l'entendit, il dit : " Oui, il me faut conforter car si je meurs en ce pays, le royaume de France demeurera sans héritier. " Aussitôt que le roi de France fut parti, poursuit le même chroniqueur anonyme, il appela le duc de Bourgogne et Guillaume des Barres et les autres qui faisaient partie de son conseil privé, et il leur demanda selon la foi qu'ils lui devaient, s'ils savaient nouvelles de la mort de Louis, son fils, qu'ils les lui disent. Le duc de Bourgogne lui dit : " Sire, depuis que vous êtes venu au siège d'Acre aucun vaisseau n'est venu d'outre-mer pour apporter une telle nouvelle. Mais le roi d'Angleterre vous l'a dit par malice pour vous troubler en votre maladie. " Le roi de France qui entendit cela ne fit semblant de rien, et il envoya chercher les médecins et leur donna de beaux joyaux et les pria qu'ils mettent peine à le guérir; ils s'y appliquèrent, et Dieu y mit sa grâce, si bien qu'en peu de temps il s'en releva. »

L'anecdote n'a pas été retenue par les historiens, et c'est naturel, car, en réalité, le comte de Flandre, à qui est attribuée la confidence qui a troublé le roi était mort dès le 1er juin 1191, avant la prise d'Acre, et même avant l'arrivée de Richard Cœur de Lion. Il paraît difficile, d'ailleurs, d'imputer à celui-ci un mensonge parfaitement odieux; quelle que soit son incompatibilité d'humeur avec Philippe Auguste, loin de souhaiter son départ, il espérait, au contraire le voir rester en Terre sainte, sachant bien qu'il ne pourrait parfaire l'expédition sans le secours des armées de France dont une partie allait forcément suivre son roi, considérant, comme lui, que son vœu était accompli. Mais le chroniqueur traduit néanmoins quelque chose à la fois des sentiments inamicaux qui ne faisaient que croître entre les deux rois et aussi de cette peur qui hantait le roi Philippe; sans parler d'un objectif plus bassement matériel : aller recueillir l'héritage du comte

Philippe de Flandre, ce qui était effectivement l'une des raisons qui l'incitaient à quitter la Terre sainte au plus tôt.

Un litige, pourtant, était à régler sans délai, celui qui opposait l'ex-roi de Jérusalem, Guy de Lusignan, au marquis Conrad de Montferrat. Chacun se savait soutenu, l'un par le roi de France, l'autre par le roi d'Angleterre, selon leurs sympathies. Le 27 juillet, il y eut une rencontre entre toutes les autorités intéressées. Guy et Conrad, devant la cour des barons et prélats, présidée par les deux rois, firent chacun valoir ses droits. Le premier réclamait le royaume de Jérusalem du fait de son épouse, la défunte reine Sibylle, morte sans héritier, l'autre faisait valoir les droits de la sœur de Sibylle, Isabelle, qu'il venait d'épouser malgré le peu d'enthousiasme que celle-ci y avait mis, et tous deux déclarèrent qu'ils se rendraient au jugement et au conseil des rois de France et d'Angleterre et de leur entourage. La paix et la concorde furent donc proclamées entre eux, chacun jurant de se soumettre à l'arbitrage qui allait être rendu le lendemain, 28 juillet. Après avoir renouvelé leurs serments, les rois rendirent leur décision : à Guy de Lusignan irait le royaume de Jérusalem pendant sa vie, mais le titre était attaché à sa personne, et même s'il se remariait et avait des fils et des filles, aucun d'entre eux ne pourrait se réclamer de ses droits pour une éventuelle succession; après son décès, si Conrad et son épouse, sœur de la reine Sibylle, survivaient, à eux reviendrait la succession, leurs héritiers après eux en porteraient le sceptre et tiendraient le royaume par droit héréditaire. Entre-temps, tous les revenus de la terre seraient partagés entre le roi Guy et le marquis Conrad leur vie durant. Ce dernier dominerait sur Tyr, Sidon et Beyrouth. Geoffroy de Lusignan, frère du roi Guy, recevrait le comté de Jaffa et serait tenu, aussi bien que le marquis, de reconnaître, au reste, l'autorité du roi de Jérusalem. À ce jugement, les parties en cause se rangèrent et prêtèrent serment.

Le lendemain, Philippe Auguste octroyait au marquis Conrad sa propre part sur la côte d'Acre récemment conquise. Nouveau conciliabule, ce 29 juillet, entre les deux rois. Philippe, décidément, contenait avec quelque difficulté son impatience de quitter cette terre et de rentrer dans sa patrie. Les chroniqueurs anglais soulignent que, « à l'encontre du conseil et de la volonté des principaux barons », le roi de France demanda au roi d'Angleterre la liberté de retourner dans son pays et l'obtint, non sans avoir prêté serment sur les saints Évangiles, face à tout le peuple, qu'il ne ferait aucun mal et ne permettrait à quiconque d'en faire soit au roi d'Angleterre, à ses terres ou à ses hommes, mais qu'il contribuerait, au contraire, à garder tous ses hommes et toutes ses terres en paix et bon état et, selon son pouvoir, les défendrait contre toute invasion ennemie et en prendrait soin autant que s'il s'agissait de défendre sa cité de Paris si quelqu'un l'envahissait. Semblable serment prêté selon l'esprit féodal est bien celui que Richard pouvait exiger de Philippe Auguste, son seigneur, mais aussi son rival, sur la terre de France : il ne connaissait que trop ses visées sur la Normandie et, d'autre part, savait le penchant du roi pour sa cité de Paris où il résidait plus volontiers que ne l'avaient fait ses ancêtres.

Le roi de France prit dès lors ses dispositions pour le départ. Il commença par mettre à la tête de l'armée qui allait demeurer sous le commandement du roi d'Angleterre le duc de Bourgogne, Hugues. Il désigna cent chevaliers et cinq cents sergents pour aller porter de l'aide au prince d'Antioche, Bohémond III, et Richard en fit autant avec ses propres soldats. La charge de connétable fut remise à l'un de ses familiers, Robert de Quincy. Le roi Richard y ajouta cinq grandes nefs chargées d'armes, de chevaux et de ravitaillement à destination d'Antioche. Le lendemain fut consacré à la répartition des prisonniers d'Acre entre le roi de France et le roi d'Angleterre, et, le 31 juillet, fête de saint Germain, Philippe Auguste s'embarquait en direction de Tyr qui allait être sa première étape sur le chemin du retour. Il emmenait avec lui Manassès, évêque de Langres, Regnault, évêque de Chartres, et Pierre de Courtenay, comte de Nevers. L'expédition du roi de France vue de la Terre sainte était terminée.

Eh merci Dieu! quel [le] retournée!
Tant fut malement attournée,
quand cil qui devait maintenir,
Tant de gens, s'en voulait venir!

s'exclame Ambroise en racontant ce départ de Philippe Auguste.

***

L'historien, Joshua Prawer, a bien mis l'accent sur l'importance de la prise d'Acre qui allait rester la capitale de ce qu'on a persisté à appeler le royaume de Jérusalem, pendant un siècle exactement : de 1191 à la chute définitive de 1291. René Grousset, de son côté, définissait le caractère des expéditions vers la Terre sainte, en remarquant que celles-ci avaient été suscitées et gagnées grâce à la foi des premiers croisés, et que durant le second siècle, la survie des chrétiens en Terre sainte était due au commerce des épices...

Quoi qu'il en soit, le départ de Philippe Auguste était un gage donné aux armées musulmanes et à Saladin qui, lui, tenait à la cité de Jérusalem reconquise quatre ans auparavant : la possession de la Ville sainte, mieux que personne, il en appréciait l'importance. Or la défection du roi de France et d'une partie de ses troupes était un coup sensible porté à l'élan comme aux possibilités des armées chrétiennes. Cette défection pèsera lourd sur la mémoire de Philippe Auguste, et celle de Richard s'en trouvera, par contraste, rehaussée d'une gloire singulière.

Les jours qui suivirent ce fatal départ furent occupés à préparer une nouvelle navigation. Perrières et autres machines de guerre furent embarquées sur les nefs qui faisaient le plein de vin, de froment et d'huile, comme de tout ce qui pouvait être nécessaire, tant aux hommes qu'aux chevaux. Richard avait indiqué son intention de se rendre à Ascalon et faisait préparer l'armée en conséquence. En particulier, il retint à ses gages tous les archers, moyennant de bons salaires. Le bruit s'en répandit jusqu'au camp de Saladin où la crainte fut grande : on savait qu'Ascalon était la meilleure base de départ pour une expédition sur l'Égypte.

Cependant, on attendait la remise des prisonniers pour le 9 août suivant, selon les accords passés avec l'armée assiégée au moment de sa reddition. Entre-temps, une première difficulté s'éleva avec le marquis Conrad, lequel se sentait fort de l'appui que lui avait témoigné Philippe Auguste. Richard délégua Hubert Gautier, évêque de Salisbury, avec mission de lui ramener les prisonniers que le roi de France avait confiés à Conrad. Parmi eux, se trouvait l'un des principaux, celui que les chroniques nomment Karracois. Or le marquis refusa net de les rendre, alléguant qu'ils lui avaient été remis par le roi de France, lequel était déjà reparti. On devine la fureur de Richard lorsque l'évêque lui rapporta cette réponse. Il parlait d'aller assiéger la cité de Tyr pour mettre Conrad à la raison; le duc de Bourgogne parvint à l'apaiser et obtint l'autorisation de se rendre lui-même à Tyr pour parlementer avec le fameux « marquis ».

Cependant, le 9 août une fois arrivé, on s'attendait à ce que soit rendue la Vraie Croix et effectué l'échange des prisonniers.

> « Quand le jour fut venu qu'il [Saladin] devait cela accomplir, il manda aux chrétiens qu'ils lui donnassent un autre jour, car il n'avait encore préparé ce qu'il devait. Nos gens qui avaient grand désir d'avoir la sainte Croix et de voir délivrer les prisonniers, le lui accordèrent. Quand vint au jour qui fut désigné entre eux, les rois et la chevalerie et toutes les gens

d'armes furent préparés [...]. Les prêtres et les clercs et les gens de religion furent revêtus et tous déchaux [pieds nus] sortirent de la cité en grande dévotion et vinrent au lieu que Saladin leur avait désigné. Quand ils furent venus là et crurent que Saladin leur allait rendre la sainte Croix, il revint sur la promesse qu'il leur avait faite... Ceux qui virent cela se tinrent moult engignés [se considérèrent comme dupés]. Grande douleur il y eut entre les chrétiens et maintes larmes y furent ce jour répandues. »

Ainsi s'exprime le Continuateur de Guillaume de Tyr.

Lors ouïssiez nos gens enquerre (demander)
Nouvelles : quand la Croix viendrait?
L'un disait : « Elle est venue »,
L'autre disait : « Cil l'a veue
qui fut en l'ost des Sarrasins. »
Ils mentirent : ce fut la fin.
Car Saladin, sans les secourre [secourir]
Laissa les otages encourre [abandonna les prisonniers]
Car il croyait, par la Croix, faire
Une paix de meilleure affaire.

Ainsi s'accumulaient les déconvenues après la victoire qui avait, de façon si étonnante, rendu l'espoir de restaurer quelque jour ce royaume latin de Jérusalem qu'on avait cru définitivement détruit. Ajoutons ici un petit fait que quelques chroniqueurs seulement ont rappelé et qui n'est pas sans importance pour la suite de l'histoire du roi Richard. Il se place au moment où les deux rois rivaux vont se partager les prisonniers faits à Acre. Richard de Devizes raconte comment l'un des chefs, Mestoch, est attribué au roi d'Angleterre tandis que l'autre, Karracois « tombe comme une goutte d'eau fraîche dans la bouche béante du roi de France assoiffé ». Selon lui, en cette occasion, le duc d'Autriche, qui se trouvait être parmi les plus anciens assiégeants de la cité d'Acre, prenait place à côté du roi d'Angleterre et prétendait lui aussi aux prisonniers qui allaient lui échoir; il faisait porter devant lui son étendard, ce qui lui donnait l'air de revendiquer sa part de triomphe. Cela déplut à ceux qui composaient la suite de Richard. Est-ce sur son ordre que l'étendard du duc fut alors jeté dans le fossé? En tout cas, à l'attitude du roi, on put penser que cet acte de mépris correspondait à son sentiment personnel comme à celui de ses familiers; quelques-uns allèrent jusqu'à piétiner l'étendard en signe de dérision. Le duc d'Autriche en fut violemment irrité (*atrociter,* dit le chroniqueur); mais, ne pouvant sur l'instant se venger, il dissimula l'injure qui lui était faite, revint dans sa tente en pavillon et passa une nuit à dévorer l'affront : par la suite, aussitôt qu'il le put, il rentra chez lui *plenus rancoris* (plein de rancœur). Cette rancœur allait avoir beaucoup plus tard l'occasion d'éclater au grand jour.

Une seconde date, le 20 août, avait été fixée pour l'échange des prisonniers et la reddition de la Vraie Croix. Une rencontre avait été projetée entre Richard et le frère de Saladin. Or le roi, ce jour-là, avec quelques compagnons, sortit sur les fossés, mais attendit inutilement le porte-parole annoncé. Les récits diffèrent un peu; plusieurs rendez-vous semblent avoir été fixés inutilement. La tension et l'impatience de Richard avaient atteint leur limite; sans parler de la charge que représentaient la nourriture et la surveillance des prisonniers.

> « Il commanda qu'on lui amenât les Sarrasins qu'il avait pris en sa partie [pour sa part], dit le Continuateur de Guillaume de Tyr. [...] Comme on les lui amenait, il les fit mener entre les deux armées des chrétiens et des Sarrasins. Et ils étaient si près que les Sarrasins les pouvaient bien voir. Le roi commanda aussitôt qu'on leur dût couper les têtes hardiment. Ils y mirent mains et les occirent à la vue des Sarrasins. »

Un affreux massacre. Benoît de Peterborough raconte que Saladin en avait fait autant aux esclaves chrétiens et il est certain, au témoignage des chroniqueurs arabes, qu'il avait assisté en personne au massacre des prisonniers chrétiens après Hâttin, notamment des Templiers, tous décapités – ce qui n'excuse rien. On évalue à 2 700 le nombre de prisonniers ainsi exterminés; cette tuerie ternit pour nous la gloire de Richard et ses actions d'éclat. Mais, comme tous les traits de barbarie de ce genre, celui-là n'eut que des résultats négatifs : toute négociation se trouvait rompue, et la guerre qui allait reprendre serait marquée d'une brutalité accrue. On ne laissa la vie sauve qu'aux deux délégués qui s'étaient entremis pour la reddition d'Acre : ils avaient promis au roi d'Angleterre de lui faire restituer Jérusalem et Ascalon; quelques autres parmi les notables d'Acre, le connétable, le trésorier et aussi le nommé « Kahedin qui était écrivain [notaire, probablement] à Acre », furent épargnés.

***

En l'ost qui en Acre eut été
Deux hivers et tout un été
À grand méchef et à grand coût...
Dont il resta tant d'orphelins,
Tant de pucelles égarées
Et tant de dames éveuvées
Et tant d'héritages laissés
Tant d'évêchés et tant d'églises
Sans leurs pasteurs seules remises,
Là moururent tant princes et comtes
Et les moyens et les menus,
Que Dieu absolve! et Il ce veuille
Qu'il en Son Règne les accueille.

Comprenant qu'il fallait reprendre les hostilités, Richard commit la cité d'Acre aux soins de Bertrand de

Verdun et d'Étienne de Longchamp – le frère de l'évêque d'Ely, probablement. Il installa le groupe des trois femmes qui ne s'étaient pas séparées de lui : sa sœur Jeanne, son épouse Bérengère et la fille de l'empereur de Chypre, leur constitua des gardiens et une troupe armée pour les protéger et s'éloigna en direction de Haïfa.

On peut se demander pourquoi il ne s'est pas porté alors droit sur Jérusalem. Sans doute avait-il conscience de ne pouvoir entreprendre la conquête de la Ville sainte avec l'armée réduite dont il disposait. À plusieurs reprises la question reviendrait au cours d'une campagne qui ne fut pas exempte d'indécisions. Sans doute le stratège qu'il était mesurait-il la difficulté de recommencer l'expérience d'Acre : celle d'un siège interminable sans disposer de ce qui avait permis de remporter la victoire finale : une communication facile et rapide avec la mer – cette mer grâce à laquelle on pouvait espérer des renforts et du ravitaillement. Et c'est probablement avec le désir de s'assurer semblable appui qu'on le voit entreprendre la conquête de la côte de Palestine.

Les historiens de notre temps ont beau jeu de remarquer que les premiers croisés n'avaient pas agi avec de telles précautions : ils s'étaient dirigés vers Jérusalem et avaient pris la Ville sainte, celle dont la possession importait aux chrétiens : c'était leur fief à eux, leur coin de terre entre tous, sur lequel ils possédaient des droits que rien ni personne ne devaient leur enlever. Richard, lui, agit en stratège avisé qui se préoccupe de lendemains difficiles – ceux qu'avait connus un Godefroy de Bouillon demeuré dans Jérusalem, au lendemain de la conquête, avec 300 chevaliers, exposé à se trouver assiégé après avoir été assiégeant. Et effectivement, les trois années de chevauchées et les incroyables souffrances qui avaient abouti à la prise de la Cité sainte avaient failli être anéanties par les armées du sultan qui comptait prendre à revers les Occidentaux, personne ne s'étant attendu à ce que la conquête fût si rapide. Peut-être manquait-il à l'armée de Richard, l'audace de la foi, mais il faut reconnaître que du point de vue stratégique, sa prudence était justifiée.

La marche commencée le 22 août se déroule d'abord sans difficultés majeures. Richard fait passer à ses troupes le fleuve d'Acre, le Na'man et, suivant la côte, s'achemine vers Haïfa : lourde armée qui comporte outre les combattants, chevaliers, sergents, archers ou arbalétriers, nombre d'auxiliaires comme charpentiers et sapeurs et aussi leurs bagages. Mais les engins les plus lourds comme les balistes et autres machines de guerre avaient été chargés sur la flotte qui s'éloignait d'Acre au même moment et avait mission de suivre la côte jusqu'à Jaffa; elle constituait donc un recours en cas d'attaque massive de la part du sultan; elle pouvait aussi pourvoir au ravitaillement de la troupe, qui semble d'ailleurs n'avoir pas éprouvé trop de difficultés dans les débuts : la côte était sablonneuse, encombrée de ronces qui rendaient la marche difficile et l'on s'attendait à ce que Saladin vînt couper l'ensemble du convoi. La chaleur, en ce mois d'août, était torride, et l'on n'avançait qu'avec peine, mais l'ordre de marche avait été judicieusement disposé.

Tout d'abord, une précaution avait été prise; le chroniqueur Ambroise qui a fait partie de l'expédition le raconte : il n'avait pas été facile d'arracher les combattants aux délices d'Acre, la cité étant « pleine de bons vins et de demoiselles dont plusieurs étaient fort belles; on se livrait au vin et aux femmes, et on s'adonnait à toutes les folies ». Les « folles femmes », comme on disait alors, furent fermement invitées à y demeurer, tandis que l'on ne gardait dans l'armée que « les bonnes vieilles pèlerines, les ouvrières et les lavandières qui lavaient le linge et la tête et qui pour ôter les puces valaient des singes ». Richard, avec Guy de Lusignan, assumait lui-même la charge de l'avant-garde. Au centre, les chevaliers normands assuraient la défense; tandis qu'à l'arrière-garde se trouvaient la plupart des chevaliers français, Hugues de Bourgogne, Jacques d'Avesnes et Guillaume des Barres qui semblait avoir oublié ses escarmouches avec le roi d'Angleterre. Ces derniers eurent fort à faire au début même de l'expédition, car l'armée du frère du sultan Saladin, Malik el-Adil, s'était retranchée dans un petit bourg que les croisés nommaient Rainemonde, au sud d'Acre. L'attaque qu'il lança sur le convoi fut difficilement repoussée, mais la marche serrée et la stricte discipline qui régnaient dans les convois permirent d'y résister. « La cavalerie et l'infanterie des Francs, dit une chronique arabe, celle de El-Imad [1], marchaient le long de la côte, ayant la mer à leur droite et la plaine à leur gauche. L'infanterie formait comme un rempart autour de l'armée. Les hommes étaient vêtus de corselets de feutre et de cottes de mailles si serrées que les flèches n'y pouvaient pénétrer. Armés de fortes arbalètes ils blessaient à distance nos cavaliers. »

En fait, le harcèlement de cette armée en marche par les armées du sultan était incessante. Les Turcs usaient de leur tactique, désormais bien connue des croisés, qui consistait à lancer quelques unités de cavaliers armés de leurs arcs et qui s'attaquaient aux flancs du convoi, tentaient de semer la débandade en criblant de flèches les soldats en marche autour desquels ils tourbillonnaient « comme des mouches », pour se replier ensuite; après s'être regroupés, ils allaient attaquer à un autre endroit. De même, dans les combats en rase campagne, les troupes « sarrasines » cherchaient-elles l'enveloppement au lieu de pratiquer, comme le faisaient les Occidentaux, la percée. Mais cette mobilité qui faisait leur force était quelque peu ralentie par le terrain sablonneux de la côte, et, d'autre part, les chrétiens étaient bien protégés par leurs cottes de mailles qui empêchaient les flèches de blesser gravement. Beha el-Din, témoin oculaire aussi bien qu'Ambroise, raconte avoir vu un soldat qui marchait tranquillement bien qu'il ait pu compter dix flèches demeurées accrochées sur son dos :

> « La lutte ne cessait pas entre les deux armées, écrit-il, mais c'est en vain que les musulmans cri-

1. Citée par René Grousset, t. VI, p. 165.

blaient de flèches les flancs de l'ennemi et le provoquaient au combat : il restait impassible et poursuivait sa route dans cet ordre à une allure modérée. [...] Au centre de leur armée, se voyait un char portant une tour haute comme un grand minaret sur laquelle était planté leur étendard. »

Ce char avec son étendard haut levé servait de guide et de point de rassemblement éventuel si l'armée s'était débandée. « Leurs bâtiments, ajoute-t-il, naviguaient parallèlement à leur armée et s'arrêtaient en même temps qu'elle à chaque halte. Les étapes étaient rapprochées afin de ménager l'infanterie car faute de bêtes de somme, les bagages et les tentes étaient portées par les troupes de réserve », note Beha el-Din; plusieurs autres chroniqueurs arabes ont été comme lui frappés de cette stricte discipline qui laissait l'armée en marche insensible aux provocations et aux attaques des Turcs ou des Bédouins « hideux et plus noirs que de la suie, extrêmement agiles et prompts qui... tourmentaient l'ost sans lui laisser un moment de repos ». Et encore : c'est en vain « que notre armée entourait les Francs de toutes parts et les criblait d'une grêle de flèches [...], [ils] gardaient une solidité parfaite dans leur disposition de marche sans manifester aucun trouble, et leur infanterie répondait à nos charges incessantes en blessant notre cavalerie à coups d'arbalètes et de flèches ».

L'armée de Richard arriva ainsi à Cayfas, première étape, où elle put faire halte sous les palmiers, la ville elle-même ayant été démantelée par Saladin. Celui-ci, de son côté, suivait exactement le mouvement des Francs pour tenter de les surprendre et alla établir son campement au lieu qu'il appelle Kaimoun (Caymont). La route désormais allait être un peu différente, resserrée entre la mer et le mont Carmel. Une forteresse avait même été élevée pour protéger le défilé, le « Destroy » qu'on nommait Pierre-Encise, succédant à une autre forteresse au lieu qu'on appelait Capharnaüm maritime; mais l'une et l'autre avaient été démantelées par Saladin qui pratiquait partout la politique de la « terre brûlée ». Le recours à la flotte qui continuait à escorter l'armée fut alors précieux et permit de passer deux jours au repos avant de s'engager dans les défilés. Non loin de là, sur une presqu'île fortifiée, la flotte put s'abriter dans les deux anses au-dessus desquelles, une vingtaine d'années plus tard, en 1218, les Templiers allaient, en moins de quatre mois, édifier la magnifique forteresse d'Athlit – le Châtel-Pèlerin des Occidentaux – qui devait être aux temps futurs, la dernière forteresse à succomber après Saint-Jean d'Acre; sans parler de la survie de ses ruines, encore à l'époque moderne, puisque c'est aujourd'hui, dans l'État d'Israël, une place stratégique qu'on ne peut visiter (la grande salle subsistant de l'époque gothique – celle où Marguerite de Provence devait mettre au monde successivement deux de ses enfants – n'est pas accessible aux touristes).

La marche de l'armée reprit donc le 30 août; cette fois les Templiers menaient l'avant-garde et les Hospitaliers, l'arrière-garde; elles eurent d'abord à repousser d'une charge une partie de l'armée de Saladin qui se repliait néanmoins. Le sultan attendait sans doute son heure à la sortie des défilés où les manœuvres habituelles auraient été difficiles à opérer. On continuait à avancer le long de la côte, traversant ce fleuve que les chroniqueurs appellent le *Flum as cocatriz*, le fleuve des crocodiles. Effectivement, deux hommes de l'armée furent happés par les terribles monstres qui hantaient le cours d'eau appelé le Nahr Zerka.

On parvint dans la journée à Césarée maritime, elle aussi complètement ruinée et détruite par les armées du sultan. Il fallut ensuite s'éloigner quelque peu du rivage qui n'était qu'une suite de marécages et s'engager dans les collines qui bordent la plaine de Saron, non sans avoir livré, au sud de Césarée, près de ce qu'on appelait le Fleuve Mort, aujourd'hui Nahr-Hedera, une nouvelle escarmouche non négligeable, puisque Richard lui-même qui vint appuyer les Templiers, y fut légèrement blessé. La chaleur intense retardait la marche que les combattants devaient faire avec leurs corselets de feutre – un peu semblables aux gilets pare-balles d'aujourd'hui – et sans quitter leur cotte de mailles, pour résister aux harcèlements incessants des Turcs. Deux jours de repos encore furent nécessaires sur les bords du « Flum Salé », le Nahr Iskanderuna.

L'étape suivante traversait une forêt au nord d'Arsouf, localité qui n'a pas été exactement identifiée. L'angoisse était grande : la forêt, en ces premiers jours de septembre, pouvait être aisément transformée en un vaste foyer d'incendie (« moult fut grand chaud cette journée »), et plus d'un se souvenait des conditions dans lesquelles s'était produit le désastre de Hâttin; c'est en mettant le feu aux broussailles dans le sens du vent que, finalement, les Sarrasins avaient réduit les Francs à une totale capitulation.

Pourtant, la traversée de la forêt s'effectua sans encombre. L'armée arriva sur le « Flum de Rochetaillée », le Nahr Fâlik. L'un des chroniqueurs anglais nous fait part des perplexités du roi en cet endroit : l'armée de Saladin bloquait désormais la voie. « Le roi d'Angleterre, voyant que lui-même et son armée pourraient mourir de soif cette nuit-là, et de même le bétail, si on lui empêchait l'accès de l'eau, voyant aussi que s'ils faisaient marche arrière, les païens allaient les entourer et qu'aucun repli n'était possible en retournant, divisa aussitôt son armée en diverses batailles et les exhortait à combattre courageusement contre les ennemis de la croix du Christ, et il ordonna de frapper fort la gent païenne. » Il avait tenté auparavant d'entrer à nouveau en rapport avec Saladin, et celui-ci avait saisi avec empressement l'occasion d'une négociation qui lui permettait d'attendre des renforts turcs. Une entrevue avait eu lieu avec Malik el-Adil, le frère du sultan, le 5 septembre. C'était Onfroi de Toron qui, une fois de plus, jouait le rôle d'interprète. Richard demandait que lui soit rendu le royaume de Jérusalem, mais il se heurta à un refus total. Il est évident que le massacre des prisonniers qui eussent pu constituer sa monnaie d'échange ne facilitait plus les voies diplomatiques... Il fallait livrer bataille.

> *En l'ost n'avait gent si sûre*
> *Qui ne voulût par bon courage [quel que fût son courage]*
> *Avoir fait son pèlerinage [avoir fini],*

avoue Ambroise au moment de ce « suspense ». Un ordre de combat précis fut décidé. À l'avant-garde se trouvaient les Templiers, ensuite les Bretons et les Angevins, puis Guy de Lusignan avec les Poitevins, ses compatriotes, ensuite les Normands et les Anglais, enfin les chevaliers de l'Hôpital qui constituaient l'arrière-garde. « Il était convenu qu'avant la charge on placerait à trois endroits six trompettes qui sonneraient au moment où l'on devrait se retourner vers les Turcs, deux dans l'ost [armée], deux derrière, deux au milieu. » L'action allait être engagée par la cavalerie turque :

> « Plus de 30 000 Turcs vinrent se jeter à toute bride sur l'ost, montés sur des chevaux prompts comme la foudre et soulevant des tourbillons de poussière. Devant les émirs s'avançaient les trompettes, les porteurs de timbres et de tambours frappant sur leurs tambours et poussant des cris et des huées : on n'aurait pas entendu Dieu tonner tant il y avait de tambours qui retentissaient... Après eux, venaient les nègres et les Sarrasins de la Berruie [les Bédouins], fantassins agiles et prompts avec leurs arcs et leurs légers boucliers... Du côté de la mer et du côté de la terre, ils attaquaient l'ost de si près avec tant de force et d'emportement qu'ils lui faisaient grand dommage et d'abord en tuant les chevaux. »

L'action n'était pas engagée depuis longtemps que le maître de l'Hôpital, Frère Garnier de Naplouse, arrivait au galop vers le roi : « Sire, nous perdons tous nos chevaux. – Patience, maître, répondit le roi : on ne peut pas être partout. » Pour comble, l'un des Hospitaliers et un chevalier anglais n'eurent pas cette patience et, en dépit des consignes de Richard, entamèrent l'attaque trop tôt. Le roi voyait l'armée près d'être débordée. À nouveau le spectre de Hâttin, par cette journée brûlante, se profilait. Mais, comme le remarque René Grousset, le roi d'Angleterre « n'était ni un Renaud de Châtillon ni un Guy de Lusignan ». Abandonnant son plan d'attaque, il fit s'ouvrir les rangs des fantassins pour une charge qu'il eût préféré faire exécuter un peu plus tard, après l'enveloppement des forces musulmanes, mais qui n'en fut pas moins efficace.

Beha el-Din a laissé de cette journée un récit fortement marqué par la vision qu'il eut des chevaliers à la charge :

> « Alors la cavalerie franque se forme en masse et sachant que rien ne pouvait la sauver qu'un effort suprême, elle se décida à charger. Je vis moi-même ces cavaliers tous réunis autour d'une enceinte formée par leur infanterie. Ils saisirent leurs lances, poussèrent tous à la fois un cri de guerre, la ligne de fantassins s'ouvrit pour les laisser passer et ils se précipitèrent de tous les côtés. Une de leurs divisions se jeta sur notre aile droite, une autre sur notre aile gauche, une troisième sur notre centre et tout chez nous fut mis en déroute. »

De son côté, Ambroise fournit un récit parallèle et tout aussi impressionnant :

> « L'Hôpital, qui avait beaucoup souffert, chargea en bon ordre. Le comte de Champagne avec ses braves compagnons, Jacques d'Avesnes avec son lignage chargèrent aussi. Le comte Robert de Dreux et

l'évêque de Beauvais [son frère Philippe, qu'on retrouvera à la bataille de Bouvines] chargèrent ensemble. Les Turcs furent étonnés, car les nôtres tombèrent sur eux comme la foudre, en faisant voler une grande poussière; et tous ceux qui étaient descendus à pied et qui avec leurs arcs nous avaient fait tant de mal, tous ceux-là eurent la tête coupée. Dès que les chevaliers les avaient renversés, les sergents les tuaient. Quand le roi Richard vit que l'ost avait rompu ses rangs et attaquait l'ennemi sans plus attendre, il donna de l'éperon à son cheval et le lança à toute vitesse pour secourir les premiers combattants. Il fit en ce jour de telles prouesses qu'autour de lui, des deux côtés, devant et derrière, il y avait un grand chemin rempli de Sarrasins morts et que les autres s'écartaient et que la file de morts durait bien une demi-lieue. On voyait les corps des Turcs avec leurs têtes barbues, couchés, serrés comme des gerbes. »

Saladin parvint pourtant à rallier les fuyards, et comme la chevalerie franque se retirait par crainte de tomber dans une embuscade, les Sarrasins tentèrent une nouvelle charge. Beha el-Din résume bien l'ensemble de la bataille en disant : « Quand l'ennemi chargea les musulmans, ils reculèrent. Quand il s'arrêta, par crainte de tomber dans une embuscade, ils s'arrêtèrent pour le combattre. Pendant sa seconde charge, ils combattirent tout en fuyant. » C'est au cours de cette seconde charge que Jacques d'Avesnes, le vaillant chevalier, allait être massacré. Les chroniques anglaises lui rendent hommage; c'était un chevalier « catholique dans sa foi, plein de zèle dans sa conduite à l'armée ».

La seconde charge de la chevalerie franque les porta tout près du camp de Saladin, installé sur les collines boisées d'Arsouf. Ils jugèrent dangereux de s'aventurer plus loin et, de leur côté, les musulmans se le tinrent pour dit et renoncèrent à les poursuivre de nouveau.

Une très grande victoire, cette bataille d'Arsouf, le

7 septembre 1191, une victoire dans laquelle seule la valeur militaire de Richard sauva une situation qui eût pu être un nouveau désastre; il devait y gagner une gloire bien méritée. Les historiens ont remarqué que cette victoire, autant et plus encore que la reprise de Saint-Jean d'Acre, marquait le renversement des forces entre la Chrétienté et l'islam; les chroniqueurs l'ont senti en faisant part du découragement qui saisit, au soir de la bataille, le sultan Saladin : « Allah seul pouvait concevoir l'intensité de la douleur qui remplissait son cœur à la suite de cette bataille », écrit Beha el-Din. Par la suite, lorsqu'il songe à aller défendre Ascalon, ses émirs regimbent : « Si tu veux défendre Ascalon, entres-y toi-même ou fais-y entrer un de tes fils, sans quoi, nul d'entre nous ne s'y rendra après ce qui est arrivé aux défenseurs d'Acre. » Le sultan n'allait avoir d'autres ressource que de démolir Ascalon comme il l'avait déjà fait pour Césarée et Jaffa. Telle allait être sa réponse à la combativité qu'il sentait désormais dans l'armée ennemie. Beha el-Din fait une vive description de cette démolition méthodique d'une cité qui

> « plaisait aux yeux et charmait le cœur; ses murailles étaient solides, ses édifices, grands, et son séjour, très recherché. Les habitants, atterrés par la nouvelle que leur ville allait être détruite et qu'ils devaient abandonner leurs demeures, poussaient de grands cris et vendaient à vil prix tout ce qu'ils ne pouvaient emporter... Une partie d'entre eux partit pour l'Égypte, une autre pour la Syrie. Ce fut une épreuve terrible pendant laquelle se passèrent des choses épouvantables ».

Faire le désert devant l'armée chrétienne est désormais la seule tactique de Saladin. Lorsqu'il regagne Jérusalem, à la fin de ce mois de septembre, il rase non seulement Ascalon, mais encore le château de Ramla et l'église de Lydda qui se trouvait sur sa route.

Et ici, on peut s'étonner de l'attitude de Richard. Les chroniques arabes (Ibn el-Athir) attribuent à Conrad de Montferrat un reproche tout à fait vraisemblable à son adresse :

« Tu entends rapporter que Saladin détruit Ascalon et tu restes immobile! Quand tu as appris qu'il a commencé de démolir la place, tu aurais dû marcher en toute hâte contre lui, tu l'aurais fait décamper d'Ascalon et tu t'en serais emparé sans combat ni siège! »

Est-ce l'effet de ce caractère changeant du roi d'Angleterre qui le fait, on l'a vu, surnommer *Oc e no*, ou plutôt de cette impulsivité qui le conduit à adopter, après une résolution, la décision contraire? Dans toute la Palestine, tant du côté musulman que du côté chrétien, on s'attendait, après la brillante victoire d'Arsouf, à ce qu'il marchât sur Ascalon ou plus encore, sur Jérusalem. Le moral de ses troupes était au plus haut alors que les musulmans ne songeaient plus qu'à fuir et à lui laisser le champ libre. Si l'on comprend l'hésitation qu'il a manifestée après la prise d'Acre, celle dont il témoigne au lendemain d'Arsouf reste inexplicable. C'en est au point que le Continuateur de Guillaume de Tyr avance une hypothèse qui n'est, toutefois, pas confirmée par ailleurs : le duc de Bourgogne, Hugues, aurait décidé de se retirer de l'armée :

« Il manda tous les hauts hommes de France et qu'il savait qui plus aimaient la couronne et leur dit : " Seigneurs, vous savez que votre seigneur, le roi de France, s'en est allé; toute la fleur de sa chevalerie est demeurée et le roi d'Angleterre n'a que peu de gens par rapport aux Français. Si nous allons avant et nous prenons Jérusalem, on ne dira pas que les Français y aient été, mais on dira que le roi d'Angleterre l'aura prise et que le roi de France s'en était enfui, dont grande honte sera au roi et à tout le royaume et jamais ne se fera que la France n'en ait reproche. C'est pourquoi je propose que nous n'allions pas plus avant. " » Il y eut quelques-uns qui s'accordèrent à sa volonté et quelques-uns, non. Alors, dit le duc : " Qui me voudra suivre, qu'il me suive. " » Le roi d'Angleterre, qui ne savait rien de ce conseil, se prépara le lendemain et s'en alla vers Jérusalem, et le duc de Bourgogne fit armer les Français et s'en retourna vers Acre.

Suit un récit pathétique qui devait rester dans les mémoires. Il pourra être aisément contrôlé par tous ceux qui ont pu faire le « saint voyage de Jérusalem » en notre temps comme aux temps passés :

> « Quand le roi fut venu à la Montjoie, qui est près de Jérusalem, à deux lieues, et vit la sainte Cité de Jérusalem, il descendit pour faire ses oraisons, car c'est l'usage des pèlerins qui vont à Jérusalem qu'ils adorent avant là, parce que de là ont voit le Temple et le Sépulcre. »

Un autre manuscrit précise : « Le roi erra tant qu'il vint à Saint-Samuel que l'on appelle la Montjoie. » Il s'agit de cette éminence qu'on appelle aujourd'hui encore Nabi Samwill et que l'on fait toujours remarquer aux pèlerins. On sait comment, à l'approche de tout lieu de pèlerinage, qu'il s'agisse de Saint-Jacques de Compostelle, de Rome ou de Jérusalem, l'histoire comme la tradition ont marqué la place d'où l'on peut, pour la première fois, apercevoir le but du pèlerinage. Au Moyen Age, lorsque les pèlerins voyageaient en groupe et n'avaient pas d'attaques à redouter comme en Palestine, ils s'empressaient de franchir l'étape au plus vite, et le premier arrivé, celui qui avait le premier vu les tours de Compostelle ou les collines de Rome était proclamé « roi du pèlerinage » – le terme est devenu patronyme et c'est l'origine du nom Roy, Rey, Leroy, etc. que portent tant de familles françaises.

Toujours selon le Continuateur de Guillaume de Tyr, c'est arrivé à ce point de l'itinéraire nommé Montjoie que l'on apprend au roi Richard la défection du duc de Bourgogne :

> « Voici qu'arriva un message qui vint à lui qui lui dit de par certains de ses amis de l'armée que le duc de Bourgogne et la plus grande partie des Français s'en retournaient en Acre. Quand le roi entendit cela, durement en fut courroucé et commença à pleurer de pitié, puis s'en revint à Jaffa. »

Il semble ici que le rédacteur de la chronique ait confondu, intentionnellement ou non, deux moments différents de la croisade, car il ajoute : « Quand le duc de Bourgogne vint en Acre, il ne demeura guère qu'il mourût. Il fut enterré au cimetière de Saint-Nicolas. » Ce qui enlève quelque vraisemblance à son récit, puisque le duc de Bourgogne était encore vivant en 1192; René Grousset fait remarquer avec raison que le chroniqueur Ambroise n'eût pas manqué cette occasion d'incriminer le parti des Français, comme il le fait chaque fois que l'occasion lui en est donnée [1]. On ne voit guère, d'ailleurs, comment en ce mois de septembre il eût été possible à Richard d'approcher jusqu'à deux lieues de Jérusalem...

En fait, Richard, après la victoire d'Arsouf, dirigea son armée sur Jaffa. La place et le port avaient été complètement démantelés sur l'ordre de Saladin, et il était évidemment utile de les relever et de les fortifier à nouveau. Jaffa devait être, par la suite, le port d'embarquement le plus utilisé par les croisés, et l'on sait comment Tel-Aviv, qui fait suite immédiatement à la vieille ville, reste aujourd'hui le point par lequel on aborde

1. t. VII, p. 184.

normalement en Israël, à proximité de Lod, où a été établi l'aéroport, qui se trouve donc proche de l'antique cité de Lydda : un point d'accès qui semble redevenu traditionnel aujourd'hui comme aux XIIe et XIIIe siècles.

Les travaux de reconstruction allaient être lents et occuper l'armée plus de deux mois. Il est vrai que les ouvriers qui y travaillaient demeuraient sur le qui-vive, et que la surveillance devait être incessante. Le roi Richard lui-même, parti certain jour pour débusquer les assaillants qui lui avaient été signalés, fut surpris pendant sa sieste et n'eut que le temps de sauter sur son cheval. Il eût même été pris sans l'un des chevaliers qui l'accompagnaient, Guillaume de Préaux, qui se mit à crier très haut : « Sarrasins, je suis mélec. » « Le mélec, c'est le roi, ajoute Ambroise. Les Turcs le saisirent aussitôt et l'emmenèrent dans leur armée. » Ils l'avaient pris pour Richard qui, grâce à ce dévouement de son compagnon, leur échappa des mains.

Vers la fin d'octobre 1191, Jaffa était à peu près reconstruite. Une partie de cette cité des croisés subsiste aujourd'hui encore. Il est vrai qu'elle allait être à nouveau fortifiée par Saint Louis, un demi-siècle plus tard.

À l'abri des remparts de Jaffa, l'armée chrétienne s'installa dans le goût du confort, sans parler de l'attrait du plaisir :

> « Devant Jaffa, dans les beaux jardins, l'armée de Dieu avait planté ses bannières, note Ambroise. Là étaient de grands pâturages, là il y avait tant de raisins, de figues, de grenades, d'amandes en grande abondance dont les arbres étaient couverts et dont on se prenait à volonté, que l'armée en fut grandement rafraîchie. »

Avec l'abondance et les fruits d'automne, un autre élément avait fait son entrée dans Jaffa :

> « Les femmes revinrent d'Acre dans l'armée et s'y conduisirent vilainement. Elles arrivaient dans les navires et les barques. Miséricorde! quelles mauvaises armes pour requérir l'héritage de Dieu! »

Il s'agissait évidemment des prostituées auxquelles Richard lui-même avait eu quelques difficultés à arracher l'armée lorsqu'il s'était engagé sur la route du littoral. Des défections se manifestaient même, certains croisés ne craignant pas de regagner Acre pour aller mener joyeuse vie.

De nouvelles négociations s'engageaient, avec toujours pour acteurs principaux Malik el-Adil, le frère de Saladin et Onfroy de Toron, lequel parlait l'arabe comme un naturel du pays. Il fut question de rétrocéder aux Francs tout le littoral désormais acquis, et Saladin semble s'être rallié à cette proposition.

Richard, cependant, n'abandonnait pas l'idée d'aller à Jérusalem. Dès la fin d'octobre il reprit la campagne et laissa la reconstruction et la défense de Jaffa à deux de ses proches, l'évêque d'Évreux, Jean, et Guillaume, comte de Châlons. Ayant récupéré, non sans mal, les soldats égarés à Acre (Guy de Lusignan, envoyé une première fois, n'avait pu se faire écouter), Richard bouscula d'abord l'avant-garde des armées de Saladin à Yazour; décidé à fortifier la route de Jaffa à Jérusalem qui était l'itinéraire normal du pèlerinage, il entreprit, avec l'aide des Templiers, de reconstruire deux forteresses, l'une appelée le Casal des Plaines, l'autre le Casal Moyen ou Maen, un lieu appelé aujourd'hui Beit-Dejan. Le 6 novembre se produisait presque par hasard une escarmouche qui aurait pu dégénérer en bataille en règle : deux Templiers partis faire les provisions de fourrage se heurtèrent à des Bédouins au nord-est de Yazour. La petite troupe allait être massacrée quand survinrent quinze chevaliers accompagnant l'un d'entre eux, André de Chauvigny. Mais d'autre part, des musulmans, alertés, accoururent aussi, tandis que du côté chrétien des renforts venaient : Hugues de Saint-Pol, Robert de Leicester, Guillaume de Cayeux, Eudes de Trasignies. Côté musulman, une autre troupe, cette fois nombreuse (4 000, dit Ambroise) accourut aussi en renfort, et l'action eût été bien compromise si le roi Richard en personne n'était survenu avec quelques chevaliers. Il chargea follement et réussit à dégager Robert de Leicester et Hugues de Saint-Pol. Les uns et les autres se retirèrent après cette alerte, la première sur la route de Jérusalem.

On retrouve ensuite Richard à une étape bien connue sur cette même route, Ramla, lieu historique pour les pèlerins médiévaux; c'est là qu'avait été attaqué, un Vendredi saint, le pèlerinage de l'évêque de Bamberg, Gunther, dont tous les participants avaient été massacrés, ou peu s'en faut, quelque temps avant la première expédition pour libérer Jérusalem; c'était au printemps de l'année 1065. Et l'hécatombe qui en avait résulté – Gunther emmenait avec lui quelque dix mille pèlerins dont aucun n'était armé et dont le massacre avait duré deux jours, du Vendredi saint à Pâques – avait eu quelque influence sur la réponse faite à Urbain II lorsque celui-ci, trente ans plus tard, au concile de Clermont, était venu appeler à la défense des pèlerins de Terre sainte. Aujourd'hui, le nom de Ramla qui s'inscrit sur les plaques de signalisation de l'autoroute éveille toujours, pour ceux qui connaissent l'histoire médiévale, une vive émotion...

C'est précisément entre Ramla et la cité de Lydda toute proche que Richard se dirigea d'abord. Saladin, fidèle à sa tactique de la terre brûlée, l'avait fait détruire en toute hâte. Lui-même avait emprunté une voie à peu près parallèle et se trouvait alors vers la forteresse qu'on appelait le Toron des Chevaliers, au lieu nommé aujourd'hui Latroun (un couvent de trappistes s'y élève de nos jours). L'armée campait tant bien que mal dans les ruines de Ramla quand survinrent les pluies d'automne – des pluies torrentielles qui allaient durer près de six semaines –, si bien qu'elle dut prolonger l'étape bon gré mal gré, du 15 novembre au 8 décembre 1191, « en grande gêne et incommodité », précise Ambroise. Elle n'était pas à l'abri d'attaques-surprises. Une fois, notamment, le comte Robert de Leicester avec une poignée d'hommes parvint à repousser une attaque d'ennemis très supérieurs en nombre et ne fut dégagé que par l'arrivée d'André de Chauvigny et de ses compagnons. Pendant ce temps, à Jérusalem, Malik el-Adil entreprenait en toute hâte de réparer les fortifications de la ville, les faisait élargir pour y enclore le mont Sion et le munir de tout ce qui était nécessaire pour résister à un siège.

Les intempéries continuant à paralyser la marche de l'armée, Richard dut se contenter d'occuper Latroun et, non loin de là, Beit-Nuba – que les croisés appelèrent Betenoble – pour y passer Noël. C'est à peu près le point de démarcation entre la plaine et le début de ces monts de Judée où chaque colline pouvait cacher une troupe en embuscade et devenir le théâtre d'un massacre.

> « Il faisait un temps froid et couvert, écrit Ambroise. Il y eut de grandes pluies et de grandes tempêtes qui nous firent perdre beaucoup de nos bêtes. La pluie et le grésil nous battaient et renversaient nos tentes. Nous perdîmes là, vers Noël, beaucoup de chevaux. Bien des biscuits y furent gâtés par l'eau qui les trempait. Les viandes de porc salé y pourrissaient par les orages. Les hauberts se couvraient d'une rouille qu'on avait peine à enlever. »

Mais chacun se sentait proche de Jérusalem, et l'enthousiasme demeurait à l'idée de voir bientôt la Ville sainte.

> « Bien des gens étaient malades faute de nourriture, mais leurs cœurs étaient joyeux à cause de l'espérance qu'ils avaient d'aller au Saint-Sépulcre. Ils désiraient tant Jérusalem qu'ils avaient apporté leurs vivres pour le siège. Le camp se remplissait de gens

> qui arrivaient en grande joie, désireux de bien faire. Ceux qui étaient malades, à Jaffa et ailleurs, se faisaient mettre dans des litières et porter au camp en grand nombre, l'âme résolue et confiante... Dans le camp régnait la joie la plus complète. On roulait les hauberts, et les gens levaient la tête en disant : Dieu aidez-nous, Dame sainte Vierge Marie, aidez-nous, laissez-nous vous adorer et vous remercier de voir Votre Sépulcre. On ne voyait partout que liesse et réjouissance, tous disaient : " Dieu, nous voilà enfin sur le bon chemin, c'est Votre Grâce qui nous dirige [1] ".

Mais à quelques lieues de là, on mettait aussi un zèle frénétique à reconstruire les murailles de la Ville sainte pour faire face au siège qu'on croyait proche. On raconte que le sultan el-Adil transportait lui-même des pierres sur sa selle pour aider les ouvriers occupés à regarnir la muraille. Saladin d'autre part se préoccupait de réunir en Égypte une armée prête à envahir de nouveau la Palestine.

Pourquoi l'assaut ne fut-il pas décidé? Faut-il, encore une fois, imputer ces retards et ces lenteurs au caractère du roi Richard dont les accès d'impétuosité étaient invariablement suivis de retours en arrière? (« *Oc e no* »). Bien des occasions déjà avaient été manquées, et autour de lui beaucoup de barons hésitaient; non seulement ceux qu'on appelait les « Poulains », les chevaliers nés en Terre sainte qui n'étaient jamais pressés de faire le coup de main, peu soucieux de s'exposer à des périls qu'ils connaissaient mieux que personne, mais aussi les Hospitaliers et même les Templiers réputés pour leur bravoure. Il était évident qu'on avait laissé passer le bon moment et qu'entre les monts de Judée où la marche pouvait être coupée à chaque détour et la côte et la vaste plaine où l'on pouvait s'attendre à tout instant à voir se déployer l'armée

1. René Grousset, t. VI, p. 180.

toute neuve de Saladin, la situation n'était plus très sûre. Ambroise ajoute une raison qui n'était pas à négliger : « Ils [les Poulains] disaient que même si la cité était prise, ce serait encore une entreprise fort périlleuse si elle n'était pas aussitôt peuplée de gens qui y demeurassent car les croisés, tous tant qu'ils étaient, dès qu'ils auraient fait leur pèlerinage, retourneraient dans leur pays, chacun chez soi, et une fois dispersés, la terre serait perdue à nouveau. » Ces gens du terroir savaient d'expérience qu'il serait difficile de tenir comme avait pu le faire, un siècle plus tôt, Godefroy de Bouillon. Et comment « tenir » sur une terre rendue systématiquement désertique sur l'ordre de Saladin? À supposer même que certains des croisés acceptent de prolonger leur vœu en y demeurant, comme cela s'était fait souvent au siècle précédent, les destructions commises les empêchaient d'avance d'y vivre.

Pouvait-on pourtant, après cette bouffée d'enthousiasme qui avait soulevé l'armée des chrétiens, provoquer une déception capable de briser désormais tout élan? C'est ici que l'un des continuateurs de Guillaume de Tyr, Ernoul, place l'épisode du duc de Bourgogne, Hugues III, préférant trahir Richard que de lui laisser à lui tout seul l'avantage de la victoire.

Toujours est-il que l'ordre fut donné d'une retraite générale.

Ce fut la fête Saint-Hilaire [13 janvier 1192]
Chacun maudissait la journée
Qu'il vivait et qu'il était né

Car néant fut de la liesse
Que devant ce eü avaient
Quand au Sépulcre aller devaient

Là vissiez vous gent tant dolente
Qui maudissaient cette attente...
Quand Jérusalem n'est assise [assiégée]
Ni ne pouvait être conquise.

En ce mois de janvier 1192 :

> « Beaucoup de Français pleins de dépit s'en allèrent d'un côté ou de l'autre, les uns allèrent à Jaffa et y restèrent quelque temps, les autres revinrent à Acre où la vie n'était pas chère. D'autres allèrent à Tyr, près du marquis de Montferrat qui les avait beaucoup priés. D'autres, de dépit et de honte, allèrent droit au Casal des Plaines, avec le duc de Bourgogne, et y restèrent huit jours entiers. Le roi Richard avec ceux qui restaient de l'ost, tout affligé, son neveu, le comte Henri de Champagne et les leurs, s'en allèrent droit à Ibelin (Yebna); mais ils trouvèrent de si mauvais chemins et reçurent un si mauvais gîte qu'ils étaient de fort mauvaise humeur. »

Richard, cependant, avait de nouveau entamé des négociations avec Malik el-Adil. Il avait déjà rencontré plus d'une fois ce prince et entretenait avec lui des rapports cordiaux en dépit de leurs positions ennemies. Le chroniqueur arabe Ibn el-Athir décrit une entrevue qui avait eu lieu le 8 novembre précédent, 1191 :

> « El-Adil avait apporté avec lui des mets, des friandises, des boissons, des objets d'art et tout ce qu'il est usage de s'offrir de prince à prince. Le roi d'Angleterre étant venu le trouver dans sa tente, reçut de lui l'accueil le plus honorable, puis il le conduisit à la sienne et lui fit servir d'entre les plats particuliers de sa nation ceux qu'il croyait devoir lui être le plus agréables. El-Adil en mangea, et le roi avec ses compagnons mangèrent des mets offerts par El-Adil. Leur entretien dura plus de la moitié de la journée et ils se séparèrent avec des assurances mutuelles d'une amitié parfaite et d'un attachement sincère. »

Sans parler d'une chanteuse qui s'accompagnait à la guitare et que le roi Richard eut visiblement grand plaisir à écouter...

Alors que dans l'armée on murmurait contre les échanges de messagers, « ce qui donna lieu à de grands blâmes contre lui [Richard] et de mauvaises paroles », comme en témoigne Ambroise – le roi d'Angleterre exposait la solution romanesque qui venait de germer dans son esprit : pourquoi Malik el-Adil n'épouserait-il pas sa sœur Jeanne, Jeanne la Belle, l'ex-reine de Sicile? Ensemble, ils régneraient sur toute la région côtière de la Palestine mais résideraient à Jérusalem, installant une sorte de condominium chrétien-musulman qui permettrait aux membres du clergé latin de continuer à officier au Saint-Sépulcre tandis que les musulmans continueraient, eux, à prier dans leurs mosquées. Ainsi serait résolu le problème des Lieux saints.

Il semble que l'étrange proposition – familière pourtant aux Occidentaux puisqu'il était coutume de prévoir un mariage lorsque était conclu un traité de paix – ait rencontré, contrairement à ce que nous pourrions croire aujourd'hui, une oreille favorable. Du moins du côté musulman, car Jeanne, elle, outrée à l'idée d'épouser quelqu'un d'étranger à sa religion, entra dans une violente colère. Elle n'accepterait le mariage que si Malik el-Adil se faisait chrétien. Richard fit cette nouvelle proposition à l'intéressé qui ne parut pas s'y opposer; il la fit seulement transmettre à son frère Saladin; celui-ci, comme on s'en doute, la refusa avec horreur. Les émissaires qui assuraient les transports de messages de la ville d'Acre à la ville des croisés en furent donc pour leurs frais.

La solution romanesque du mariage franco-musulman ayant échoué, il ne restait plus qu'à reprendre les armes, ce que fit Richard, cette fois, sans l'appoint du duc de Bourgogne et de ses hommes. Il envoya ceux-ci relever les ruines d'Ascalon. Le travail fut commencé le 20 janvier; les croisés français ne rejoignirent l'armée sous Ascalon qu'un mois plus tard.

Cependant, à Saint-Jean d'Acre, des dissensions naissaient entre Génois et Pisans, les premiers soutenus par Conrad de Montferrat, les seconds par Guy de Lusignan. Il fallut que Richard lui-même s'en mêlât pour rétablir la paix entre les rivaux. Le marquis semble bien avoir noué des relations personnelles avec Saladin, et le roi d'Angleterre sentait la situation lui échapper. Il eut alors avec Montferrat une entrevue qui n'aboutit pas à une réconciliation. Celui-ci avait partie liée avec le duc de Bourgogne et son armée qui commençait à refluer vers Acre, car le roi de France, Philippe Auguste, lors de son départ n'avait promis le concours des Français que jusqu'au 1er avril 1192. Richard leur ayant interdit l'entrée d'Acre, ils se portèrent à Tyr sous l'égide du marquis, et Ambroise raconte avec indignation que leur conduite dans cette cité faisait scandale :

> « Ils passaient leurs nuits à danser et portaient sur leurs têtes des guirlandes de fleurs; ils s'asseyaient devant les tonneaux de vin et ils buvaient jusqu'à matines, puis ils revenaient par les maisons des filles de joie en brisant les portes, en disant des folies et en jurant tant qu'ils pouvaient. »

Pour comble de malheur, de mauvaises nouvelles arrivaient d'Angleterre. Richard réunit en assemblée ses barons et chevaliers à Ascalon et dut annoncer son départ que la conduite de son frère, Jean Sans Terre, rendait inévitable. Il décida de laisser en Terre sainte 300 chevaliers et 2 000 fantassins. Mais qui prendrait leur tête? Qui assumerait la succession des rois de Jérusalem? L'assemblée fut unanime à repousser l'idée de la laisser à Guy de Lusignan. Il ne restait donc à Richard qu'à reconnaître à Conrad de Montferrat les droits que le marquis faisait valoir sans ambages depuis la reprise de Tyr.

C'est alors que se produit l'événement que personne n'attendait : le 28 avril 1192, alors que son épouse Isabelle s'attardait au bain, Conrad alla dîner chez l'évêque de

Beauvais, Philippe de Dreux. Sur son chemin, dans une ruelle étroite, il fut abordé par deux indigènes qui lui présentèrent une requête. Tandis qu'il la lisait, l'un d'entre eux lui plongea un poignard dans le cœur. Conrad mourut sur le coup.

Il s'agissait de deux « assassins »; le terme vient de « haschichins », mangeur de haschich, le nom qu'on donnait aux membres d'une redoutable secte musulmane, que dirigeait, des hauteurs de Cadmous, celui qu'on appelait le Vieux de la Montagne. C'était une secte chiite qui faisait de l'assassinat politique son arme la plus habituelle. Elle était d'un emploi facile, car les sectateurs étaient drogués au haschich et devenaient des exécutants dociles. En l'espèce, les deux étrangers qui avaient agi pour le meurtre de Conrad, s'étaient fait, le matin même, administrer le baptême afin de n'éveiller aucune méfiance, et leurs parrains avaient été Balian d'Ibelin et Conrad lui-même.

Ce dernier, en effet, avait fait saisir un bateau marchand appartenant aux Ismaéliens – ainsi désignait-on les chiites membres de la secte. Le Vieux de la Montagne avait, par deux fois, réclamé le vaisseau et sa cargaison. En fait, le bailli de Tyr, Bernard du Temple, qui avait signalé à Conrad le passage de ce bateau porteur d'une très riche cargaison, l'avait assuré qu'il pourrait s'en emparer « de telle sorte que personne n'en sache jamais rien »; alors, ajoute le chroniqueur, « il fit noyer les matelots dans la mer une nuit ». D'où la fureur du Vieux de la Montagne dont les menaces repoussées à deux reprises avaient abouti au meurtre de Conrad. Reste qu'étant donné la situation, une des chroniques arabes, celle de Ibn el-Athir, en accuse Saladin, tandis qu'une autre, celle de Beha el-Din, l'impute au roi d'Angleterre.

C'était tout l'avenir du royaume de Jérusalem qui se trouvait de nouveau remis en question. « L'homme à poigne », auquel on souhaitait le confier et qui avait énergiquement prouvé sa valeur, n'existait plus. Il fallait trouver un autre prétendant puisque à l'unanimité des barons, l'assemblée refusait de s'en remettre à Guy de Lusignan.

Les barons désignèrent alors le comte Henri de Champagne qui venait d'arriver à Tyr à la nouvelle de cet assassinat. Par sa mère, Marie de Champagne, fille d'Aliénor d'Aquitaine, il était le neveu de Richard Cœur de Lion, tandis que par le comte de Champagne, son père, il était le neveu de Philippe Auguste : nul ne pouvait donc être mieux désigné pour réconcilier deux armées dont la mésentente s'était récemment affirmée. Le choix était ratifié par tous y compris par le roi Richard qui, toutefois, dut discuter avec son neveu : « Il dit au comte de Champagne que cette dame [Isabelle] était enceinte du marquis. » Cela signifiait qu'en cas de naissance d'un héritier mâle, c'est à cet enfant que le royaume reviendrait; « et le comte de Champagne lui répondit : “ Et moi, je serai encombré de la dame! ” » Il changea pourtant promptement d'avis en voyant Isabelle, « car elle était si belle et si noble ». Finalement, tout le monde s'étant mis d'accord aux applaudissements de tous les barons, Henri épousa Isabelle, à Tyr, dès le 5 mai 1192.

Une page était tournée, qui, du moins, inaugurait une période d'entente entre les chrétiens demeurés en Terre sainte. Henri de Champagne allait faire son entrée à Saint-Jean d'Acre avec son épouse Isabelle « plus blanche qu'une gemme », écrit le chroniqueur.

Quant à Guy de Lusignan, une solution inespérée s'offrit pour lui aussi. Le roi Richard, n'ayant pas les moyens de conserver l'île de Chypre, après sa conquête inopinée l'avait proposée aux Templiers contre une somme de cent mille ducats, mais ceux-ci se heurtèrent à l'hostilité des habitants; un soulèvement de la population à Nicosie, à la veille de Pâques, le 5 avril 1192, fut assez violent pour les décourager. C'est alors que Richard eut l'idée d'en faire le fief de Guy de Lusignan, le roi sans royaume. Dès le mois de mai 1192, le baron poitevin s'y installa, moyennant une somme de quarante mille ducats empruntée à un bourgeois de Tripoli. Sans le savoir, il fondait une dynastie qui allait se perpétuer dans l'île pendant deux siècles, jusqu'à la date de 1474.

Mais l'épopée de Richard était loin d'être achevée. Le 17 mai en effet, le roi, après quelques faits d'armes autour d'Ascalon, mettait le siège devant la forteresse de Daron, qui dominait, avec ses dix-sept tours récemment fortifiées par les musulmans, la plaine côtière, sur la route du désert du Sinaï; en cinq jours il s'en empara, au moment même où arrivaient d'une part Henri de Champagne, au retour des fêtes de ses épousailles à Saint-Jean d'Acre et, de l'autre, les troupes d'Hugues de Bourgogne. Les forces franques, réunifiées, allaient célébrer ensemble à Daron les fêtes de Pentecôte, qui tombaient, cette année-là, le 24 mai.

L'assaut sur Jérusalem ne pouvait manquer, cette fois, d'être imminent. « Si se conseilla le roi entre tous ses gens d'assiéger Jérusalem, et s'offrit jurer sur les saints Évangiles jamais du siège ne partir tant comme il aurait cheval ou autre bête à manger, si la ville ne fût avant rendue ou gagnée par force », lit-on dans un récit anglo-normand en prose consacré à la croisade et à la mort du roi [1]. Sa résolution semble alors avoir été prise, en dépit de mauvaises nouvelles reçues d'Angleterre. L'armée rassemblée à Ascalon se mit en marche dans la direction de la forteresse nommée Blanche Garde, à Tell es-Safieh, une colline dominant le port, puis Latroun et Betenoble.

Dans la Ville sainte, l'émoi était à son comble; les chroniqueurs arabes nous font part de la panique des habitants : il fallut employer la force pour les empêcher de fuir en masse; le trouble gagnait Saladin lui-même, et plus encore les émirs de son entourage, notamment lorsqu'on apprit qu'au cours d'une razzia le roi et quelques-uns de

1. R. C. Johnston, *The Crusade and death of Richard I*, Oxford, 1961; publié d'après deux manuscrits dans la col. des Anglo-Norman Texts, XVII).

ses chevaliers avaient approché jusqu'à voir les murailles de Jérusalem à quelque cinq kilomètres de distance, et qu'ils avaient pillé la localité aujourd'hui dénommée Abu-Ghosh où se trouvait une source fameuse et un caravansérail. Les Templiers y avaient édifié une église qui de nos jours a été restaurée; et c'est l'un des lieux présumés de l'Emmaüs évangélique.

Ici se place un épisode qui ne pouvait manquer d'encourager les croisés et que nous détaille le texte anglo-normand déjà cité :

> « À cette nuit alla le roi Richard, avec lui cinquante des chevaliers, visiter un saint ermite qui demeurait en une roche sur le mont Saint-Samuel, qui avait un esprit de prophétie, et jamais n'était sorti de sa caverne ni mangé sinon herbes et racines, et rien bu sinon eau, ni autre couverture n'avait à son corps sinon sa barbe et ses cheveux depuis que les Sarrasins étaient entrés en la Terre de Promission et la très sainte Croix saisie. Il parla très bénignement au roi et disait qu'encore n'était pas le terme venu que Dieu voulait son peuple tant sanctifier que la sainte Terre et la très sainte Croix voudrait remettre en les mains des chrétiens. Puis ôta une pierre de sa cave et tira une croix de bois hors d'un pertuis [trou] qui était une partie de la sainte Croix et la donna au roi Richard en disant : " Hui [d'aujourd'hui] à sept jours il me faut passer du siècle [mourir], et pour ce notre Seigneur Dieu veut que vous ayez cette relique, que moult avez souffert peines et travaux pour Son amour, qui en la croix daigna mourir pour vous et les autres pécheurs. " Le roi se mit à genoux et prit la croix révérentement de sa main, et mena le prud'homme à son hôtel et le garda jusqu'à ce septième jour auquel il mourut, comme il l'avait d'avance conté. »

Le bruit de cette rencontre se répandit dans l'armée, où l'impatience était grande. Mais les chefs voulaient attendre les renforts provenant d'Acre, et les jours passaient... Pour la troisième fois on se retrouva à proximité de Jérusalem, sans tenter un assaut qui, dans l'état d'anxiété où se trouvait le sultan, et plus encore son entourage, eût peut-être réussi !

Sur ce, un heureux coup de main, entrepris, lui, sans hésitation, allait permettre au roi Richard de s'emparer d'une très importante caravane venant de Bilbaïs en Égypte ; il avait été prévenu de son passage par des Bédouins qui volontiers espionnaient pour son compte. Parti de nuit pour Karatieh – qu'on appelait « Galatie » –, Richard allait littéralement fondre sur le convoi au lieudit la « Citerne ronde » ; bien qu'escortée par deux mille soldats commis à sa protection la caravane entière allait tomber entre ses mains, et leurs défenseurs furent dispersés. « Les gens qui menaient la caravane venaient se rendre prisonniers aux sergents et aux chevaliers, et leur amenaient par la bride les chameaux tout chargés, et les mulets et les mules qui portaient des biens si précieux et tant de richesses » ; quatre mille sept cents chameaux, disait-on, ajoutant qu'en ce qui concerne mulets, mules et ânes, « on ne put jamais les compter » et qu'« en aucune guerre on n'avait fait dans le pays un tel butin » : or, argent, tissus précieux, armures et épices complaisamment énumérés !

Ce succès inopiné aurait pu encourager les chefs croisés dans la mesure même où il atteignit le moral des émirs à Jérusalem où, qui plus est, des dissensions se manifestaient entre Kurdes et Mamelouks, au point que le chroniqueur Ambroise lui-même en fait mention. Beha el-Din montre Saladin au comble de l'inquiétude durant ces journées qui suivirent l'attaque de la caravane le 20 juin 1192.

Les contingents français et le duc de Bourgogne lui-même étaient cette fois décidés à porter l'assaut sur Jérusalem. Inexplicablement, Richard s'y refusa. « Si l'affaire tournait mal pour nous, on m'en blâmerait toujours et je serais perdu d'honneur », lui fait dire Ambroise. À nouveau une assemblée fut réunie : vingt hommes représentant aussi bien les Français que l'armée du roi, Templiers et Hospitaliers, barons de Terre sainte, décidèrent finalement de ne pas tenter l'assaut; c'était le 4 juillet, cinq ans jour pour jour après le désastre de Hâttin.

Là vissiez-vous gent tant dolente
Qu'ils maudissaient cette attente
Quand Jérusalem n'est assise [assiégée]
Ni ne pouvait être conquise
Car nul jour ne rêvassent vivre
Que Jérusalem fût délivre [délivrée]

En dépit de la grande admiration qu'il éprouve pour Richard, le chroniqueur Ambroise évoque ici, non sans tristesse, ceux

Dont on raconte encor l'histoire
Ceux à qui Dieu donna victoire
De Bohémond et de Tancre [de];
C'étaient pèlerins esmerés [émérites]

Les négociations s'engagèrent, tandis que dans les camps, par cet été torride, on se vengeait en chansonnant tantôt Richard et tantôt le duc de Bourgogne.

Le roi d'Angleterre, revenu vers Acre, se préparait à marcher sur Beyrouth, avec son armée « toute mate et défestivée »

Et le roi était en sa tente
Le soir à vêpres, en telle attente.
Voilà une barge arrivée
Venue à Acre, et arrimée.
Et ceux qui de la barge issirent [sortirent]
Vinrent au roi, plus n'attendirent,
Lui disent que Jaffa est prise
S[i] elle n'est par lui secourue...

De fait, Saladin l'avait attaquée par surprise le 26 juillet; ses défenseurs avaient dû abandonner la ville et s'étaient réfugiés dans le château; après une résistance désespérée, ils étaient sur le point de se rendre, lorsqu'au matin du 1er août, quelques vaisseaux se profilèrent à l'horizon; en tête, celui qui arborait, traditionnellement, la bannière royale : après avoir été trois jours retenu dans la baie de Haïfa par les vents contraires, Richard accourait au secours de Jaffa.

Il y eut d'abord quelque hésitation : le roi ne savait pas où il pourrait aborder efficacement. Ce fut un moine qui, sautant du château sur le sable de la plage, lui fit connaître la situation dans la cité. Richard se jeta alors à la mer, entraînant les siens; ils réussirent, sous les flèches sarrasines, à dresser une sorte de barricade faite de débris de nefs et de barques, à l'abri de laquelle le roi et ses hommes purent accéder à la Tour des Templiers. Alors :

> « Il fit ouvrir les portes et sortit, [brandissant] ses enseignes et tomba en force sur l'armée de Saladin qui était hébergée dans la ville; et ils tuèrent tous ceux qui les voulaient attendre, et les autres s'enfuirent de la ville; et grand foison de riches gens se rendirent, et ainsi fut la cité délivrée des mains des Sarrasins. »
> « L'intrépidité des Francs, le calme et la précision de leurs mouvements », avaient en la circonstance arraché au chroniqueur arabe Beha el-Din des lignes admiratives : " Quels admirables guerriers que ces gens-là! Quelle bravoure chez eux et quel courage! " »

L'armée de Saladin avait fui jusqu'à Yazour. « Le roi, dit Ambroise, fit dresser sa tente à l'endroit même où Saladin n'avait pas osé l'attendre. Là campa Richard le Magne... Jamais, même à Roncevaux, nul ne se comporta comme lui... »

L'ennemi, pourtant, s'était ressaisi. Sachant que Richard n'avait guère avec lui que deux mille hommes, dont seulement une cinquantaine de chevaliers – sans chevaux, puisqu'en se portant sur Jaffa, on n'avait pas pris le temps de les faire embarquer –, il résolut de prendre sa revanche.

Les Francs campaient hors des murs de Jaffa. Au petit matin, un Génois de la flotte de secours, s'étant un peu éloigné du campement, vit au loin, à la lueur indécise de l'aube, briller des armures; il donna l'alarme. Richard, réveillé en sursaut, disposa en hâte sa petite troupe, tout en jurant de décapiter de ses mains le premier qu'il verrait céder; il les fit placer en alternant piquiers et arbalétriers, chacun de ceux-ci aidé d'un sergent qui rechargeait une seconde arbalète tandis qu'on tirait la première. La charge des cavaliers ennemis se brisait sur les piques; tandis qu'ils se repliaient pour une seconde charge, la pluie de traits d'arbalètes s'abattait dru, tuant les chevaux et les hommes. « La bravoure des Francs était telle que nos troupes, découragées par leur résistance, se contentaient de les tenir cernés, mais à distance. » En vain Saladin lui-même tentait-il de les encourager.

Richard lui-même se lança alors à l'attaque, frappant tant, et de tels coups, déclara Ambroise, que la peau des mains lui creva.

Là fit-il le coup, ce me semble
Du bras et de la tête ensemble
D'un amiral armé de fer
Qu'il envoya droit à l'enfer!

Lorsqu'il en revint, « sa personne, son cheval et son caparaçon étaient si couverts de flèches qu'il ressemblait à un hérisson ». Ici se place l'épisode entre tous « chevaleresque ». Le frère de Saladin, Malik el-Adil, observait le combat. Sur un ordre donné par lui, la foule des guerriers se fendit pour laisser passer un mamelouk conduisant deux superbes coursiers arabes, qui s'arrêtèrent devant Richard, « car il n'était pas convenable au roi de combattre à pied »...

Au soir de ce 5 août, Saladin et les restes de son armée se replièrent sur Yazour, puis sur Latroun, plus que jamais découragés; ils avaient été battus à plus de dix contre un.

Entamés aussitôt, les pourparlers de paix traînèrent plus d'un mois. Saladin, sachant que son adversaire avait hâte de regagner son royaume étant donné les mauvaises nouvelles qu'il en recevait, comprenait que les retards joueraient en sa faveur; il multipliait d'ailleurs les attentions courtoises à l'endroit de Richard, et, sachant qu'il avait été à nouveau victime de la malaria, lui faisait envoyer à plusieurs reprises des fruits du Liban et des sorbets à la neige.

Il fut finalement décidé que les chrétiens resteraient en possession de la bande côtière, depuis le nord de Tyr jusqu'au sud de Jaffa; cette cité si vaillamment défendue allait demeurer à travers les temps le lieu normal de débarquement des pèlerins : encore aux XIVe et XVe siècles, quand la Terre sainte aura été perdue, on y voyait arriver des pèlerinages dont les membres s'abritaient dans les grottes de la côte en attendant d'obtenir les sauf-conduits nécessaires pour pouvoir s'engager sur la route de Ramla, puis de Jérusalem.

Le traité conclu le 2 septembre 1192 autorisait dorénavant les Francs et tous les chrétiens à rendre librement visite aux Lieux saints sans avoir à payer taxes ou droits de douane quelconques.

Et c'est sur la vision rassurante des foules de pèlerins qui s'engagèrent aussitôt sur le chemin de Jérusalem que se clôt ce chapitre de luttes et de combats où les adversaires ont eu l'occasion de s'affronter, mais aussi de s'apprécier mutuellement. Saladin allait veiller lui-même à ce que les pèlerins ne soient pas molestés; trois pèlerinages aussitôt réunis s'ébranlèrent successivement, tandis que Richard faisait libérer les prisonniers chrétiens, notamment ce dévoué Guillaume des Préaux « qui pour lui avait été pris »; il refusa quant à lui, de se rendre au Saint-Sépulcre, puisqu'il « n'avait pu l'arracher des mains de ses ennemis ». Mais Ambroise son chroniqueur, qui fit partie du deuxième convoi, nous retrace avec émotion les « stations » qu'il parcourut :

Le Sultan a fait attourner
Ses gens qui les chemins gardaient
Quand les pèlerins traversaient
Si que à sûr nous traversâmes
Et les montagnes surmontâmes
Et nous vînmes à la Montjoie
Lors eûmes au cœur grande joie
De Jérusalem que nous vîmes!
A terre, à genoux, nous mîmes
Si comme tous le font par dette
Si vîmes le mont d'Olivette
Là d'où mut la procession
Quand Dieu vint à Sa Passion
Puis nous vînmes vers la Cité
Où Dieu conquit son hérité [héritage]
Le Sépulcre Saint baiser pûmes...
Puis fîmes autre voyage
Droit sur le Mont Calvaire à dextre
Où il mourut qui daigna naître
Illec où la Croix fut fichée.

***

Les combats qui, en Terre sainte, ont amené Richard à trois reprises, à portée de Jérusalem, méritent que l'on s'y attarde. Il semble certain, que, n'eût été la défection du roi de France, la Ville sainte fût retombée entre les mains des chrétiens, et le sort du monde en eût été changé.

On peut, au moins en partie, attribuer l'hésitation du roi d'Angleterre, au fait qu'il s'est senti seul. Pour agir, il lui fallait être sûr de la victoire. Pour agir, mais non pour combattre, puisque dans toutes les rencontres ses forces étaient inférieures à celles de Saladin – largement inférieures même, lors de la dernière bataille, celle qui sauva Jaffa, laquelle à peine reconquise, allait être perdue. En cette circonstance d'ailleurs, sa tactique avait tenu du génie, non seulement en raison du sang-froid dont elle témoigna, mais aussi parce qu'elle présentait une parade parfaite aux escadrons turcs dont il connaissait à fond les méthodes.

Mais – et Richard en était conscient – la prise de Jérusalem représentait un exploit si exceptionnel qu'il fallait être sûr du succès, et d'un succès durable; ce qui impliquait des forces d'occupation nombreuses, dont il se trouva privé par suite de la défection des Français. Sans doute aussi la présence d'un autre roi l'eût-elle aidé à vaincre cette sorte de versatilité qui, chez lui, provoquait si aisément des réflexes négatifs – l'alternance d'*oc e no* que lui reprochait Bertran de Born. Mais il y eut certainement aussi, de sa part, la crainte de perdre, et de l'irréparable discrédit qui eût été alors le sien. Cela, on peut le lui reprocher comme une faiblesse.

Reste que son action aura été bénéfique dans son ensemble. Le poète Geoffroy de Vinsauf le souligne qui nous laissera sur la mort de Richard une longue complainte en vers latins dans laquelle il s'adresse à Dieu :

Souviens-toi du roi par qui Jaffa est à Toi,
Qu'il a défendue seul contre tant de milliers
Et Acre que par son courage il T'a rendue...

La reconquête de ces deux places était inestimable en effet; si le royaume franc de Terre sainte a pu se survivre à lui-même pendant un siècle exactement – de 1191 à 1291 –, c'est bien grâce aux exploits qui l'ont permise. Certes, ces cent ans de survie ne comportent pas que des pages glorieuses; du moins voit-on alors s'esquisser une Méditerranée chrétienne, permettant les voyages et les échanges, prolongeant les capacités de résistance des populations menacées par l'avance turque et retardant ainsi les grandes destructions.

Au-delà de bien des pages de littérature complaisante, s'impose l'image de la grande basilique de Sainte-Sophie de Constantinople, avec ses murs noirâtres. Parmi les nombreux touristes qui la visitent aujourd'hui, très peu ont la curiosité d'emprunter la longue rampe en plan incliné qui conduit jusque sous la coupole; là, on s'arrête, stupéfait, devant la soudaine apparition de saint Michel, ou plutôt de la mosaïque qui le représente : c'est la seule demeurée intacte ou à peu près. Les envahisseurs ottomans l'ont respectée : l'archange étant nommé dans le Coran, il a eu le droit de survivre. Cette mosaïque est un jet de couleurs exceptionnellement lumineuses, qui la rend inoubliable; si bien qu'en redescendant le long de la paroi de marbre sculptée de croix (dont les deux bras ont été partout grattés avec un soin maniaque), on ne peut moins faire que d'évoquer ce qu'a été Sainte-Sophie jusqu'à la date de 1453, avec ses murs flamboyants de mosaïques aussi étincelantes que celle de saint Michel. L'ensemble a dû être plus admirable encore, ou du moins tout autant que Saint-Apollinaire de Ravenne ou Monreale ou Saint-Marc de Venise. Et l'on pense à ces tonnes de smaltes d'or et d'émaux, à ce monceau de « tesselles », martelés avec opinâtreté pour être déversés Dieu sait où ! Deux siècles et demi de survie pour une telle merveille, c'est déjà beaucoup dans l'histoire de l'humanité...

La geste de Richard Cœur de Lion aura permis cette survie et beaucoup d'autres. En fait ni lui ni les croisés qui marchaient à sa suite ne sont les vrais responsables des troubles qui durant le XIIIe siècle allaient affaiblir et parfois même ensanglanter le précaire royaume franc. Les fauteurs de désordres ont été les négociants dont les rivalités mercantiles ont allumé des discordes, voire des guerres, en cette même cité de Saint-Jean d'Acre si durement reconquise et où les Chevaliers de l'Hôpital élevèrent un splendide château qui n'aura été dégagé qu'en notre temps. « Guerre, commerce et piraterie / Font une trinité indivisible », disait Goethe. Et c'est cette néfaste trinité-là qui devait épuiser les restes du royaume, proie facile pour les Mamelouks à la fin du XIIIe siècle. L'action de Richard, reprise et consolidée par Saint Louis aura valu ce répit aux Arabes chrétiens, aux Libanais, aux Arméniens, aux Grecs eux-mêmes, en dépit de la prise de Constantinople par les Latins en 1204.

CHAPITRE VII

Le royal prisonnier

Les lettres et messages qui pressaient le roi d'Angleterre de regagner son royaume n'étaient pas sans fondements. Il avait laissé celui-ci entre les mains de sa mère Aliénor, les pouvoirs d'administration étant dévolus à l'évêque d'Ely, Guillaume Longchamp qui exerçait la charge de chancelier en même temps que celle de justicier.

De l'avis général, il s'agissait d'une forte personnalité. « Un autre Jacob, bien qu'il n'eût pas lutté avec l'ange, au visage remarquable et qui compensait en esprit la petitesse de son corps », dit Richard de Devizes qui le juge pourtant avec plus d'indulgence que la plupart des chroniqueurs. Guillaume de Neufbourg, quant à lui, en fait un portrait impitoyable : « D'une audace et d'une astuce singulières, habile à manier à la fois son pouvoir laïque et son autorité cléricale au point qu'on disait de lui qu'il avait deux mains droites, il était capable de se servir de chacune des puissances séculières et ecclésiastiques, l'une remplaçant l'autre. » Guillaume de Longchamp s'était empressé de convoquer un concile à Londres au mois d'octobre 1190 pour s'imposer à tous avec le titre de légat du pape qui venait de lui être reconnu. Cela lui assurait effectivement un pouvoir d'autant plus étendu que nombreux étaient les évêques et archevêques qui avaient accompagné le roi en Terre sainte : autant de sièges vacants qui laissaient le clergé sans défense devant la « tyrannie » de celui qui pouvait se targuer de sa légation pontificale aussi bien que de son pouvoir de chancelier du royaume. Et le chroniqueur de lui reprocher son faste insolent, l'accusant de ne jamais se déplacer qu'avec un millier de chevaux et « parfois davantage »! – ce qui sent quelque peu l'exagération. Arguant de sa qualité de légat, il exigeait des monastères le droit de gîte, c'est-à-dire d'être reçu ainsi que sa suite lorsqu'il se déplaçait; pour les plus petits d'entre eux qui n'auraient pu le recevoir, il exigeait une aide de cinq marcs d'argent; quant aux plus grands, son arrivée y faisait l'effet d'une nuée de sauterelles! Guillaume de Neufbourg affirme aussi que l'évêque avait fait venir une foule de ses familiers de Normandie et qu'il mariait ses nièces dans les grandes familles anglaises. L'une de ses sœurs, nommée Richende, devait épouser le châtelain du château de Douvres, Mathieu de Clare, et une autre entra dans la famille Devereux.

C'était donc un personnage arrogant et encombrant s'il en fut; ajoutons qu'il ne craignait qu'une seule personne au monde : Jean, le frère du roi, ce qui donne à penser qu'il tenait un rôle ingrat en Angleterre où il tentait de maintenir l'ordre voulu par Richard selon des instructions publiques (ou peut-être secrètes pour certaines), en un temps où chacun aurait pu en prendre à son aise avec la volonté du roi, en son absence.

Les difficultés n'allaient donc pas tarder à éclater entre le chancelier et les deux frères de Richard, aussi bien son frère légitime que son frère bâtard, Geoffroy. Au temps où il hivernait en Sicile, entendant parler de difficultés et de reproches contre l'administration de son chancelier, le roi avait dépêché Gautier, l'archevêque de Rouen, pour régler les conflits nés en son absence, ainsi qu'un nommé Hugues Bardoulf pour contrôler la province d'York où le frère de Guillaume Longchamp avait été installé avec la charge de shérif; mais, au dire de Guillaume de Neufbourg, force lui fut de demeurer oisif, le chancelier n'entendant pas scinder sa charge ni en déléguer la plus petite partie à quiconque – il semble même que les ordres du roi aient été plus ou moins suivis de contrordres de sa part.

Le conflit qui ne pouvait tarder à éclater avec Jean son frère surgit à l'occasion du château de Lincoln dont la garde avait été dévolue à Gérard de Camville du chef de sa femme. Guillaume Longchamp semble avoir voulu se faire livrer la forteresse ou y faire reconnaître son autorité; sur quoi le châtelain avait imploré l'aide de Jean. Guillaume ayant réuni des hommes d'armes, avait fait son entrée dans la cité de Lincoln tout en assiégeant sa forteresse. Jean avait aussitôt ordonné au chancelier de se retirer et occupé les deux châteaux de Nottingham et de Tickhill, prétendant en faire le gage de la levée du siège. Sur ces entrefaites, on apprit la mort du pape Clément III, survenue à Rome le 10 avril 1191; elle mettait fin à la légation accordée à Guillaume Longchamp, lequel ne disposait donc plus que de ses armes séculières. Il se hâta de conclure avec Jean Sans Terre une trêve qui allait se transformer en véritable traité de paix au mois de juillet suivant, quand Guillaume eut solennellement juré de soutenir l'accession au trône de Jean dans le cas où Richard mourrait outre-mer – il était accusé, en effet, d'avoir conclu un pacte avec le roi d'Écosse pour soutenir en ce cas la candidature d'Arthur de Bretagne. En outre, le chancelier retira de Lincoln ses troupes composées de mercenaires venus du continent selon les uns, de Gallois selon d'autres.

Mais une autre affaire surgit, provoquant un second conflit. Il s'agit des démêlés de Guillaume avec le frère naturel de Richard, Geoffroy, devenu, non sans quelques contestations, on l'a vu, archevêque d'York; consacré à Tours le 18 août 1191, il avait reçu, avant même sa consécration, le pallium des mains du pape Célestin III qui avait succédé à Clément. Or Richard avait fait prêter à ses deux frères le serment de ne pas chercher à venir en Angleterre tant que lui-même en serait absent. Ce serment avait été levé pour Jean sur l'intervention de leur mère, Aliénor; en ce qui concerne Geoffroy, le chancelier tenta de l'empêcher de débarquer. Geoffroy y parvint pourtant le 14 septembre, et Guillaume Longchamp dépêcha à Douvres une troupe armée qui s'empressa de consigner l'archevêque en forteresse avec les clercs qui l'accompagnaient, faisant en même temps main basse sur tous ses biens. La rumeur de cet emprisonnement ne tarda pas à se répandre et, habilement excités par Jean Sans Terre, nombreux furent les barons et les évêques qui, comme ceux de Bath et de Chester, clamèrent leur indignation. Inquiet devant l'effervescence soulevée, le chancelier relâcha Geoffroy, mais celui-ci, qui s'était rendu à Londres, ne s'en répandit pas moins en plaintes et griefs contre Guillaume. Ce dernier s'établit à Windsor, puis, devant l'incertitude de sa position, se réfugia dans la Tour de Londres avec les quelques familiers demeurés fidèles.

Une longue lettre de l'évêque Hugues de Nunant, reproduite par certains chroniqueurs, expose les événements dont l'exacte chronologie reste un peu indécise; on peut cependant en déduire que le chancelier Guillaume Longchamp s'était réfugié dans la Tour de Londres après quelques escarmouches entre ses gens et ceux de Jean Sans Terre. À la date du 8 octobre 1191 une grande assemblée avait été convoquée dans la cathédrale Saint-Paul, et, dans le tumulte des accusations portées contre le chancelier, Jean Sans Terre, qui visiblement avait su en la circonstance manier les foules, déclara Guillaume Longchamp destitué de ses fonctions et remplacé par Gautier Fitz-Pierre, l'archevêque de Rouen et par Guillaume le Maréchal tandis que deux autres personnages, Hugues Bardoulf et Guillaume Bruere, exerceraient désormais la charge de justiciers. Sur ce, les représentants de la cité de Londres, laquelle commençait à jouer un rôle capital à l'intérieur du royaume, se virent octroyer par les maîtres du jour une « commune », étant entendu qu'ils juraient fidélité au roi Richard et à son frère Jean et que celui-ci serait le successeur légitime au trône d'Angleterre dans le cas où le premier mourrait outre-mer.

Comme l'a écrit un historien de notre temps, c'est un exemple de « chute ministérielle » à l'époque féodale. Guillaume Longchamp ne pouvait que se démettre, accablé à la fois par les frères du roi et par la foule. Il déclara donc se désister de ses fonctions et rendre à la fois Windsor et la Tour de Londres. Benoît de Peterborough assure que « tous les hommes du royaume se réjouirent de sa disgrâce », ce qui est peut-être un peu excessif. Ayant donné des otages comme gages de son désistement, Guillaume gagna ensuite Douvres après un arrêt à Bermondsey le 11 octobre, tenta de s'embarquer, déguisé en femme, mais, reconnu, il fut ramené de vive force; ce n'est que le 29 octobre qu'il parvint à quitter l'Angleterre pour débarquer en Normandie.

L'anecdote vaut d'être retracée telle que l'a racontée Hugues de Nunant, l'évêque Coventry, ou de Lichfield, avec quelque verdeur et une verve féroce en dépit de son emphase :

> « Comme il n'osait pas [s'enfuir du château de Douvres] ouvertement, il trouva un nouveau genre de fraude et se déguisa en femme. Donc, bien qu'il fût enfermé dans le château supérieur, il décida de gagner le rivage à pied, vêtu d'une tunique de femme verte extrêmement longue au lieu de sa robe de prêtre violette : il avait une chape de la même couleur en guise de chasuble, et sur la tête, au lieu de mitre, une écharpe. Il tenait dans la main gauche, à la place du manipule, une pièce d'étoffe comme pour la vendre; dans la main droite il avait le bâton du vendeur au lieu de la crosse pastorale. Ainsi affublé, l'évêque descendit vers la mer; lui qui avait plus d'une fois revêtu la cuirasse du chevalier, il est étonnant de voir que son esprit était devenu à ce point efféminé, qu'il choisit cette tenue féminine. Comme il était assis sur le rivage, sur une pierre, un

pêcheur aussitôt s'approcha de lui, croyant qu'il avait à faire à une femme de mauvaise vie; lui qui venait quasi nu de la mer, souhaitant se réchauffer, courut vers le monstre et embrassant son cou de la main gauche, tenta de la droite de tâter ses dessous, et comme il était parvenu à relever soudain sa tunique et qu'audacieusement il portait les mains vers les parties inférieures, il sentit et comprit qu'il avait à faire à un homme sous des vêtements féminins. Alors stupéfait, se rejetant en arrière tout étonné, il cria d'une voix forte : “ Venez tous, et voyez ce qui se passe : en une femme, j'ai trouvé un homme! ” Aussitôt ceux qui l'accompagnaient ou se tenaient par là approchèrent et, quoique doucement, le repoussèrent et lui intimèrent l'ordre de se taire; donc le pêcheur arrêta ses clameurs. Et l'hermaphrodite restait là, assis, à attendre. Pendant ce temps, une femme venant de la ville, voyant la pièce de drap que celui-ci ou celle-là portait comme pour la vendre, s'approcha et commença à lui demander quel était son prix et combien d'aunes comptait le tissu. Celui-ci ne répondait pas, car il ignorait tout à fait la langue anglaise. Elle, cependant, insistait; et alors vint une autre femme qui lui posa la même question avec insistance et voulait qu'il lui dise à quel prix il le vendrait. Comme il ne répondait rien et souriait, elles commencèrent à parler ensemble et à se demander ce qu'il en était; flairant une ruse, elles relevèrent le voile qui couvrait son visage et, lui découvrant le nez, elles virent ce visage d'homme noirâtre et rasé de frais. Elles commencèrent à s'étonner plus encore, le renversant à terre, elles clament d'une voix perçante, s'écriant : “ Venez, lapidons ce monstre qui déforme un sexe avec l'autre! ” Aussitôt, s'assemblèrent une multitude d'hommes et de femmes qui lui tirèrent son voile de la tête et le traînèrent à terre, prostré, par les manches et le capuchon, ignominieusement, sur le sable et le long des pierres, non sans le blesser. Ses serviteurs cependant tentèrent deux ou trois fois de le libérer en s'interposant contre la foule, mais ils n'y réussirent pas, car tout le monde le poursuivait avec une ardeur féroce et il fut traîné à travers toute la ville, couvert d'injures, de coups, de crachats, de la façon la plus honteuse. Ainsi traité, ou plutôt maltraité, on l'enferma dans une prison et sous la garde d'un geôlier. »

Et le prélat de terminer sa lettre en exprimant le souhait que le pape comme le roi prennent garde de ne confier de charges qu'à des personnes dignes de leur confiance et qui n'aillent pas ternir l'autorité sacerdotale ou la dignité royale.

Il reste que Jean Sans Terre lui-même donna l'ordre, huit jours plus tard, de libérer Guillaume Longchamp et l'autorisa à passer la mer. Il aborda en Flandre au port de Wissant, dut encore subir lors de son passage dans cette région quelques difficultés, et finalement arriva à Paris où il fut reçu avec beaucoup d'honneur par l'évêque Maurice de Sully, lequel organisa, pour sa réception, une procession solennelle à Notre-Dame et, le sachant quelque peu démuni, lui remit soixante marcs d'argent. En Normandie où il voulut se rendre par la suite, il fut traité en excommunié : tout service religieux cessait à son approche. Mais il envoya de là au pape Célestin et au roi d'Angleterre une relation de ce qui venait de se passer et une plainte contre ceux, évêques et barons, qui lui avaient nui ainsi que contre Jean lui-même, dénoncé comme responsables des troubles qu'il avait encourus. Puis, se sachant soutenu, il adressa à l'évêque Hugues de Lincoln une autre lettre énumérant tous ceux qui à son avis, étaient en Angleterre passibles d'excommunication à leur tour. En tête, figurait naturellement le nom de l'archevêque Gautier de Rouen; une véritable tempête d'excommunications alternées allait s'abattre dès lors sur les diocèses anglais.

Le chroniqueur Richard de Devizes raconte les événements de façon beaucoup plus légère et moins partiale que la plupart des autres annalistes du temps, mais ne cache pas son opinion personnelle notamment à propos de l'octroi de la commune aux citoyens de Londres :

> « Ce jour-là, [il fait allusion à l'assemblée tenue dans la cathédrale Saint-Paul] fut concédée et instituée la commune des Londoniens à laquelle s'obligèrent par serment tous les grands du royaume et aussi les évêques de cette province. Londres a connu alors, pour la première fois, combien le roi manquait au royaume, car ni le roi Richard lui-même ni son prédécesseur et père le roi Henri n'auraient permis que semblable conjuration eût lieu, fût-ce pour mille milliers de marcs d'argent, car les maux qui proviennent de semblable conjuration peuvent être définis en quelques mots : la commune, c'est la démesure de la plèbe, la crainte du royaume, la tiédeur du sacerdoce. »

Il insiste aussi sur le sort malheureux fait à l'église d'Ely après la fuite du chancelier :

> « Toute œuvre liturgique disparaît de l'ensemble du diocèse, dans tous les villages les corps des morts restent sans sépulture. »

Il raconte aussi que deux légats envoyés par le pape en France sont venus en Normandie – à l'instigation, à ce qu'on dit, du roi de France, mais « en secret » – et que le connétable et le sénéchal ne leur ont pas permis d'y entrer, leur interdisant toute visite de la province; il s'agissait d'Octavien, évêque d'Ostie, et de Jordan, abbé de Fossa Nova.

En bref, la reine Aliénor avait toutes les raisons d'envoyer à son fils Richard des messages angoissés : l'état du royaume se ressentait, en effet, du départ de son roi!

Elle-même, d'ailleurs, allait un peu plus tard, au début de l'année 1192, constater le désordre provoqué dans le diocèse d'Ely à la suite de l'excommunication; arrivée le 28 janvier de Normandie à Portsmouth, elle se rendit peu après dans le diocèse.

> « Cette femme dont il faut, bien des fois, faire mention et à juste titre, écrit encore Richard de Devizes, la reine Aliénor donc, visita quelques manoirs, qui lui appartenaient comme faisant partie de son douaire, aux proches environs du diocèse d'Ely. Alors vinrent la trouver de tous les villages et hameaux, partout où elle passait, des hommes, des femmes, des enfants et pas tous de la plus humble condition : un peuple en larmes et lamentable, pieds nus, vêtements en désordre, cheveux négligés. Ils s'adressaient à elle avec des larmes, et les mots leur manquaient dans leur douleur; aucun besoin d'interprètes, car ce qu'ils voulaient dire se lisait comme sur une page ouverte, mais les corps non ensevelis gisaient à travers les champs ici et là, car leurs évêques avaient fait suspendre toute sépulture chrétienne. La reine, comprenant d'où venait une pareille sévérité, car elle était elle-même portée à la pitié, voyant la misère de ces gens qui vivaient parmi les morts, sans plus s'occuper des affaires qui la concernaient elle ou d'autres, vint à Londres et demanda ou plutôt exigea de l'archevêque de Rouen que tous les biens de l'évêque soient rendus à l'évêché et que ce même évêque, en tant que chancelier, soit absous de l'excommunication qui avait été proclamée dans la province de Rouen. Et qui donc eût été à ce point féroce et homme de fer qu'il n'eût été fléchi par cette femme et n'ait écouté ses souhaits? Il annonça que seraient restitués en Angleterre au seigneur d'Ely les biens de son diocèse et de sa famille et obligea celui qui les avait en gage à révoquer la sentence. Ainsi, ce qui avait été une vexation manifeste s'apaisa parmi des gens inapaisés par l'intermédiaire de la reine. »

Il ajoute qu'on ne pouvait pas pour autant faire que les esprits fussent remplis de haine et restent emplis de ce sentiment.

La reine Aliénor, cependant, savait ce qu'elle faisait en se rendant en Angleterre : on avait appris le retour de Philippe en France. Parti de Beyrouth dès le mois d'août précédent avec quatorze galères, il avait ensuite passé quelques jours à Tripoli, puis à Châtelblanc, à Tortose et au fameux château de Margat tenu par les Hospitaliers. On le retrouve ensuite à Banyas, à Djebaïl – appelé alors Giblet, au port de Saint-Siméon desservant la cité d'Antioche, à Alexandrette, puis, longeant les côtes du Péloponnèse après avoir abordé à Rhodes; les deux ports de Modon et Coron étaient alors très fréquentés, notamment par les marchands vénitiens; Philippe Auguste ensuite fait halte à Céphalonie, puis à Corfou d'où il s'était adressé à Tancrède de Sicile pour obtenir l'autorisation de passer sur ses terres.

Quelques chroniqueurs du temps ont remarqué avec ironie que la mauvaise santé, qu'il avait prétextée pour interrompre son expédition et revenir en France, semblait s'être améliorée, car on le vit débarquer à Otrante, où il se trouvait dès le 10 octobre 1191. Il fit étape à Lecce, à Brindisi et à Bari puis à Trani, Barletta, Bénévent; le roi de France était ensuite passé par Capoue, Calvi et la cité de San Germano au pied du mont Cassin, « enfin à Aquino et Frosinone d'où il avait demandé un sauf-conduit à l'empereur Henri VI puisqu'il atteignait alors la terre d'Empire. Il passa à Anagni, puis vint à Rome où le pape Célestin le reçut avec grand honneur et le retint huit jours. Il s'agissait, rappelons-le, de Hyacinthe Bobo qui avait autrefois fréquenté les écoles de Paris et venait de succéder à Clément III, mort le 10 avril précédent. Philippe reçut de lui la rémission de son vœu qui pouvait être considéré comme non accompli. Le roi de France ne pouvait manquer de profiter des bonnes dispositions du pape à son égard pour se plaindre de Richard : « C'est à cause de lui qu'il avait fui la terre de Jérusalem », raconte Benoît de Peterborough, qui prétend même que Philippe aurait demandé au pontife de se venger de son rival sur la Normandie et autres terres dépendant du royaume. « Mais le pontife souverain, sachant qu'il avait dit cela simplement par envie, ne voulut lui donner aucune permission de mal faire sur la terre du roi d'Angleterre. Il lui défendit au contraire sous peine d'anathème de porter la main soit sur lui, soit sur son territoire. »

Il reste qu'on pouvait se douter des intentions de Philippe faisant retour sur la terre de France, tandis que Richard se trouvait affronté aux immenses difficultés de son séjour en Terre sainte.

Le roi regagna la France par Saint-Jean-de-Maurienne après être passé par Viterbe, Radicofani, Sienne, Lucques, Milan, Plaisance, Pavie et fut de retour peu avant la fête de Noël 1191. Et l'on comprend la hâte que manifesta dès lors Aliénor de retourner en Angleterre pour y retenir son fils Jean. On la vit multiplier les convocations et assemblées de barons et de prélats du royaume, successivement à Windsor, à Oxford, à Londres, à Winchester, et ce essentiellement pour retenir Jean sur le sol anglais et l'empêcher de passer la mer pour aller conspirer contre Richard. Il ne faisait en effet de doute pour personne, à commencer par Jean Sans Terre, que son frère aîné ne reviendrait pas de son expédition en Terre sainte : il y avait passé déjà deux années, sans d'ailleurs obtenir de son royaume le secours supplémentaire qu'il avait sans doute espéré. Comme le fait remarquer Richard de Devizes, « ni son unique frère Jean, comte de Mortain, ni ses justiciers, ni les autres barons demeurés là, n'ont paru penser à lui transmettre quoi que ce soit de leur revenu; et même aucun n'a paru penser à son retour. Seule la prière de l'Église montait sans relâche vers Dieu pour lui ». Les bruits sur une nouvelle maladie du roi ne contribuaient pas à apaiser les inquiétudes. La reine Aliénor, quant à elle, s'était clairement donné pour objectif de conserver le royaume pour son fils Richard, héritier légitime et élu de son cœur, comme l'écrit Richard de Devizes – qui semble avoir eu à son endroit une intuition toute particulière :

> « Son instinct maternel se révoltait en elle, et l'inquiétude l'assaillait en pensant au destin de ses deux fils aînés et comment la mort de l'un et de l'autre avait été prématurée. Elle voulait faire tous ses efforts pour que, gardant fidèlement son aide à ses deux derniers enfants, elle puisse être une mère plus heureuse dans leur destinée. »

Ce souci maternel de protéger l'un et l'autre l'incitait, pour l'instant, à empêcher le plus jeune – qu'elle jugeait « d'esprit léger », d'aller, « à l'instigation et sur le conseil du roi de France, comploter contre son seigneur et frère ». Comme le remarque le chroniqueur, il s'agissait pour elle de tout mettre en œuvre pour faire échec à ce que son plus jeune fils pourrait méditer dans ce sens.

Elle y parvint, du reste. Jean dut reporter à plus tard son projet de départ pour le continent, mais, « frustré dans son intention », il s'empara en compensation de deux châteaux, Windsor et Wallingford. Faisant secrètement appeler les connétables royaux, il délégua à des hommes à lui la garde des deux places appartenant au roi. Aussitôt, à l'appel de l'archevêque de Rouen, barons et prélats furent convoqués à Londres. Des pourparlers s'engagèrent, assez indécis s'il faut en croire Richard de Devizes, chacun voulant évoquer la prise de ces châteaux, mais redoutant d'attirer sur lui ce faisant la colère de Jean, lorsqu'une diversion imprévue se produisit dans l'assemblée : des messagers se présentèrent en effet et saluèrent la reine ainsi que tous les assistants de la part de quelqu'un que personne n'attendait : le chancelier Guillaume Longchamp, qui avait, disaient-ils, abordé la veille à Douvres.

Guillaume Longchamp s'était en effet empressé de porter sa cause devant le pape, et celui-ci, lui gardant sa confiance, avait renouvelé la légation que son prédécesseur lui avait accordée. « Tous se taisaient et tenaient leur visage fixé vers celui qui parlait », écrit le chroniqueur, citant Virgile, selon son habitude; il multiplie, en effet, les allusions et citations, mais toujours avec l'humour qui lui appartient.

Un véritable coup de théâtre, ce retour de Guillaume Longchamp! Les membres de l'assemblée, déconcertés, se mettent à implorer le secours de Jean contre le chancelier. Jean, qui s'est ostensiblement installé à Wallingford et témoigne d'un parfait dédain pour les pourparlers entamés contre lui, finit par se rendre lui-même à Londres. Il condescend à écouter une assemblée qui ne lui parle plus des châteaux dont il s'est emparé, mais se plaint avec unanimité de l'initiative du chancelier. Sur quoi Jean révèle aux barons et prélats que celui-ci s'est engagé à lui remettre une somme de sept cents livres d'argent d'ici sept jours s'il n'intervient pas dans les dispositions qu'il prend : « Voyez donc vous-mêmes de combien d'argent j'ai besoin. J'en ai assez dit si vous savez me comprendre! » fait-il pour terminer.

Visiblement tous ont compris. Ils offrent à Jean cinq cents livres d'esterling et tout aussitôt en reçoivent, contre le chancelier, la lettre qu'ils espéraient. Les choses sont rondement menées : « Aucun retard; la reine écrit, le clergé écrit, le peuple écrit. Tous, à l'unanimité, disent non au chancelier; qu'il s'en aille pour sa propre sûreté, qu'il repasse la mer sans délai s'il ne veut pas s'exposer à de nouvelles hostilités. » S'il faut en croire le même Richard de Devizes, le chancelier, devant cette unanimité, devint aussi pâle que « quelqu'un qui aurait écrasé un serpent de ses pieds nus ». Il devait repasser la mer le 2 avril 1192, confiant d'ailleurs que son heure sonnerait tôt ou tard.

Cependant le pressentiment de la reine Aliénor ne la trompait pas. Philippe Auguste, depuis son retour, ne cessait de répandre des rumeurs malveillantes sur son vassal le roi Richard. Il avait été d'ailleurs largement précédé en cela par l'un de ses parents, Philippe de Dreux, évêque de Beauvais, qui avait quitté la Terre sainte peu après la mort du duc de Bourgogne en juillet 1192; on disait que cette mort avait aussitôt rendu la santé au roi Richard...

> « Ayant abordé sur le rivage d'Allemagne, à toutes les étapes de son voyage, [l'évêque] répandait dans les peuples le bruit que ce traître, le roi d'Angleterre, dès son arrivée en Palestine, avait combiné de livrer son seigneur, le roi de France, à Saladin; qu'il avait fait assassiner le marquis [de Montferrat] pour pouvoir s'emparer de Tyr, qu'il avait exterminé le duc de Bourgogne par le poison, qu'enfin il avait livré toute l'armée des chrétiens parce qu'elle ne lui obéissait pas; que c'était un homme singulièrement féroce, dur de mœurs et sans rien d'aimable, expert en ruses et expertissime en dissimulation; que c'était pour cela que le roi de France était si vite revenu, pour cela que les Francs qui avaient été dans l'expédition avaient dû laisser Jérusalem sans la conquérir. La rumeur prenait force d'être ainsi répandue et suscita la haine de tous les hommes contre un seul homme. »

Plus encore, ajoute le chroniqueur, revenu en France,

> « le même évêque de Beauvais avait secrètement murmuré à l'oreille du roi de France que le roi d'Angleterre, qui les avait tous menés à leur perte, avait envoyé des sicaires en France. Philippe en fut troublé et, rompant avec les usages du pays, établit des gardes du corps soigneusement choisis à son usage. Il ajouta qu'il devrait envoyer à l'empereur des délégués avec des présents et tourner sa majesté à la haine du roi d'Angleterre. En conséquence, un mandat impérial fut édicté que toutes les cités, tous les seigneurs de l'Empire, si le roi d'Angleterre revenant de Palestine abordait sur leur terre, devraient l'accueillir avec des armes et le lui présenter vif ou mort. »

Les accusations rapportées par Richard de Devizes ont-elles été inspirées par la suite des événements? En tout cas, la peur de Philippe Auguste, sa terreur d'être assassiné font partie de l'Histoire, et les accusations – qui semblent, au demeurant, parfaitement injustes –, concernant Richard, d'avoir été la cause de la mort prématurée du marquis de Montferrat ont bien circulé dans l'armée des croisés et au-delà, en Orient comme en Occident. Et d'ajouter que tout cela se passait au temps où Richard était abattu par la maladie, que des trêves auraient alors été conclues à son insu par l'évêque de Salisbury Hubert Gautier et par celui qui avait été désigné pour succéder au marquis, Henri de Champagne.

Quand le roi recouvra la santé, les efforts pour réunir une armée capable de s'attaquer directement à la cité de Jérusalem auraient été combattus par ceux-là mêmes qui avaient conclu les trêves et qui dissuadaient les combattants de s'organiser et de répondre à l'appel du roi. Il nous montre Richard exaspéré de cette défection, rongeant de fureur le bâton de bois de pin qu'il portait à la main et s'exclamant : « Seigneur, pourquoi m'as-tu abandonné? » Et encore : « Certes ce n'est pas pour moi, mais pour Toi que désormais mes étendards seront jetés à terre. Certes, ce n'est pas à cause de la lâcheté de mon armée que Toi, mon Roi et mon Dieu, Tu as vaincu aujourd'hui. Toi, et non ton pauvre petit roi Richard que voilà. » C'est dans cet état d'abattement que Hubert Gautier et Henri de Champagne mirent en œuvre ce qui déjà avait été décidé par eux : les trêves conclues avec le sultan, et parvinrent à les faire accepter par le roi.

> « Il y avait dans cet homme un telle force corporelle, un tel courage dans l'âme, une telle foi dans le Christ qu'il fut difficile d'obtenir que, démuni de secours comme il l'était, il ne se lançât pas lui-même au combat, seul contre des milliers de païens soigneusement choisis. »

Ainsi le chroniqueur explique-t-il la fin décevante de l'expédition et la raison pour laquelle le roi Richard n'avait pas poursuivi jusqu'à la prise de Jérusalem. Ce faisant, même s'il s'est laissé quelque peu emporter par l'admiration qu'il éprouve pour Richard, il nous a du moins exposé dans quelles conditions se trouvait son royaume après trois ans d'absence et quel état d'esprit y régnait.

Les allégations de Richard de Devizes, notamment sur tout ce qui concerne Philippe, sont largement confirmées par d'autres témoins. Guillaume de Neufbourg, notamment, témoigne de la terreur du roi de France, de la façon dont très ostensiblement il ne se déplaçait plus qu'avec une escorte armée de crainte que le roi Richard n'eût envoyé des tueurs pour se défaire de lui. Une assemblée aurait même été réunie à Paris pour exposer à ses familiers la raison des précautions qu'il prenait désormais. Il posait même la question de savoir s'il ne devrait pas prévenir les attaques du roi d'Angleterre en menant des hostilités sur ses terres; le conseil aurait approuvé les précautions qu'il prenait, mais fortement déconseillé toute attaque menée sur les domaines d'un roi croisé qui se trouvait donc sous la protection du pape et qu'il eût été honteux d'assaillir. Philippe, tout en s'abstenant d'action militaire, n'en préparait pas moins soigneusement, ajoute-t-il, une guerre et c'est bien dans cette intention qu'il avait sollicité le roi Knut de Danemark, essayant de ranimer la vieille hostilité entre Danois et Anglais. Il n'y était pas parvenu, mais avait néanmoins obtenu la main de la princesse Ingeborg, celle qu'en France on devait appeler Isambour et dont les épousailles allaient être l'occasion d'une forte dot promise par le roi de Danemark à défaut d'une aide militaire. On sait, par ailleurs, comment, dès le lendemain des noces, Philippe allait répudier la malheureuse Isambour, laquelle devait opposer au roi une ténacité incroyable. Mais c'est là une autre histoire [1].

Pour en revenir à Richard lui-même, nous le retrouvons

1. Celle que nous avons racontée, Geneviève de Cant et moi-même, dans un ouvrage intitulé *Isambour, la reine captive* paru aux éditions Stock en 1987.

s'embarquant à Chypre le 9 octobre 1192, après avoir confirmé la possession de l'île à Guy de Lusignan et refusé d'accomplir le pèlerinage au Saint-Sépulcre. Comme l'écrit un chroniqueur, si tant de souffrances, de périls et de travaux n'avaient abouti qu'à un maigre résultat en ce qui concernait la Jérusalem terrestre, du moins beaucoup avait été fait pour instaurer la Jérusalem céleste dans un élan commun et moyennant de nombreux sacrifices personnels.

Mais l'histoire était loin d'être terminée. Et d'abord de violentes tempêtes s'élevèrent peu après le départ de la flotte. Pendant six semaines, les navires furent terriblement malmenés dans les eaux méditerranéennes. Ils se trouvaient à trois jours environ de navigation de Marseille quand, de tenaces rumeurs ayant circulé sur l'accueil qu'on réservait au roi d'Angleterre sur les rivages languedociens, Richard décida de revenir en arrière, de gagner l'Adriatique; esquissant sa manœuvre de retour il finit par aborder à Corfou. Là se place une rencontre curieuse : celle de deux navires de pirates qui d'abord manifestèrent des intentions hostiles contre la nef du roi, mais, ayant reconnu celui-ci, n'allaient pas tarder, au contraire, à lui faire des propositions. S'étant finalement entendu avec eux, Richard s'embarqua sur leur vaisseau, ne gardant avec lui que quelques familiers : Baudouin de Béthune, son clerc nommé Philippe, son chapelain Anselme qui a raconté de façon détaillée, en témoin oculaire, le retour du roi au chroniqueur nommé Raoul ou Richard de Coggeshall; avec eux se trouvaient quelques frères de l'ordre du Temple et un petit nombre de domestiques. Ensemble ils abordèrent sur les rivages, dit le récit, de la Sclavonie, c'est-à-dire de la Yougoslavie actuelle, près d'une ville nommée Gazara, après avoir longé les côtes de l'Adriatique.

Le roi d'Angleterre s'abouchant avec des pirates pour regagner son royaume après la croisade, c'est un début digne du roman d'aventures qui va suivre. Car son retour est un vrai roman, l'histoire étant toujours plus riche que n'importe quelle fiction en fait d'aventures.

Toujours est-il que Richard, qui va mettre plus de dix-huit mois avant de retrouver les côtes d'Angleterre, a dû, sans doute, éprouver une fois ou l'autre le regret d'avoir redouté l'hostilité du comte de Toulouse, au point de faire virer son navire vers Corfou pour ne pas affronter la Méditerranée languedocienne; celle-ci lui eût été sans doute plus favorable que les rivages de l'Adriatique...

Fidèles à leur parole, les corsaires se dirigent donc vers la cité de Gazara (aujourd'hui Zadar) sur l'Adriatique, après avoir longé, au large, Raguse (Dubrovnik) et ses environs. Une fois débarqué, le roi envoie un messager au seigneur du lieu après avoir appris qu'il se trouvait sur les terres du comte Mainard de Görtz. Circonstance on ne peut plus fâcheuse : c'est un vassal du duc Léopold d'Autriche. Il s'agit d'obtenir de lui un sauf-conduit afin de gagner les Alpes; pour se le concilier, Richard donne à son messager des instructions précises : il sera Hugues, un marchand voyageant avec le comte Baudouin de Béthune et désireux de traverser sans encombre son territoire. Il donne aussi à ce messager un cadeau superbe pour le comte Mainard : l'un des trois rubis qu'il a achetés précédemment à un marchand pisan et qu'il a fait monter sur un anneau d'or – les trois pierres lui ont coûté neuf cents besants. Un cadeau de ce genre lui paraît susceptible de lui concilier celui à qui il est destiné.

Mais peut-être est-ce précisément ce présent vraiment royal qui va éveiller les soupçons. Toujours est-il que, lorsque le messager se présente devant le comte, demandant un sauf-conduit pour des pèlerins qui reviennent de Jérusalem, celui-ci demande leurs noms : « L'un deux s'appelle Baudoin de Béthune, l'autre est un marchand, Hugues, qui vous remet cet anneau. » Quelle intuition traverse l'esprit du comte Mainard? « Non, répond-il, il ne s'appelle pas Hugues, mais le roi Richard. » Puis, après un instant de réflexion : « Bien que j'aie juré que j'arrêterais tous les pèlerins arrivant de ces régions et que je n'accepterais d'eux aucun présent, cependant, pour la beauté de ce présent et du seigneur qui me l'envoie, pour l'honneur qu'il m'a fait bien qu'il ne m'ait pas vu, je rends le cadeau reçu et vous concède la liberté de vous retirer. »

À son retour, le messager raconta tout cela au roi; avec ses compagnons, redoutant ce qui pourrait arriver, après avoir acheté des chevaux, ils quittèrent secrètement, au milieu de la nuit, leurs demeures et s'éloignèrent aussi vivement que possible, mettant à profit leur liberté. Or le comte Mainard, regrettant sans doute son bon mouvement, avait fait prévenir son frère, le comte Frédéric de Betesov, lui demandant d'arrêter le roi aussitôt qu'il parviendrait sur sa terre. Ce dernier envoya l'un de ses agents, un homme qui lui était fort dévoué, explorer la ville avec ordre de trouver la maison où s'étaient arrêtés les voyageurs et tenter de découvrir le roi, soit par la parole ou à n'importe quel autre signe. Celui qu'il avait choisi pour cette mission se trouvait être un Normand au nom de terroir, puisqu'il s'agissait d'un certain Roger d'Argenton. Fixé depuis vingt ans dans le pays, il se trouvait parmi les proches de Frédéric dont il avait épousé la nièce. Le comte lui avait promis de lui faire don de la moitié de la ville s'il parvenait à y détecter le roi; passant donc en revue les maisons l'une après l'autre, Roger d'Argenton finit par découvrir ce qu'il cherchait : le roi faisait semblant de s'activer au foyer comme un simple écuyer, mais sa stature même le dénonçait. Roger d'Argenton tomba à ses genoux, tout en larmes et le supplia de prendre la fuite. Il proposa au roi un excellent cheval et lui découvrit de quel marché il était l'objet. Richard, sans plus tarder, prit alors la route avec seulement deux compagnons, un nommé Guillaume de l'Étang et un jeune garçon qui parlait l'allemand, chose indispensable pour les voyageurs s'ils ne voulaient pas être reconnus. Revenu vers son maître, Roger lui déclara que le bruit courant de l'arrivée du roi ne reposait sur rien, qu'il avait seulement vu Baudouin de Béthune et ses compagnons revenant du pèlerinage. Sur quoi, furibond, Frédéric lui ordonna d'aller les arrêter.

Richard, après trois jours et trois nuits sans arrêt et sans prendre de nourriture, était exténué, et ses deux compagnons aussi; ils s'arrêtèrent dans une petite ville, Ginana, sur le Danube, probablement un faubourg de Vienne. Comble de malheur, car, juste à ce moment-là, le duc d'Autriche Léopold, son ennemi juré, y résidait.

Le jeune valet s'en alla acheter quelques provisions, mais il avait pour payer emporté des besants d'or; les bonnes gens de l'endroit n'en avaient jamais tant vu, si bien qu'il suscita une attention bientôt gênante. Comme on lui demandait avec qui il était, il répondit qu'il se trouvait au service d'un très riche marchand, arrivé dans cette ville depuis trois jours. Puis, aussitôt qu'il le put, il revint annoncer au roi ce qui était arrivé, le suppliant de fuir à nouveau. Mais Richard, que la traversée avait fatigué, avait été repris par la fièvre qui l'assaillait de temps à autre depuis son séjour en Terre sainte; quelques jours de repos lui étaient indispensables. Le jeune valet s'en fut à nouveau aux provisions, et il arriva – c'était le jour de Saint-Thomas Apôtre, soit le 21 décembre de cette année 1192 – qu'il eut l'imprudence, comme il faisait froid, de mettre à sa ceinture les propres gants du roi qui devaient être brodés du léopard d'or, blason du roi d'Angleterre. Remarqué par les sergents de la ville, il fut malmené, brutalisé et menacé d'avoir la langue coupée s'il ne disait aussitôt la vérité au sujet de son maître. De gré ou de force, il fut poursuivi jusqu'à la demeure où ils se cachaient, et celle-ci se trouva entourée d'une véritable meute hurlante et menaçante.

Le roi, en entendant les cris, les huées, les vociférations, fit front et, comprenant que devant une pareille foule toute défense serait impossible, tira l'épée et déclara qu'il ne la rendrait qu'au duc en personne. Celui-ci, prévenu sans tarder, arriva. Richard lui-même fit quelques pas à sa rencontre et lui présenta son glaive. Léopold, au comble de la joie, l'emmena fort honorablement et le donna à garder à des chevaliers pleins de zèle qui le surveillaient avec la plus grande attention.

Le chroniqueur qui nous raconte ainsi les faits dans le détail ne peut s'empêcher d'exprimer ensuite son amertume.

> « Race sans cervelle! terre barbare!... misérable infortune qui ne s'est pas produite sans la permission de Dieu tout-puissant, bien que son dessein nous soit caché, soit pour châtier les errements du roi lui-même dans ces temps voluptueux, soit pour frapper les péchés de ses sujets, soit pour que la détestable méchanceté soit connue par le monde entier, de ceux qui ont poursuivi le roi en un tel cas et que, pour la postérité, soient marqués au fer rouge ceux qui sont responsables d'un tel forfait, ceux qui ont opprimé un tel roi, doué d'un tel courage et d'une pareille puissance, et revenant d'un pèlerinage si laborieux, lui ont fait sentir une telle oppression et calamité, imposant à son règne une dette intolérable pour sa rançon. Je me demande quelle race malfaisante et étrangère aux lois de la foi chrétienne aurait pu, envers un tel prince et dans un tel cas, infliger un traitement plus cruel et plus lourd à supporter. »

Et de compléter sa pensée en disant que, le roi fût-il tombé entre les mains de Saladin lui-même, il lui eût sans doute infligé une peine plus légère et eût montré à son endroit générosité et probité égales à la majesté royale et totalement inconnues de cette gent barbare...

Et comme un malheur ne vient jamais seul, le chroniqueur ne manque pas de noter les tempêtes, les orages, les pluies mêlées de grêle qui survinrent en cette saison, causant de nombreux naufrages. L'année entière qui suivit – 1193 – allait en effet être marquée de diverses calamités : tempêtes, inondations et orages amenant des récoltes médiocres et reflétant les calamités de ce temps où le roi était prisonnier. D'autres chroniqueurs renchériront encore sur le sujet; ainsi, Guillaume de Neufbourg parle-t-il de trois phénomènes solaires – des aurores boréales probablement – qui se produisirent successivement au mois de janvier 1192, puis en février 1193 et enfin le 2 novembre de cette même année pendant laquelle Richard fut prisonnier. La première, dit-il, était un présage : dans toute l'Angleterre, une lumière rougeâtre qui dura deux heures environ pendant la nuit, se manifestant à travers le pays, lumière qui paraissait comme teintée de sang; la seconde en février 1193 après minuit, au moment où les moines chantaient laudes, ce fut une lueur rouge telle que la plupart d'entre eux crurent à un incendie proche et interrompirent leur psalmodie. Or c'est peu de jours après que l'on apprit que le roi avait été fait prisonnier. Enfin, la dernière, en novembre 1193, avant l'aube, au moment où l'on commençait à espérer sa prochaine libération.

Sur les lieux d'emprisonnement de Richard, les détails sont rares. On en connaît un en Autriche, la forteresse de Dürnstein, où il fut probablement enfermé aussitôt après sa capture par le duc Léopold, car cette localité ne se trouve guère qu'à une soixantaine de kilomètres de Vienne – un jour de chevauchée donc ou, plus probablement, de navigation sur le Danube par Klosterneuburg et Tulln. C'est un château dont les ruines restent impressionnantes, prenant appui sur le contrefort rocheux qui domine le fleuve; il avait été construit dans la première partie du siècle, vers 1130-1140, par Hadmar von Künringen et venait d'être achevé une vingtaine d'années plus tôt. Par la suite, le château allait être acquis par un représentant de la famille des Habsbourg au XIVe siècle, et détruit par les Suédois, comme beaucoup d'autres, au XVIIe siècle. Il ne reste aujourd'hui qu'un mur garni de tours qui relie le château à la ville avec les vestiges d'une chapelle, portant encore des traces de fresques du début du XVe siècle.

Par la suite, le roi allait être transféré dans une autre forteresse, Ochsenfurt, non loin de la ville de Würzburg. Le voyage se fit probablement surtout par voie fluviale, suivant le Danube toujours, puis la vallée du Main. C'est sans doute là que le roi d'Angleterre, toujours prisonnier, fut remis entre les mains de l'empereur, Henri VI, le fils de Frédéric Barberousse, qui avait été contrarié dans ses visées sur l'Italie et la Sicile par la présence des croisés et en avait conçu une violente animosité contre Richard.

Ce dernier allait être emprisonné dans la forteresse de Trifels dont il reste des ruines imposantes. C'était une énorme construction utilisant trois sommets, forteresse impériale depuis le XIe siècle, sur un site stratégique important. Henri VI jugeait le lieu si sûr qu'il y avait fait déposer les joyaux de la couronne impériale – ils devaient y rester jusqu'à la fin du XIIIe siècle date à laquelle ils furent transportés à Prague; détruite elle aussi par les Suédois au XVIIe siècle. Il en reste aujourd'hui des vestiges importants, on attribue certaines murailles à l'époque des Francs Saliens – ceux qui s'établirent en France. L'ancien donjon – la partie la mieux conservée en bel appareil en bossage, comporte plusieurs étages; deux salles subsistent au rez-de-chaussée et une au deuxième étage – celle-ci ayant servi d'appartement aux empereurs; on en a retiré maints vestiges archéologiques qui sont aujourd'hui déposés à Spire, au musée du Palatinat. Le premier étage comportait une chapelle, et de récentes fouilles ont aussi mis au jour une citerne remontant certainement au XIe siècle.

Cet emprisonnement interminable d'un roi qui revenait de Terre sainte où ses exploits, bien qu'ils n'aient pas abouti à la prise de Jérusalem, n'en avaient pas moins fait sensation, a été très sévèrement jugé. Le *Livere des Reis d'Engleterre* déclare sèchement : « Il ne fut pas mis en liens de fer; néanmoins, en raison de la condition des gens de la terre qui le gardèrent, il fut mené en assez mauvais hôtel, car les gens de ce royaume sont comme bêtes et sont laidement vêtus et laidement mangent et laidement boivent et hideusement parlent. »

Or, aux témoignages des chroniqueurs, Richard, lui, a supporté vaillamment les vexations dont il était l'objet. On nous le montre plaisantant avec ses gardiens, d'humeur toujours gaie, partageant avec eux les boissons dont il pouvait disposer; il était de ceux qui, passé les accès de colère qui pouvaient soudainement surgir, savent toujours se montrer à la hauteur de la situation.

Une légende bien connue est celle du trouvère Blondel de Nesles, un vassal de Richard, retrouvant son seigneur grâce à une chanson qu'ils auraient ensemble composée. Elle nous est racontée par le fameux Ménestrel de Reims, qui composa au milieu du XIIIe siècle toute une série de récits où il mêle, agréablement d'ailleurs, le vrai et le faux; ainsi nous montre-t-il la reine Aliénor amoureuse... de Saladin! En l'occurrence il ne serait pas impossible qu'ici la légende ait un fond de vérité et que, comme l'a fait remarquer Reto Bezzola, Blondel ait été le surnom de Jean II de Nesles, lequel est connu pour sa beauté et ses talents de poète; « un chevalier de stature remarquable et de très belle apparence », dit de lui Guillaume le Breton (encore qu'il lui fasse le reproche de n'avoir pas le courage correspondant à sa beauté; mais il s'agit de l'épisode de Bouvines, au cours duquel les Français ont eu beau jeu d'accuser les Anglais de manque de courage!). Le surnom de Blondel aurait bien convenu à ce trouvère artésien qui devait, plus tard, prendre à son tour la croix et fut en correspondance poétique avec de nombreux autres trouvères de la même époque, comme Conon de Béthune ou Gace Brûlé. Il pouvait avoir vingt-deux ans au moment de l'emprisonnement du roi Richard; et ne serait-ce pas sur les bords du Rhin que l'anecdote serait vraisemblable? Au moment où le duc Léopold d'Autriche avait amené son prisonnier à l'Empereur, la distance n'était pas considérable entre les régions de Picardie et d'Artois et celles des bords du Rhin où se dresse la forteresse de Trifels. Une chanson chantée au pied d'une forteresse à laquelle répond un prisonnier du haut de la tour, c'est de toute façon un épisode trop séduisant pour être passé sous silence...

La prison de Richard étant ainsi localisée, on pouvait

mieux et plus facilement intervenir pour sa libération. Or on constate que les nouvelles de la captivité de Richard n'atteignirent l'Angleterre qu'au mois de février 1193. D'après Raoul de Coggeshall, Richard aurait été gardé par l'Empereur d'abord dans la région de Trèves, puis dans celle de Worms. C'est à cette occasion que le chroniqueur oppose à l'attitude du roi le déploiement abondant de gardiens et de soldats en armes – « des plus courageux parmi les Teutons » – dont Henri VI fit entourer jour et nuit, le glaive tiré, la couche royale, ne permettant à personne de l'approcher.

> « Tout cela pourtant, n'a jamais pu émouvoir le visage d'un prince très serein, qui apparaissait toujours joyeux et hilare dans ses paroles, plein de fierté et d'audace dans ses gestes, selon que le moment, le lieu, la cause ou la personne l'exigeait. Combien de fois a-t-il fait honte et reproches à ses gardiens par des plaisanteries pleines de dérision, combien de fois s'est-il joué d'eux en leur versant à boire, combien de fois a-t-il fait semblant d'agresser les forces de ces brutes comme en se jouant – je laisse à d'autres le soin de le raconter. »

Cependant, plusieurs visiteurs vinrent trouver le prisonnier, entre autres l'abbé de Cluny, et aussi, dit le chroniqueur, le chancelier du roi, probablement Guillaume Longchamp, le fameux évêque d'Ely : il s'était empressé d'aller rendre visite à son seigneur prisonnier, celui qui lui avait fait confiance.

L'Empereur avait à l'endroit de Richard toute une liste de griefs, dont beaucoup relevaient de la simple calomnie. Il finit par convoquer une assemblée d'évêques, ducs et comtes en présence desquels il fit venir le roi et fit détailler, devant tous, ses accusations. Il lui reprochait de lui avoir fait perdre le royaume de Sicile et de Pouille qui lui revenait par droit héréditaire et dont il aurait aidé Tancrède de Lecce à s'emparer après la mort du roi

Guillaume, l'époux de sa sœur Jeanne. Puis, il lui parla de l'Empereur de Chypre, qui était l'un de ses parents, qu'il avait injustement écarté du pouvoir et qu'il avait mis en prison, dont il avait envahi violemment la terre et dont l'île avait été vendue à quelqu'un d'autre. Ensuite, il accusa le roi de la mort du marquis de Montferrat qui était son homme : est-ce par suite d'une trahison et d'un complot que celui-ci aurait été victime des Assassins? Avait-il envoyé lui-même des « assassins » contre le roi de France, son seigneur, à qui il n'avait témoigné aucune fidélité dans leur commun pèlerinage, alors qu'ils se l'étaient jurée, l'un à l'autre, par serment. Enfin, n'avait-il pas déshonoré l'enseigne du duc d'Autriche, son parent, en la faisant, par mépris, jeter dans un cloaque à Jaffa; par des injures honteuses, n'en avait-il pas fait autant aux Allemands dans la terre de Jérusalem et ce à maintes reprises?

> « Sur tout cela et chacune de ces calomnies, dans l'assemblée convoquée par l'Empereur, le roi, qui se tenait là au milieu, avec le duc d'Autriche qui pleurait en écoutant, à plusieurs reprises, argumenta contre chacune des accusations de façon si lumineuse qu'elle lui valut l'admiration et la vénération de tous. Au point qu'aucun soupçon ne demeurait à ce propos par la suite dans les cœurs de ceux devant qui il avait été accusé. Il exposa, en effet, la vérité de ce qui lui était objecté et la valeur des accusations avec des assertions véridiques et une argumentation qui la mettait en lumière, au point d'anéantir tous les faux soupçons qui pesaient sur lui et de ne rien cacher de la vérité de ce qui avait été fait. Cependant il mettait en lumière la trahison ou quelques complots de mort de quelques princes, assurant qu'il était toujours prêt à prouver son innocence, à se purger sur ces accusations pour autant que la Cour de l'Empereur le lui octroierait. Le roi parla longuement devant l'Empereur et les princes, et avec une telle éloquence, une

telle facilité que l'Empereur se leva et, le roi s'étant approché de lui, l'embrassa. Après quoi, il parla avec lui doucement et affectueusement. Et, depuis ce jour, l'Empereur commença à honorer le roi avec beaucoup d'ardeur et à se conduire avec lui de façon familière. »

Richard avait donc désarmé son ennemi et avait su finalement le gagner à sa cause. Comme l'écrit à son tour Roger de Hoveden, « sa conscience étant libre, il éclaira toutes les accusations en répondant toujours et librement, au point que l'Empereur fut enclin envers lui non seulement à la miséricorde, mais même à l'amitié ».

Semblable séance dut avoir lieu au début du mois de mars 1193, car ce fut aux environs du 22 de ce même mois que le montant de sa rançon fut fixé. Le roi pouvait alors recevoir la visite de ses propres familiers, comme l'évêque d'Ely ou encore Hubert Gautier, l'évêque de Salisbury, qu'il envoya aussitôt en Angleterre avec mission de commencer à réunir l'argent de sa rançon. C'était en effet un homme sûr, en qui il se fiait; il l'avait vu à ses côtés en Terre sainte et connaissait sa manière d'agir. Cette rançon avait été fixée à une somme énorme : cent cinquante mille marcs d'argent du poids de Cologne. L'engagement fut solennellement pris, le 29 juin suivant, que, aussitôt que la somme aurait été versée, le roi retournerait librement dans son royaume. Des lettres de Richard et une missive d'Henri VI scellée de la bulle d'or dont se servait l'Empereur, furent envoyées en Angleterre où aussitôt les justiciers décrétèrent que tous, évêques, clercs, comtes et barons, tous abbayes ou prieurés réserveraient pour la rançon du roi le quart de leurs revenus et que même les calices d'argent serviraient à cette fin. « Il n'y eut aucune église, aucun ordre, aucun rang ou sexe qui fût oublié et ne contribuât à la rançon du roi. »

Sur ces entrefaites, on apprit en Occident la mort de Saladin, le 28 février 1193. C'était vraiment une époque qui s'achevait pour la Terre sainte, comme pour l'ensemble des régions du Proche-Orient qui avaient été sous sa domination.

Les interventions en faveur du royal prisonnier s'étaient multipliées, venant entre autres des autorités ecclésiastiques. Le pape avait excommunié l'archiduc d'Autriche Léopold et menacé d'interdit le roi de France s'il osait une action quelconque contre les terres du croisé qu'était toujours le roi Richard. Mais il n'osait excommunier l'Empereur, ni jeter l'interdit sur ses terres : trop de querelles et de désaccords avaient éclaté depuis plus d'un siècle entre papauté et empire...

Aussi peut-on comprendre la violence des lettres de la mère du roi, Aliénor d'Aquitaine, qui maintenait littéralement à bout de bras le pouvoir de son fils contre les convoitises qui s'aiguisaient de jour en jour contre lui. On possède d'elle trois lettres, peut-être rédigées par son chancelier Pierre de Blois, mais portant la marque à la fois de son affection maternelle et de sa fureur devant des événements contre lesquels son fils eût dû être protégé.

> « Souvent, pour des choses de petite importance, écrit-elle au pape Célestin III, vous avez envoyé vos cardinaux aux extrémités de la terre avec un souverain pouvoir, mais, en une affaire aussi désespérante et déplorable, vous n'avez pas seulement dépêché le moindre sous-diacre, voire un simple acolyte. Les rois et les princes de la terre ont conspiré contre mon fils. Loin du Seigneur, on le garde dans les chaînes, tandis que d'autres ravagent ses terres... Et durant tout ce temps, le glaive de saint Pierre reste dans le fourreau. Trois fois vous avez promis d'envoyer les légats et vous ne l'avez pas fait... Si mon fils connaissait la prospérité, nous les aurions vu accourir à son appel, car ils savent bien avec quelle générosité il les aurait récompensés. Est-ce là ce que vous m'aviez promis à Châteauroux avec de telles protestations d'amitié et de bonne foi ? Hélas, je sais à présent que les promesses de cardinal ne sont que de simples mots »

Elle allait jusqu'à menacer le pape d'un véritable schisme s'il ne se décidait pas à agir contre l'Empereur.

Aliénor avait quelques raisons de se montrer à la fois amère et violente : son autre fils Jean, qu'elle n'avait pas pu retenir plus longtemps en Angleterre, s'était rendu auprès du roi de France; il était visible que les deux compères entendaient profiter de l'absence de Richard pour se partager ses possessions. Jean Sans Terre se mit en devoir de parcourir la Normandie en annonçant que Richard ne reviendrait pas et que désormais, c'était lui qui assumait son héritage; quant à Philippe Auguste, sans attendre, il se présenta devant la forteresse de Gisors. Quelque temps auparavant, il avait déjà tenté de l'exiger comme étant la dot de sa sœur, la fameuse Adélaïde, mais avait été éconduit. En ce printemps de l'année 1193, peu après Pâques, le 12 avril, il se présenta à nouveau et, cette fois, Gilbert Vascueil, le sénéchal chargé de la défense de la forteresse, la lui livra sans protestation. C'était lui ouvrir la porte du Vexin normand, tant convoité par Philippe. Celui-ci proclama aussitôt son autorité sur toute la province jusqu'à Dieppe. Quelques seigneurs comme Hugues de Gournay se rendirent à lui. Il tenta même d'assiéger Rouen, mais la forteresse de la cité était défendue par Robert de Leicester à qui la reine Aliénor avait autrefois fait rendre ses terres confisquées par son époux. Il n'était pas question pour lui de trahir un Plantagenêt, et Philippe dut s'éloigner. Il reporta alors ses espérances sur l'aide qu'il attendait des Danois, lors de son mariage avec la princesse Ingeborg, qui eut lieu le 14 août de cette année 1193. Mais on sait que l'aventure allait mal tourner. On l'accusa même d'une véritable tentative de corruption, promettant à l'Empereur une somme égale ou même supérieure à la rançon du roi pour qu'il gardât Richard prisonnier. Peut-être, ajoute un chroniqueur, l'Empereur lui-même, dont l'esprit n'était guère solide, eût-il été convaincu, mais autour de lui les princes de l'Empire s'opposèrent à une telle infamie.

Jean Sans Terre, cependant, n'avait pas manqué de jeter le trouble dans les provinces anglaises, mais trop de fidèles veillaient; le château même de Windsor, dont il s'était emparé, lui fut soustrait. Richard avait alors quitté la forteresse de Trifels et, après la grande assemblée de Haguenau, avait été traité selon son rang et non plus en vulgaire prisonnier chargé de chaînes comme auparavant. Restait à réunir une rançon qui ne représentait pas moins de trente-quatre mille kilogrammes d'argent fin...

Dans toute l'Angleterre, on s'affairait à lever l'aide telle qu'elle était d'ailleurs prévue par les usages féodaux, dans le cas où le seigneur était prisonnier. Cette aide était imposée sous la surveillance vigilante de la reine mère elle-même, Aliénor, secondée par Hubert Gautier, qui entre-temps avait été élu, le 30 mai, archevêque de Cantorbéry. Sur les clercs et les laïcs, sur les nobles et les petites gens, sur les villes et les campagnes, partout on percevait l'impôt. Les cisterciens eux-mêmes, l'ordre pauvre par excellence et traditionnellement couvert par une immunité totale quant aux impôts royaux, se trouvaient cette fois taxés et consacraient à la rançon du roi une année entière de tonte de la laine de leurs troupeaux. C'est aux abbayes cisterciennes, en effet, que l'Angleterre doit l'élevage rationnel des troupeaux de moutons qui, dans les pays où on les laisse vaguer, sont une ruine et, dans ceux où leur élevage est sagement surveillé une fortune. L'Angleterre se ressent aujourd'hui encore de la vie cistercienne, lorsqu'on vante la qualité de ses lainages!

Cependant, l'effort représenté par la première taxation n'avait pu produire l'énorme somme exigée par l'Empereur. Les sacs de cuir s'entassaient dans les caves de la cathédrale Saint-Paul à Londres, mais il fallut une seconde, puis une troisième levée pour parvenir au poids d'argent nécessaire; pour cette troisième levée, jusqu'aux vases sacrés des églises et cathédrales furent requis dans tout le royaume d'Angleterre. Ici et là, les calices furent rachetés par quelque intervention : ainsi celle d'Aliénor elle-même pour l'abbaye de Bury Saint-Edmund's. Mais, dans l'ensemble, l'Angleterre était réellement pressurée, laissée exsangue et sans ressources. Encore dut-on prévoir, la somme n'étant pas complète, l'envoi de deux cents otages pour attendre que tout ce qui était exigé fût réuni.

Cependant, Jean Sans Terre d'une part et Philippe de France de l'autre se démenaient à nouveau désespérément pour que Richard fût gardé prisonnier plus longtemps. Les deux compères avaient appris qu'une première fois il était question de le libérer, le 17 janvier 1194. La reine mère avait pris elle-même la tête du convoi – soigneusement défendu, comme on l'imagine –, apportant la rançon en Allemagne. À nouveau, les princes et hauts seigneurs allemands parvinrent à persuader l'Empereur de tenir parole envers le roi légitime d'Angleterre, non sans que Philippe et Jean aient eu le temps d'envahir à nouveau la Normandie et de s'emparer de la cité d'Évreux. Jean, cependant, était de moins en moins écouté en Angleterre où l'activité d'Aliénor et la loyauté des seigneurs envers leur roi prisonnier prévenaient et maîtrisaient ses agissements.

Aliénor, sur une flotte solidement équipée à Ipswich et Dunwich et conduite par le fidèle pilote Alain Tranchemer – qui déjà avait emmené quelque quatre ans auparavant les navires royaux en Terre sainte – avait pu toucher sans encombre, en dépit de la saison tardive, les côtes d'Allemagne. Elle avait passé à Cologne les fêtes de l'Épiphanie de 1194, reçue par l'archevêque Adolphe d'Alténa. Mais, contrairement à ce qu'elle espérait, elle dut passer tout le mois de janvier dans une attente dont on imagine ce qu'elle devait coûter à cette femme de soixante-douze ans qui venait de s'exposer sur mer dans des conditions si périlleuses, si tentantes pour les pirates, si exposée aussi à voir englouties par la tempête les sommes énormes qu'elle transportait pour la libération de son fils...

Cette libération n'allait intervenir que le 2 février, jour de la Chandeleur. Ainsi appelait-on ce jour où des milliers de cierges s'allumaient – et s'allument encore aujourd'hui – dans les églises pour évoquer le Christ, Lumière de l'humanité. C'est à cette date que, au cours d'une vaste assemblée réunie cette fois à Mayence, Richard fut, selon l'expression du chroniqueur Gervais de Cantorbéry, « rendu à sa mère et à sa liberté ». Cette séance était présidée par Henri VI qui avait à ses côtés le duc Léopold d'Autriche. Le roi d'Angleterre dut faire hommage à l'Empereur. Ce serment devait lui coûter, et il est probable qu'il ne le fit que sur le conseil de sa mère, qui avait sans doute jugé à sa juste valeur un homme dont les ambitions dépassaient largement l'envergure. Henri VI rêvait de monarchie universelle, mais donnait facilement raison au dernier qui avait parlé. L'important pour Richard était d'être libéré. Il prêta donc hommage, remettant sa calotte entre les mains de l'Empereur qui la lui rendit contre la promesse d'un tribut annuel de cinq mille livres sterlings. Richard avait réussi d'autre part à réconcilier son beau-frère Henri le Lion, duc de Saxe, avec l'Empereur, et l'on prévoyait un mariage entre l'un de ses fils et une fille de la famille impériale. Enfin, le 4 février 1194, le roi d'Angleterre quitta Mayence avec Aliénor, non sans s'être acquis une immense popularité auprès des princes allemands. Aliénor et Richard allaient être reçus successivement, à Cologne – où la messe d'action de grâces fut celle de Saint-Pierre-aux-Liens avec, pour antienne, « Je sais à présent que le Seigneur m'a envoyé son ange et m'a délivré de la main d'Hérode... » – et à Anvers, où le duc de Louvain leur avait préparé une réception magnifique.

Le chroniqueur Guillaume de Neufbourg est le seul à raconter une étrange histoire : après le départ du roi, l'Empereur se serait repenti de l'avoir laissé partir et, « comme autrefois Pharaon et les Égyptiens », aurait, entouré qu'il était de quelques flatteurs ennemis du roi, vivement regretté d'avoir ainsi libéré « un tyran d'une force qui était un véritable danger pour le monde, et d'une cruauté singulière ». Mais, Richard aurait été mystérieusement averti de ce nouvel accès de malignité impériale et aurait fait presser le départ, préférant se confier aux éléments plutôt qu'à la perfidie des hommes. « Précaution précipitée autant que sage », dit le chroniqueur. Les gens envoyés à sa poursuite devaient renoncer à s'élancer sur mer et revenir penauds vers l'Empereur. Celui-ci se serait vengé de sa déception en imposant une captivité plus dure aux otages remis entre ses mains.

C'est le 13 mars, le dimanche suivant la fête de saint Grégoire, qu'enfin Richard mit le pied sur le sol anglais, à Sandwich, « *cum magno gaudio* », « avec grande joie », dit Raoul de Coggeshall qui ajoute :

> « A l'heure où le roi aborda avec les siens, c'est-à-dire, à la deuxième heure du jour, le soleil rutilant de clarté, une splendeur pleine de majesté et insolite apparut, à quelque distance du soleil, à peu près la longueur et la largeur d'un corps humain, ayant en elle l'aspect de rougeur et de blancheur brillante et comme la forme de l'iris. Plusieurs de ceux qui virent pareille splendeur eurent l'intuition que le roi avait abordé en Angleterre. »

Richard se rendit avant tout à Cantorbéry et vint se recueillir sur la tombe de saint Thomas Becket. Puis il gagna Londres et là fut reçu avec des délires de joie : « Toute la cité s'étant portée à la rencontre du roi, décorée d'une foule de richesses en tous genres et ornée avec une extrême variété. » Tous, nobles et gens du commun, accouraient au-devant de lui avec joie, tous voulaient le voir revenu de captivité, « lui, dont ils avaient si longtemps craint qu'il ne revienne pas ».

Et l'on raconte que quelques nobles allemands qui étaient venus avec lui et qui pensaient voir l'Angleterre saignée à blanc à la suite des exigences de l'Empereur pour la rançon, restèrent stupéfaits en voyant la magnificence de cette réception. La richesse de Londres les étonna. « Nous admirons, ô roi, dirent-ils, la prudence de ta race qui montre là clairement sa richesse, maintenant que tu es de retour, toi qui peu de temps auparavant pleurais sa pauvreté, quand notre empereur te détenait en prison! »

Le roi ne demeura à Westminster qu'un jour. Il vint ensuite prier devant la tombe de saint Edmond, puis se rendit en toute hâte à Nottingham. Ses barons les plus fidèles étaient en train de faire le siège de Marlborough. Lui-même se chargea de Nottingham et de Tickill, dont Jean Sans Terre, son frère, avait cru s'emparer. Il avait pourtant muni les forteresses, la première surtout, de vivres, d'armes et d'une garnison qui aurait pu résister, le cas échéant, plusieurs années à n'importe quel siège. Mais le roi se présenta si soudainement, le 25 mars, que ses défenseurs perdirent courage « comme la cire fond devant le feu », déclarent les témoins du temps. Ceux qui auraient été chargés de défendre la place ne s'attendaient pas à une attaque aussi soudaine, ni réellement au retour du roi d'Angleterre. Ils préférèrent se livrer, sans pratiquement se défendre, à sa miséricorde, et la reddition eut lieu dès le 28 mars. Le roi en mit quelques-uns en prison et libéra les autres moyennant une forte rançon : il avait singulièrement besoin d'argent. En effet, le long pèlerinage de Terre sainte avait épuisé ses ressources, après quoi sa rançon avait laissé le trésor complètement vide. Or deux préoccupations hantaient désormais Richard : d'abord racheter les otages qu'il avait dû laisser auprès de l'Empereur, ensuite lever une forte armée contre le roi de France qui semait partout sur ses terres ruines et dévastations.

Richard apparaissait réellement avec l'auréole du martyr et la gloire du triomphateur. Son frère, qui en son absence, s'était conduit avec une telle arrogance, n'était plus qu'un perturbateur coupable, aux yeux de tous, d'ingratitude et de perfidie. Comme Pâques approchait, Richard tint, le 10 avril, à Northampton, une Cour solennelle. Il apparaissait, selon l'expression du chroniqueur « comme un nouveau roi » et, de fait, cette Cour de Pâques allait être suivie, le 17 avril, d'un second couronnement, lequel eut lieu avec toute la pompe royale à Winchester – et le choix de cette ville avait de quoi réjouir Richard de Devizes! Là sa mère triomphait aussi bien que lui, car c'est elle qui avait pris en mains ce second couronnement du roi au cours duquel on s'aperçut à peine de l'absence de la reine Bérengère, qui semble s'être attardée en Italie avec Jeanne, sa belle-sœur. La vraie reine, c'était Aliénor qui, en dépit des ans, veillait à tout et semblait rendre à son fils, en ce jour, le royaume qu'elle avait su lui garder. Entouré des principaux prélats de son royaume – Jean évêque de Dublin, Richard évêque de Londres et Gilbert évêque de Rochester, sans oublier Guillaume Longchamp, redevenu sans plus évêque d'Ely –, Richard reçut à nouveau solennellement la couronne des mains d'Hubert Gautier, désormais archevêque de Cantorbéry.

Le chroniqueur avait raison : un autre règne commençait. L'assemblée précédente avait confirmé la soumission de tous les châtelains, de tous les seigneurs qui, pendant son absence, avaient cru ou espéré qu'il ne reviendrait pas. On raconte que le sire de Saint-Michel de Cornouailles, à la pointe de Penzance, Hugues de La Pommeraie, était mort de saisissement en apprenant son retour. Richard se retrouvait maître de son royaume.

Et l'on raconte aussi que Philippe Auguste avait adressé à Jean un message d'alarme : « Prenez garde, le diable est lâché. » On ne savait trop où se cachait Jean Sans Terre; quant au roi de France, repris par sa terreur névrotique de la mort, il ne mangeait désormais aucune nourriture sans l'avoir d'abord essayée sur ses chiens.

Mais l'image du royal prisonnier resterait incomplète si l'on ne rappelait le très beau poème que nous a valu sa dure expérience.

Une fois de plus l'atmosphère poétique qui avait baigné son adolescence et sa jeunesse reparaît et s'exprime en cette émouvante « rotruenge » – pour user du terme de l'époque. Et ce n'est pas un hasard s'il la dédie à la « comtesse-sœur », Marie de Champagne, dont la présence et l'éclat animaient jadis la Cour de Poitiers. Cela confirme, s'il était besoin, la délicatesse de cette lyrique courtoise et, si l'on peut dire, sa force d'imprégnation : Richard, se retrouvant captif et solitaire après tant d'épreuves, révèle le poète qui est en lui et exprime douloureusement l'amertume de celui qui se sent oublié, qui recourt aux souvenirs d'amitié (« mes compagnons que j'aimais et que j'aim[e] »), et plus encore au sentiment courtois envers celle dont le « prix souverain » illumina sa jeunesse.

Ja nuls homs pris [prisonnier] ne dira sa raison
Adroitement s'ainsi com dolans non [comme ceux qui ne souffrent pas];
Mais par confort puet il faire chançon.
Molt ai d'amis, mais povre sont li don :
Honte en auront, se por ma reançon
Sui ces deux hivers pris!

Ce savent bien mi home et mi baron,
Englois, Normant, Poitevin et Gascon,
Que je laissai por avoir en prison!
Je nel di pas por nule retraçon [pour le leur reprocher],
Mais encor sui je pris!

Or sai je bien de voir certainement
Que mors ne pris n'a ami ne parent,
Quant on me lait por or ne por argent.
Molt m'est de moi, mais plus m'est de ma gent,
Qu'après ma mort auront reproche grant
Si longuement suis pris!

N'est pas merveille, se j'ai le cuer dolent,
Quant mes sires tient ma terre en torment;
S'or li membroit [s'il se souvenait] de nostre saire-
[ment
Que nos feïmes andui [tous deux] comunalment,
Bien sai de voir que ceans longuement
Ne seroie pas pris!

Ce savent bien Angevin et Tourain [Tourangeaux],
Cil bacheler qui or sont riche et sain,
Qu'encombrez sui loing d'eus en autrui mains!
Forment m'amoient, mais or ne m'aiment grain
[pas];
De beles armes sont ores vuid li plain,
Por tant que je suis pris!

Mes compaignons que j'amoie et que j'aim,
Ceus de Cahiu et ceux de Porcherain,
Me di, chançon, qu'il ne sont pas certain:
Qu'onques vers eux n'eus le cuer faus ne vain,
S'il me guerroient, il font molt que vilain
Tant com je serai pris!

Contesse suer, vostre pris souverain
Vos salt et gart cil a cui je me claim
Et par cui je sui pris.
Je ne di pas de celi de Chartrain[1],
La mere Louys.

1. Alix – autre « comtesse-sœur » qui visiblement n'a pas autant de place que la première dans les sentiments de Richard –, fille, comme Marie, de Louis VII et d'Aliénor, elle avait épousé Thibaut de Blois-Chartres. Et rappelons aussi que les termes « prix » et « valeur » n'évoquent en rien la signification mercantile que leur a donnée la société bourgeoise du XIXe siècle...

CHAPITRE VIII

Le Cœur de Lion

On aurait pu croire qu'après un accueil aussi triomphal et dans l'atmosphère de joie qu'avait provoquée en Angleterre sa libération, le roi Richard allait prolonger son séjour dans l'île. Mais, deux mois après son retour, dûment couronné à nouveau roi d'Angleterre à Winchester, il s'embarque pour la Normandie, le 12 mai 1194, après avoir, pour son passage et celui de son armée, emprunté sur la laine que les monastères cisterciens s'apprêtaient à vendre comme de coutume aux marchands de Flandre. Il laissait comme administrateur de son royaume l'archevêque Hubert Gautier.

Richard s'était embarqué à Portsmouth. Probablement Aliénor a-t-elle gagné la France en même temps que lui. Du moins lui attribue-t-on la rapide réconciliation entre le roi et son frère Jean. Il se peut que le roi d'Angleterre ait été porté à la bonne humeur par la réception que lui firent les Normands. Débarqué à Barfleur, il parcourut la ville, ayant à ses côtés Aliénor, et aussi le fidèle Guillaume le Maréchal dont le biographe nous raconte l'enthousiasme qui se déchaîna à leur arrivée : « On n'aurait pu jeter une pomme dans les rangs de tous ceux qui se pressaient à l'annonce de son débarquement sans que celle-ci touchât quelqu'un avant de tomber à terre ! » Toutes les cloches des églises s'étaient ébranlées, et aux carrefours, jeunes et vieux, filles et garçons, organisaient des danses à qui mieux mieux.

Dieu est venu dans Sa Puissance,
Tôt s'en ira le roi de France[1].

C'est au milieu de cette liesse que Richard se dirigea vers Lisieux où il allait être reçu par l'archidiacre, Jean d'Alençon, l'un de ses fidèles partisans. Tandis qu'il se reposait, Jean d'Alençon fut appelé au-dehors et ne reparut qu'au bout de quelque temps, la figure sombre. « Pourquoi fais-tu cette mine ? » demanda Richard à qui rien n'échappait. L'archidiacre tenta d'éluder la question. « Ne mens pas, l'interrompit le roi, je sais ce qu'il en est : tu as vu mon frère. Il a tort d'avoir peur : qu'il vienne sans crainte. Il est mon frère. S'il est vrai qu'il a agi follement, je ne le lui reprocherai pas. Quant à ceux qui l'ont poussé, ils ont déjà eu leur récompense ou ils l'auront plus tard. »

Sur quoi Jean fut introduit ; la tête basse, il se jeta aux pieds de Richard, mais celui-ci le releva avec bonté : « N'ayez crainte, Jean, vous êtes un enfant. Vous avez été en mauvaise garde. Ceux qui vous ont conseillé le paieront. Levez-vous, allez manger. » Comme pour répondre à cette invitation, à cet instant des bourgeois de la ville se présentèrent, apportant en présent un magnifique saumon. Richard, recouvrant aussitôt sa gaieté, ordonna qu'on le fît cuire pour son frère.

Aliénor assistait-elle à la fête ? Personne ne nous le dit, mais Roger de Hoveden nous assure que la clémence du roi, à laquelle nul ne s'attendait, était due à sa mère...

Il était clair que Philippe Auguste ne pouvait en aucune façon s'attendre, lui, à bénéficier de l'indulgence dont Richard témoignait envers son frère. Dès l'instant où il apprit sa mise en liberté, il se préoccupa de réunir toutes les forces disponibles en vue d'une guerre qu'il savait inévitable. L'acte qu'il fit dresser en la circonstance est demeuré fameux : c'est ce qu'on appelle la « prisée des

1. Il s'agit de Philippe Auguste, lequel n'est pas populaire en Normandie.

sergents », une liste des hommes d'armes que sont astreints de lui fournir les communes, les prévôtés, les abbayes, en vertu du « service d'ost » qu'elles lui doivent. Le document fait état d'environ 2 000 hommes qui devaient compléter ce que le roi pouvait attendre de la part de ses vassaux en vertu de l'aide féodale. Rassuré peut-être par cet appui appréciable, et comptant sur les difficultés auxquelles Richard avait à faire face après son long emprisonnement et l'énorme rançon payée, Philippe Auguste crut judicieux de prendre l'offensive. Il possédait désormais en Normandie un magnifique point d'appui, la forteresse de Gisors qu'il était parvenu à se faire livrer l'année précédente, 1193. Il l'avait toujours convoitée; on rapporte qu'encore enfant, apercevant les murailles de Gisors, il s'était écrié : « J'aimerais que ces murailles soient d'or, d'argent, de pierres précieuses. » Et comme l'on s'étonnait, il avait ajouté qu'ainsi « il ne serait que plus heureux lorsque plus tard il s'en emparerait ».

Il dirigea d'abord ses forces du côté de Verneuil dont il entreprit le siège, mais l'arrivée soudaine de Richard allait l'obliger à lâcher prise dès le 28 mai. Le roi d'Angleterre, désireux de rallier ses vassaux de Touraine et d'Anjou, avait convoqué l'« ost » féodal à Montmirail. Le 13 juin, il fondit littéralement sur le château de Loches, en expulsa la garnison mise là par Philippe Auguste et, en trois heures, se rendit maître de la place. Le roi de France avait cru bon, entre-temps, de se diriger sur Évreux que lui avait imprudemment cédé Jean Sans Terre. Guillaume de Neufbourg l'accuse de s'y être livré à d'affreux pillages et de n'avoir pas épargné l'église fameuse de Saint-Taurin, le saint évêque en l'honneur duquel on devait plus tard refaire un magnifique reliquaire d'orfèvrerie qui subsiste encore de nos jours.

Au courant de ce qui se passait en Touraine, Philippe se rabattit ensuite sur le sud; Richard et son armée s'étaient installés à Vendôme. Le roi de France établit son camp non loin de la ville, à quelques lieues de la vallée du Loir, et il y eut un échange de défis. On s'attendait à ce que le roi de France, retranché vers Fréteval, attaquât le lendemain, 4 juillet. Mais, Richard, ce matin-là, ne voyant pas l'ennemi se déployer, décida de le poursuivre. Effectivement, l'armée de Philippe se repliait. Laissant une forte arrière-garde sous le commandement de Guillaume le Maréchal qui était venu le rejoindre, Richard se lança alors à la poursuite des Français. Ce fut un véritable désastre. Philippe lui-même faillit être fait prisonnier et n'en réchappa qu'en se cachant dans une église, tandis que l'ennemi s'emparait de tous ses chariots, y compris ceux qui contenaient ses trésors et ses archives. Dure journée qui ménageait aux historiens quelques déconvenues, car, ce jour-là, beaucoup d'actes qui eussent en d'autres temps trouvé place dans le Trésor des Chartes aux Archives nationales furent transférés dans les archives anglaises...

À son retour sur Vendôme, Richard allait trouver bien en place l'arrière-garde commandée par Guillaume le Maréchal, et de louer aussitôt la présence d'esprit et le dévouement de celui qui n'avait pas cédé à la tentation de prendre part à une action qui s'était déroulée sans lui : « Le Maréchal a fait mieux qu'aucun d'entre nous. En cas de besoin, c'est lui qui nous aurait secourus. À lui mon estime, car il a fait plus qu'aucun d'entre nous, et quand on a une bonne armée en réserve, on n'a rien à craindre de ses ennemis. »

La mémorable journée de Fréteval (5 juillet 1194), allait être suivie de trêves. Il y eut aussi, à en croire les chroniqueurs, quelques opérations en ce même mois de juillet, contre Geoffroy de Rancon et le comte d'Angoulême – donc en Aquitaine – au cours desquelles on précise que Richard reçut l'aide de Sanche de Navarre, le frère de la reine Bérengère. Les trêves furent conclues à partir du 1er août à la satisfaction du clergé. Le pape souhaitait vivement une reprise des expéditions en Terre sainte tandis qu'évêques et abbayes se plaignaient des impôts qui leur étaient infligés aussi bien en France qu'en Angleterre. Philippe Auguste, comme Richard, ne se faisait pas faute de taxer les églises pour subvenir à ses besoins guerriers.

On raconte que l'évêque Jean Bellesmains, en visite à Cantorbéry – il était archevêque de Lyon après avoir été évêque de Poitiers –, disait en entendant les plaintes de ses confrères anglais : « Ne parlez pas ainsi : je vous l'assure, en effet, votre roi en comparaison du roi de France, est un véritable ermite ! » Et d'affirmer que c'était sur les biens du clergé qu'il prenait les frais de la guerre qu'il conduisait contre Richard. Celui-ci pourtant était pressé par les besoins d'argent. Il avait trouvé une source de revenus en rétablissant en Angleterre l'usage des tournois que son père avait interdits. Ceux qui y prenaient part furent assujettis à un impôt de 20 marcs pour un comte, de 10 pour un baron, de 4 pour un chevalier et de 2 pour un chevalier errant.

Sans perdre de temps, Richard fit édifier aux Andelys la forteresse restée fameuse de Château-Gaillard, dont la construction allait être menée à bien avec une surprenante rapidité. Le château représente pour l'époque l'exemple complet de ces magnifiques travaux de défense par lesquels s'exprimait surtout l'art de la guerre. Philippe Auguste, quant à lui, s'était empressé de renforcer encore les fortifications de Gisors. Le Château-Gaillard était, de la part de Richard, une réponse qui marquait bien le caractère implacable de la lutte entre les deux hommes.

Dominant une boucle de la Seine sur la rive droite, au lieu dit le Petit-Andelys, le Château-Gaillard prenait appui sur une hauteur dont l'escarpement était à lui seul impressionnant. Le château proprement dit était protégé par une double enceinte dont la seconde, l'enceinte intérieure, décrivait comme une série de festons : des tours peu saillantes qui se touchaient presque, de manière à supprimer tout à fait les angles morts et à permettre des jets multipliés de flèches ou de carreaux d'arbalètes. Le donjon dominant cette enceinte se composait d'une tour ronde de trois étages dont la base comportait un mur épais de 4, 50 m. À l'extérieur, de grands arcs l'entouraient, qui étaient autant de contreforts formant mâchicoulis; c'est-à-dire qu'à la hauteur de l'enceinte, les espaces vides permettaient de déverser des projectiles sur ceux qui auraient tenté d'assaillir. Le donjon était donc pratiquement imprenable. Du côté où la pente du roc est moins escarpée, un éperon s'élevait, sorte d'ouvrage avancé dont les murailles étaient munies de tours rondes. Enfin, entre les deux enceintes du corps principal, un escalier taillé dans le roc conduisait à des salles de garde ou réserves d'équipement dont la voûte était supportée par douze gros piliers carrés. Aujourd'hui encore, les restes de cet énorme château sont impressionnants. Il est extraordinaire de penser que, commencé en 1196, pareil ouvrage fut terminé dès l'année suivante. Considérant de loin la construction, Richard s'écriait avec transport : « Qu'elle est belle, ma fille d'un an ! » Le Château-Gaillard défendait cette région entre l'Epte et la Seine où s'élevait désormais une véritable frontière, châteaux anglais d'un côté, et de l'autre châteaux élevés ou fortifiés par Philippe Auguste jusqu'à Gisors. La vallée de la Seine et la ville même de Rouen étaient désormais bien protégées.

Cependant, tandis qu'il faisait édifier cette forteresse en laquelle se résume l'art militaire du temps, Richard apprenait une nouvelle qui ne pouvait manquer de lui apporter quelque soulagement : son ennemi, Léopold d'Autriche, était mort, mort d'un banal accident, en assiégeant par jeu un château de neige qu'avaient construit les jeunes pages de sa Cour; il avait alors fait une chute de cheval, s'était brisé la jambe et celle-ci, mal soignée, avait été envahie par la gangrène. Il avait fallu l'amputer, mais le duc était mort peu après sans avoir été relevé de l'excommunication encourue pour s'être attaqué à un prince croisé. Pour Richard, semblable accident avait une allure de justice immanente; celui qui avait été cause de son interminable emprisonnement au retour d'une croisade durant laquelle maintes fois lui-même avait fait figure de héros se trouvait à présent privé de sépulture religieuse. Son fils, pour ne plus encourir de sanctions ecclésiastiques, dut renvoyer les otages anglais détenus jusqu'à ce que fût entièrement payée la rançon royale. Le résultat était donc une double libération, pour les otages eux-mêmes et pour Richard qui pouvait désormais consacrer toutes ses ressources à la guerre qu'il menait contre Philippe Auguste. Sa « sirventès », chanson guerrière qui est la seconde des œuvres poétiques de Richard que nous connaissions, faisait précisément allusion à ses besoins de subsides et dépeignait la chambre du trésor de Chinon comme ne contenant « argent ni deniers ». Désormais, lui-même et le roi de France allaient engloutir leurs richesses dans le recrutement des mercenaires, bandes de routiers, dont la solde mettait rapidement tout budget à sec. L'un de ces chefs de bande, nommé Mercadier, allait avoir quelque renom et finir ses jours dans une seigneurie du Périgord; on parlera aussi du fameux Cadoc, autre chef de bande, celui-là au service de Philippe Auguste, et qui allait devenir seigneur de Gaillon où sa tâche principale serait de surveiller le beau Château-Gaillard.

L'année 1195 allait d'ailleurs être marquée par une famine consécutive à une mauvaise récolte qui finit par atteindre même la grasse Normandie : Richard dut faire venir d'Angleterre, tiré de ses réserves, du ravitaillement pour les besoins des populations. Il y eut une entrevue entre Philippe Auguste et le roi d'Angleterre à Verneuil, le 8 novembre de cette année, qui n'amena aucun résultat. Une trêve fut néanmoins décidée jusqu'au 13 janvier suivant. Elle avait été conclue à Issoudun où avaient eu lieu diverses escarmouches au mois de juillet 1195. Mercadier avait détruit les faubourgs de la ville, s'était emparé de la place et l'avait fortifiée pour le compte de Richard. C'est de cette époque, on l'a récemment établi, que date la fameuse Tour Blanche de la ville [1]. Richard lui-même ayant repoussé les attaques de Philippe contre ce que l'on appelait le Château, il est possible que l'on ait

1. Article d'Alain Erlande-Brandenburg au Congrès archéologique de France de 1984, pp. 129-138.

dès ce moment, lors des pourparlers de novembre, envisagé de faire d'Issoudun – comme de la localité berrichonne de Graçay – la dot de la princesse qui épouserait l'héritier de France, le jeune Louis. Mais ni l'un ni l'autre des deux antagonistes ne souhaitaient sérieusement la paix, même après que celle-ci eut été plus ou moins décidée à Louviers en janvier 1196.

Les hostilités ne tardèrent pas à se ranimer, et Philippe Auguste s'empara, quelque temps après, d'Aumale et de Nonancourt tandis qu'éclataient en Bretagne des troubles auxquels le roi de France n'était évidemment pas étranger. Les Bretons revendiquaient leur indépendance, et le jeune Arthur, le fils posthume de Geoffroy Plantagenêt, se déclarait pour le roi de France. Sa mère Constance détestait les Plantagenêts et Arthur, qui n'était pas encore majeur, avait été élevé en partie à la Cour de Philippe Auguste. Il y eut une série d'expéditions punitives vers la Bretagne. La guerre prenait un tour de plus en plus dur, notamment à cause de la présence des routiers, à mesure que s'exaspérait la lutte entre les deux rois.

En revanche, Richard, au cours de ses expéditions en Aquitaine, saisit l'occasion de se réconcilier avec la Maison de Toulouse à laquelle il s'était souvent opposé; il tenait de sa mère Aliénor, présentement retirée à l'abbaye de Fontevraud, les visées traditionnelles des ducs d'Aquitaine sur le Toulousain. Or la sœur de Richard, Jeanne de Sicile, celle qu'il avait voulu, quelques années auparavant, marier avec le frère de Saladin, était arrivée à Poitiers en 1193 après avoir, toujours en compagnie de la reine Bérengère, quitté Rome et gagné le Poitou par Gênes, Marseille et Saint-Gilles. Et voilà Jeanne redevenue l'enjeu d'un traité, celui qui allait être conclu avec Raymond VI de Toulouse : elle serait l'épouse – la cinquième! – de ce Raymond VI, un personnage on ne peut plus équivoque, mais dont Richard recherchait à présent l'alliance contre la Maison de France. Les noces allaient être célébrées à Rouen au mois d'octobre 1196, et, dès l'année suivante, en juillet 1197, Jeanne mettait au monde le futur Raymond VII de Toulouse, dans la cité de Beaucaire.

C'est l'époque où parvinrent au roi d'Angleterre des offres inattendues. En effet, l'empereur Henri VI était mort à Messine au mois de septembre 1197. Son frère, Philippe de Souabe, s'empressa de faire acte de candidature pour lui succéder, mais les princes allemands étaient probablement un peu fatigués d'une famille dont ils n'avaient guère eu à se louer. Ils étaient par ailleurs inquiets des perpétuelles revendications des Hohenstaufen sur la Sicile. Henri VI avait bien laissé un fils, le futur Frédéric II, mais celui-ci n'était encore qu'un bébé, et l'on peut croire que les seigneurs d'outre-Rhin gardaient un souvenir ébloui de ce royal prisonnier qui devant eux, trois ans plus tôt, avait si bien plaidé sa cause dans la Cour impériale. Richard se vit donc offrir par une députation la couronne du Saint Empire.

On imagine à quel point pareille offre eût réjoui son père, qui jadis n'avait pas caché les ambitions qu'il nourrissait du côté de l'Est de l'Europe. Mais Richard n'avait rapporté de ses séjours en Allemagne d'une prison à l'autre, que des souvenirs mitigés... Pour lui, l'Aquitaine et le Poitou représentaient plus que l'Empire, et il n'était pas question non plus de les laisser à la convoitise du roi de France contre lequel les hostilités avaient repris. Il refusa l'offre, mais il suggéra un autre candidat à la députation qui était venue le trouver : son propre neveu, Otton de Brunswick, fils de sa sœur Mathilde et du duc de Saxe, Henri le Lion, qui était mort deux ans plus tôt. Otton avait été élevé en partie à la Cour d'Aquitaine, et Richard le considérait comme un successeur possible : ne l'avait-il pas investi du comté de Poitou et du duché d'Aquitaine? Le jeune homme fut aisément convaincu. Il fit abandon de ces deux titres et, l'année suivante, le 10 juillet 1198, il se présenta à Aix-la-Chapelle. Reçu avec empressement par les barons de l'Empire, il épousa Marie, fille du comte de Lorraine et, deux jours plus tard, ceignit la couronne impériale. C'était un coup dur pour

Philippe Auguste. À l'est comme à l'ouest, les Plantagenêts enserraient maintenant le royaume de France. La situation ne devait se dénouer que seize ans plus tard, sur le champ de bataille de Bouvines.

Richard, cependant, poursuivait ses exploits contre le rival détesté. Diverses rencontres avaient eu lieu. L'une, notamment, aux pieds de la forteresse de Vaudreuil que Philippe Auguste, sentant qu'il ne pourrait la conserver, avait fait miner. Mais Richard s'en était aperçu et avait livré bataille et obligé son rival à se retirer. Un chroniqueur anglais résume la campagne en écrivant : « Le roi de France ne fit rien de mémorable en cette guerre. » La paix qui avait suivi dissimulait à peine le désir des deux rois de reprendre aussitôt que possible les hostilités. Rien ne pouvait en distraire Richard, pas même les nouvelles qui lui parvinrent de l'agitation soulevée à Londres par un nommé Guillaume Fitz-Osbert, surnommé Longbeard – barbe longue – et qui quelque temps agita les foules avant d'être arrêté et exécuté par ordre d'Hubert Gautier.

Les hostilités qui avaient repris en 1197 en dépit d'une septième année de famine qui atteignait durement les populations voyaient plus que jamais s'affirmer la supériorité du roi d'Angleterre sur le champ de bataille. Il s'était emparé de Saint-Valery, en Normandie, le 15 avril et peu de temps après, ses troupes firent prisonnier un parent de Philippe Auguste, Philippe de Dreux, évêque de Beauvais. Il avait été surpris lors d'une offensive sur le château de Milly le 19 mai et, malgré ses protestations, avait été emprisonné à Rouen. Il semble qu'Aliénor elle-même soit intervenue en sa faveur. L'évêque avait bel et bien été pris les armes à la main et ne pouvait guère protester de sa dignité ecclésiastique. Lors de son transfert à Rouen, il avait réussi à s'accrocher à la porte d'une église, mais, bien qu'il eût alors prétexté du droit d'asile, Richard ne voulut rien savoir. On lui prête ces mots lorsqu'il reçut les clercs et familiers de l'évêque venus implorer sa libération :

« Soyez juges entre moi et votre maître. Je veux bien oublier tout ce qu'il a pu faire ou tramer contre moi en fait de maux, sauf un seul : quand je revenais d'Orient et étais détenu par l'empereur du Saint Empire, j'étais traité avec un certain respect de ma personne royale et servi avec l'honneur qui convenait, lorsque votre maître survint un soir; et pour quelle raison il était venu et ce qu'il trama cette nuit-là auprès de l'Empereur, je m'en suis aperçu le lendemain matin. En effet, la main de l'Empereur s'est alors appesantie sur moi et je me suis retrouvé bientôt chargé de chaînes comme à peine un cheval ou un âne en eût pu porter. Jugez donc quelle sorte d'emprisonnement votre maître peut avoir de ma part, lui qui a joué un tel rôle auprès de celui qui me détenait. »

L'évêque de Beauvais allait faire appel au pape, mais celui-ci se devait de considérer que le roi d'Angleterre s'était emparé de l'évêque « non au prêche, mais au combat ». Comme l'écrit Guillaume de Neufbourg il avait « troqué le bâton pastoral contre la lance et la mitre contre le casque, l'aube contre la cuirasse, le bouclier contre l'étole, le glaive de l'esprit contre un glaive de fer ». De fait, Philippe de Dreux ne devait pas être libéré tant que Richard serait vivant.

Celui-ci, d'autre part, réussit un coup de maître en s'alliant, cette même année 1197, avec le comte de Flandre. Dans la députation que délégua le roi d'Angleterre à ce dernier, on retrouve Guillaume le Maréchal qui s'était d'ailleurs distingué lors du siège du château de Milly et, courant dégager un compagnon de combat, avait lui-même franchi une échelle pour escalader les murs : « Sire Maréchal, lui avait lancé le roi, ce n'est pas à un homme de votre rang et de votre renom de se risquer à de tels exploits! Laissez les jeunes chevaliers gagner leur propre renommée! » De fait, à cinquante-trois ans, le Maréchal atteignait plutôt l'âge des missions diplomatiques, et c'est ce que le roi lui confia auprès du comte Baudoin, à lui et à d'autres chevaliers comme Pierre des Préaux, Alain Baset et le propre neveu de Guillaume, Jean le Maréchal. Non content de l'attitude de Philippe Auguste, ou sentant peut-être le vent tourner, ce comte Baudoin décidait effectivement de retirer son hommage au roi de France pour le porter au roi d'Angleterre.

Guillaume le Maréchal allait avoir, l'année suivante, à jouer de même le rôle d'ambassadeur, cette fois auprès d'une personnalité de haut prestige : Hugues d'Avalon, évêque de Lincoln, dont le renom de sainteté était grand et qui devait après sa mort être porté sur les autels. Hugues avait refusé de verser la taxe d'un tiers des revenus de son archevêché pour le compte du roi d'Angleterre. Il arguait de ce que le siège de Lincoln ne devait l'aide féodale que pour servir en Angleterre même. S'étant rendu en Normandie pour rencontrer le roi, Hugues de Lincoln reçut à Rouen la visite de Guillaume le Maréchal et de Baudouin de Béthune (dont la sœur venait d'épouser Baudouin de Flandre), qui venaient le prier instamment de ne pas rencontrer le roi en Cour royale sans lui avoir fait d'abord parvenir un message de conciliation. Mieux que le saint évêque, ils connaissaient ce que pouvaient être les colères de Richard et comprenaient qu'une rupture entre eux eût été désastreuse : mieux valait ne pas la risquer. En l'occurrence, ils allaient réussir et purent retourner auprès du roi, chargés des vœux de l'évêque et de son entière volonté d'apaisement.

Le roi de France n'augurait rien de bon de nouvelles hostilités. Il était alors en grandes difficultés en raison de la résistance opiniâtre que lui opposait son épouse, Isambour de Danemark, qui refusait la répudiation qu'il eût voulu lui imposer. Un nouveau pape venait d'être élu, Innocent III, qui avait pris sa cause en main en dépit de son désir de voir les souverains, tant français qu'anglais, oublier leurs rancœurs réciproques pour reprendre le chemin de la Terre sainte. Il avait envoyé en France le légat Pierre de Capoue pour tenter de proposer des trêves et de dénouer ainsi la situation. Celui-ci, moins prudent ou moins averti que le saint évêque de Lincoln, crut pouvoir entamer la conversation en parlant au roi d'Angleterre de Philippe de Dreux. Mal lui en prit : « Fuyez d'ici, maître menteur, traître, tricheur et simoniaque, et voyez à ne jamais vous trouver à nouveau sur mon chemin! » Sur cette apostrophe, Richard termina, sans plus de ménagement, son entretien avec le légat.

Tout écumant de colère, le roi s'était alors enfermé dans sa chambre, et c'est de nouveau Guillaume le Maréchal qui parvint à mettre un terme à sa fureur. Il était seul à pouvoir le faire. Entrant dans cette chambre du roi d'où tout le monde fuyait en pareil cas, il lui faisait remarquer :

> « Vous ne devriez pas vous laisser bouleverser par si peu de chose. Mieux vaudrait rire, lorsqu'on pense à tout ce que vous avez gagné. Vous voyez que le roi de France est au bout de son rouleau. Il en est réduit à demander la paix ou au moins une trêve. Prenez vos terres, laissez-lui les châteaux, mais soyez sûr qu'il ne pourra rien tirer des terres environnantes pour les garnisons qu'il y mettra. Quand il aura à les nourrir à ses propres dépens, cela lui reviendra aussi cher que de faire la guerre! »

Cette conversation eut lieu au mois de janvier 1199 sur la frontière de Normandie, près de Vernon. Mais les deux entrevues avaient été précédées de toute une série d'hostilités durant les deux années écoulées. En Flandre, le comte Baudouin avait assiégé la cité de Douai et s'en était emparé. Encouragé par ce succès, il avait mis le siège devant Arras. Richard, on s'en doute, lui fournissait l'argent nécessaire pour mener à bien les opérations; de son côté, le comte de Flandre, auquel Philippe Auguste avait soustrait l'Artois lors du règlement de la succession de Philippe de Flandre, regrettait ce beau et riche fief – il devait être long à se consoler de sa perte, car on allait le retrouver lui aussi à la bataille de Bouvines.

Pendant ce temps, Richard combattait dans le Berry où Philippe avait pris possession de quelques petites places; mais le combat le plus décisif devait se dérouler près de Gisors où, une fois de plus, l'armée des chevaliers français fut mise en déroute dans la localité de Courcelles. Philippe Auguste, rebroussant chemin, fut alors pourchassé jusqu'à Gisors et n'échappa que par miracle à un accident où plusieurs des chevaliers qui l'accompagnaient allaient trouver la mort : un pont se rompit, et il tomba à l'eau avec son cheval. Sa chute fut probablement amortie par l'eau, et il en réchappa, mais lui-même devait par la suite reconnaître que c'était un miracle. On devait, jusqu'en notre temps, montrer le lieu où il avait ainsi failli perdre la vie en tombant dans la Troësne. Il n'osa même pas se réfugier dans le château de Gisors, craignant d'y être enfermé; cela se passait le 28 septembre 1198. Après un autre échec, cette fois à Vernon, on conçoit qu'il était prêt à la paix pour laquelle venait intercéder Pierre de Capoue.

Les deux rois eurent enfin une entrevue entre Vernon et le Goulet : Philippe était à cheval sur le bord de la Seine, Richard dans une barque, à bonne distance du rivage, que l'on maintenait difficilement malgré le courant. Le traité, qui instituait une trêve de cinq ans, fut conclu le jour de la Saint-Hilaire, 13 janvier 1199. On prévoyait de nouveau que ces cinq années de paix seraient confirmées par le mariage entre le fils de Philippe et l'une des nièces de Richard, sans autre précision. D'autre part, Otton de Brunswick régnerait sur le Saint Empire avec l'appui de son oncle le roi d'Angleterre. Pour Philippe Auguste, c'était une défaite, mais pour les populations alentour, durement éprouvées par une guerre dont le caractère n'avait cessé de se durcir (Richard avait fait aveugler des prisonniers, Philippe en fit autant de son côté), c'était du moins un répit.

Le roi Richard allait tenir, comme par le passé, sa Cour

solennelle de Noël. Ce fut, cette fois, à Domfront, en Normandie, dans la Normandie désormais apaisée.

Il allait ensuite se diriger vers le sud, reprenant le chemin de sa chère Aquitaine. Durant la première semaine de mars, il était dans la vallée du Loir en compagnie de quelques-uns de ses fidèles, parmi lesquels son frère Jean et Guillaume le Maréchal, lorsqu'il reçut une ambassade d'Aimar, vicomte de Limoges, l'un de ces barons poitevins auxquels il s'était plus d'une fois heurté. On venait lui faire part d'une découverte qui ne pouvait le laisser indifférent : l'un des vassaux d'Aimar, Achard, comte de Châlus, avait été alerté par un paysan qui, en labourant, avait découvert un magnifique trésor : une « table d'or » c'est-à-dire un relief avec des personnages qu'on décrivait comme admirablement sculptés et travaillés, représentant un empereur assis et sa famille, également un bouclier d'argent décoré de figures d'or et nombre de médailles anciennes. Aimar, comme la coutume l'exigeait, faisait remettre à son seigneur la part du trésor qui lui revenait, c'est-à-dire, le bouclier d'argent. Or, selon la coutume de Normandie, le roi était autorisé à recouvrer la totalité du trésor. Et l'on se doute que Richard n'allait pas laisser passer une telle occasion, tant à cause de la somme en numéraire que pareille trouvaille représentait pour lui dont le trésor demeurait déplorablement vide; d'autre part, parce qu'il se méfiait, ayant de solides raisons pour cela, des dires d'Aimar de Limoges et tenait à voir par lui-même ce qu'il en était de la découverte en question.

Comme, de son côté, le comte de Châlus semblait peu pressé de fournir d'autres explications, Richard décida de se mettre en route vers le Limousin, non sans emmener avec lui quelques routiers. Il prit la direction du sud avec Mercadier devenu son homme de main, tandis que son frère Jean faisait route vers la Bretagne et que Guillaume le Maréchal retournait en Normandie. Celui-ci ne devait plus revoir son seigneur...

Quittant Château-du-Loir, Richard s'était rendu droit vers le château de Châlus où il avait quelques raisons de penser que les trésors étaient cachés. Dès le lendemain de son arrivée, le 26 mars, il faisait le tour des murailles. Peut-être est-ce du haut de la Tour Ronde, conservée de nos jours encore, que partit un trait d'arbalète, adroitement décoché, qui l'atteignit à l'épaule. Après avoir crié son compliment au tireur, il regagna sa tente, persuadé que sa blessure n'avait pas plus d'importance que celles qu'il avait tant de fois reçues en Terre sainte, lorsqu'on disait de lui qu'il revenait du combat comme une pelote garnie d'épingles. Reste que le chirurgien de l'armée dut travailler profondément pour tenter d'extraire, sans y parvenir tout à fait, le fer demeuré dans sa chair. Tandis que le roi, étendu sur sa couche, réprimait difficilement les gémissements que la douleur lui arrachait. Inutile de rappeler qu'on ne possédait alors ni les notions ni les moyens permettant de combattre l'infection ou d'arrêter ses progrès qui sont une découverte de notre XXe siècle. On lavait les blessures avec du vin et on appliquait du lard sur les plaies pour hâter la cicatrisation. Dans le cas présent, ces précautions, qui nous paraissent dérisoires, allaient être inopérantes, d'autant plus que Richard n'entendait se condamner ni au repos ni à la diète...

Il comprit assez rapidement que la blessure serait mortelle et aussitôt envoya chercher sa mère, la reine Aliénor, à Fontevraud. Celle-ci accourut « plus vite que le vent » et parvint auprès de son fils bien-aimé assez vite pour l'assister dans ses derniers moments. Le roi avait à ses côtés son chapelain, Pierre Milon, abbé de l'abbaye cistercienne du Pin, non loin de Sanxay, en Poitou, qu'il comblait de ses faveurs. C'est lui qui reçut sa confession et lui donna l'huile des malades. Richard n'avait plus osé communier depuis son retour de Terre sainte en raison de la haine qu'il portait à Philippe Auguste pour avoir profité de son emprisonnement et tenté de le faire prolonger. À présent, lui-même n'était plus que pardon. On raconte qu'il fit venir celui qui avait décoché le trait d'arbalète, un nommé Pierre Basile, ordonna de lui laisser la vie sauve et lui fit remettre une somme de cent sous d'esterlins. Mais la chronique dit aussi qu'après la mort du roi, Mercadier le fit arrêter, écorcher et pendre...

> « Puis, quand le roi vit qu'il ne pouvait vivre, il devisa [déclara remettre] à son frère le royaume d'Angleterre et toutes ses autres teres et lui fit faire féauté [jurer fidélité] par ceux qui étaient là et les trois parties de son trésor et tous ses joyaux devisa à Otton, son neveu, et la quarte partie [le quart restant] commanda qu'elle fût répartie entre les pauvres et ceux qui l'avaient servi. »

Ainsi s'exprime le *Livere des reis d'Engleterre.* L'un des chroniqueurs ajoute que Richard demandait au Seigneur de le laisser en purgatoire jusqu'à la fin des temps en punition des grandes et énormes fautes qu'il avait commises durant sa vie.

La reine Aliénor allait, après avoir recueilli son dernier soupir au soir du 6 avril 1199, faire transporter son corps à l'abbaye de Fontevraud où les funérailles solennelles furent célébrées le dimanche des Rameaux (le jour de « Pâques-fleuries », selon l'expression du temps). Le célébrant n'était autre qu'Hugues, le saint évêque de Lincoln, accompagné des évêques de Poitiers et d'Angers, de l'abbé de Turpenay, Lucas, qui avait assisté la reine durant ce voyage, et de Milon du Pin; selon les désirs du défunt, son cœur avait été transporté à la cathédrale de Rouen où de nos jours (en 1961) des fouilles permirent de le retrouver.

Cependant, dans cette même cité de Rouen, deux fidèles serviteurs attendaient avec tristesse qu'on vînt confirmer la sombre nouvelle qui leur avait été apportée par un messager quelques jours plus tôt à Vaudreuil. Guillaume le Maréchal s'était alors rendu aussitôt dans la ville, où résidait Hubert Gautier, l'archevêque de Cantorbéry, à Notre-Dame-du-Pré. Un chroniqueur a rapporté le bref échange entre les deux hommes, lorsque, la veille de Pâques-fleuries, la nouvelle fatale fut confirmée. L'archevêque penchait pour que la succession de Richard fût attribuée à Arthur de Bretagne. À quoi Guillaume le Maréchal fit observer : « Arthur n'a eu que de mauvais conseillers, il est ombrageux et orgueilleux; si nous le mettons à notre tête il nous causera des ennuis, car il n'aime pas les Anglais. » De fait, Richard lui-même avait désigné pour héritier et successeur son frère Jean Sans Terre. « Maréchal, fit l'archevêque, il en sera selon votre désir, mais je vous dis que jamais, d'aucune chose que vous ayez faite, vous n'aurez autant à vous repentir. – Soit, mais c'est cependant mon avis », conclut Guillaume le Maréchal.

Tel était aussi l'avis de la reine Aliénor qui voyait disparaître son fils bien-aimé, en pleine force, à quarante et un ans, en pleine victoire aussi, au moment même où l'on pouvait espérer une paix durement gagnée sur les embûches du roi de France secondé par son plus jeune fils lui-même, ce Jean qui pouvait aujourd'hui prétendre à l'ensemble de l'héritage des Plantagenêts.

Aliénor ne se faisait aucune illusion sur les capacités de son dernier fils à conserver le beau royaume qu'elle avait tant aidé à édifier. Du moins, avec cette prescience de l'événement qui caractérise cette « femme incomparable », allait-elle tout mettre en œuvre pour l'y aider. C'est ainsi qu'on la vit faire hommage à ce même roi Philippe Auguste que Richard avait tant combattu et aussi entreprendre une étonnante tournée dans les villes de l'Ouest, celles du Poitou et de l'Aquitaine, pour distribuer les chartes de franchise en échange desquelles elle ménageait de la part de ces villes une aide militaire dont Jean allait avoir grand besoin. C'est au cours de cette tournée qu'à Niort elle allait retrouver sa fille Jeanne dans un état de fatigue et de dépression lamentable. Elle était enceinte de cinq mois quand elle avait dû, presque seule, fuir le Lauraguais où son époux avait été incapable de réprimer une révolte de petits barons turbulents. L'idée lui était venue d'aller implorer l'aide de son frère, et c'est alors qu'elle avait appris la mort de celui-ci. Aliénor allait ramener Jeanne avec elle à Rouen où, à la stupéfaction de tout l'entourage, elle déclara son intention de prendre le voile dans l'ordre de Fontevraud – cette maison bien-aimée des Plantagenêts dans laquelle sa mère avait fait établir leur sépulture [1]. L'évêque de Cantorbéry, Hubert Gautier, tenta de la faire revenir sur ce projet, mais Jeanne avait su montrer, précédemment, de quelle trempe pouvait être son entêtement ; là encore, son obstination fut telle qu'on dut prévenir l'abbesse de Fontevraud et passer outre aux règles canoniques. Elle reçut le voile et prononça ses vœux avant de mourir. Ce n'est qu'après sa mort qu'on put l'accoucher de l'enfant qu'elle portait et qui mourut aussitôt après son baptême. Jeanne avait trente-quatre ans. Sa sépulture n'a pas été retrouvée à Fontevraud, mais, en revanche, on y a découvert en 1986 celle de son premier fils, Raymond VII de Toulouse, qui à sa mort avait souhaité être enseveli près de cette mère qu'il n'avait pas connue – tant était grande la vénération portée par la descendance d'Aliénor à l'abbaye très respectée, devenue, comme on l'a dit, le Saint-Denis des rois d'Angleterre.

L'année précédente et presque au même moment, le 11 mars 1198, était morte la « comtesse-sœur », l'exquise Marie de Champagne à laquelle le roi Richard adressait son poème composé dans les prisons allemandes. Le vide s'était fait, décidément, autour de la reine Aliénor.

Cependant, l'hiver de cette fatale année 1199 qui avait été celle de la mort de Richard et de Jeanne, n'allait pas s'achever sans que la reine (elle atteignait, ou peu s'en faut, sa quatre-vingtième année) eût décidé de reprendre la route et de traverser les Pyrénées : un projet lui tenait désormais à cœur, celui de voir une héritière de son sang régner en France. Les pourparlers du traité du Goulet

1. Renvoyons à l'étude d'A. Erlande-Brandenburg intitulée « Le cimetière des rois à Fontevraud », Paris, 1964.

avaient esquissé l'idée d'un mariage de l'héritier de France, Louis, futur Louis VIII, avec l'une des petites-filles d'Aliénor. Mais autant celle-ci, sur le moment, y avait paru indifférente, autant à présent elle tenait à voir aboutir ce qui était une promesse de prolongement de la lignée des Plantagenêts – d'une façon, il est vrai, qu'elle n'avait pas souhaitée, mais qu'elle acceptait dorénavant.

Et c'est ainsi qu'elle passa le tournant du siècle à la Cour d'Aliénor de Castille, sa fille, d'où elle ramènera triomphalement, aux alentours de Pâques 1200, la future reine Blanche qu'elle avait expressément choisie. De ses trois petites-filles – Bérengère, déjà fiancée, Urraca et Blanca –, c'est cette dernière qu'elle a voulu ramener, et c'est un véritable cadeau fait au trône de France par la vieille reine que son discernement ne trompait pas. Urraca n'a laissé aucun nom dans l'histoire; sa cadette Blanche, elle, est devenue la grande reine de notre XIIIe siècle et la mère du roi qui fut un saint, Louis IX.

On imagine Aliénor assistant, sous les voûtes de l'admirable abbatiale de Fontevraud, aux obsèques de son fils aimé. Elle avait aussitôt compris qu'avec lui disparaissait le royaume, démesuré, lui aussi, qui des monts d'Écosse aux Pyrénées avait porté sa gloire. Et peut-être dès cet instant avait-elle formé la décision dernière, celle de voir une petite-fille de son sang devenir reine de France, puisqu'elle-même n'avait pu réaliser l'ambition, affirmée lors du mariage d'Henri le Jeune avec Marguerite de France, de voir son fils recevoir les deux couronnes qu'elle avait successivement portées, celles de France et d'Angleterre.

Curieusement, on ne sait où se trouvait, lors de ces funérailles, celle qui ne fut jamais couronnée : la reine Bérengère. Figure assez pâle, elle n'a pas su, de toute évidence, retenir le terrible époux qui lui avait été donné. Son nom reste lié, en revanche, à celui de l'abbaye de la Pitié-Dieu qu'elle fonda sur la terre de l'Épau bien après la mort de Richard – vers 1229 – et qu'ont peuplée des religieux cisterciens. C'est là que fut enterrée Bérengère dont les restes furent par la suite transportés dans la cathédrale du Mans. On y trouve aujourd'hui son gisant – il n'a pas eu droit aux honneurs de Fontevraud; son visage est un peu banal malgré la beauté de l'ensemble, mais il est vrai qu'il a été restauré.

Cette évocation nous ramène à la seconde des pénitences publiques qu'avait faites Richard, le mardi de Pâques de l'année 1196. De nouveau, s'étant laissé aller à des actes d'homosexualité; il tenait à clamer publiquement son repentir et renouvelait le geste solennel fait à Messine cinq ans plus tôt. C'est alors qu'il avait rappelé auprès de lui la reine Bérengère, laquelle ne semble pas avoir tenu une réelle place dans son existence.

Cela suffit-il pour qualifier tout uniment Richard d'homosexuel? On pourrait aussi le dire cruel parce qu'il a eu, à deux ou trois reprises, des gestes de cruauté. Ses écarts, ne peut-on plus justement y voir l'effet d'un tempérament excessif que d'une passion habituelle? L'existence de son bâtard Philippe et aussi sa réputation de coureur de filles, attestent que les actes d'homosexualité sont chez lui l'effet de dérèglements parmi d'autres. Comme le disait le chroniqueur Ambroise, constatant les faiblesses de ce héros qu'il admirait: « Il s'embat si follement... »

Du moins Richard est-il bien de son temps, car, de ses impulsions ou déviations, il n'éprouve pas la moindre fierté. Bien au contraire, revenant sur ses excès, il ne craint pas d'en faire, par deux fois, de ces pénitences publiques si déroutantes pour notre mentalité. L'idée d'un chef d'État s'humiliant publiquement pour clamer le désordre de son existence et en demander pardon à Dieu devant son peuple rassemblé est certes incompréhensible à notre époque – qui pratique pourtant l'auto-accusation pourvu que ce soit devant le parti ou le dictateur au pouvoir; tout à fait caractéristique, en revanche, de l'époque même de Richard. Pour lui, il ne fait pas de doute que ce qu'on appelle alors la sodomie soit l'un des errements que la Bible condamne avec vigueur. La chute de Sodome en est la punition exemplaire, et sa destruction par le soufre et par le feu reste l'implacable image de cette stérilité, conséquence naturelle de l'homosexualité.

Stérile aussi, le règne de Richard? Il n'a pas laissé d'héritier, mais il a laissé une image. À ses côtés, Guillaume le Maréchal incarne l'esprit même de la chevalerie, dans une fidélité indéfectible qui se survit à elle-même et, en définitive, assurera, elle, la transmission de la couronne au jeune Henri III, fils de Jean Sans Terre. Richard, quant à lui, reste pour nous le héros typique de son temps, y compris ses outrances. Il témoigne bien d'un temps de foi vivante où l'homme se sait pécheur et, loin de justifier ses écarts par une référence à une « liberté » quelque peu suspecte – ou, ce qui serait pire, de désespérer, connaît le repentir et a confiance dans le pardon; durant ses dernières années, lit-on sous la plume des chroniqueurs, il fréquentait chaque jour l'église et multipliait les aumônes; il a comblé de biens cette fondation de l'abbaye Sainte-Marie du Pin dont l'abbé Milon va l'assister au moment de sa mort. Les aveux de ses derniers instants révèlent une foi profonde : il n'a plus osé, depuis plusieurs années, recevoir la communion à cause de sa rancune contre Philippe Auguste, et ils témoignent aussi d'un profond repentir de ses fautes dont il espère le pardon à la fin des siècles.

Un temps aussi d'ardente curiosité : Richard est bien de cette époque où une sainte Hildegarde, savante et mystique, proclame que « l'homme peut tout connaître de l'univers qui l'entoure ». Sur mer, il s'intéresse au pilotage; passant auprès d'un volcan, il en fait l'ascension; entendant parler d'un moine qui interprète l'Apocalypse, il s'empresse de discuter avec lui. Même dans sa mort, il y a une curiosité insatisfaite... On peut évidemment n'attribuer qu'à la seule soif d'or son obstination à vouloir s'emparer du trésor de Châlus. Mais ce n'est pas l'unique fois où se manifeste chez Richard Cœur de Lion une curiosité qu'on peut dire « archéologique » : l'épée Excalibur retrouvée à Glastonbury et qu'il a emportée avec lui outre-mer (il en fera don à Tancrède comme d'un présent exceptionnel) prouve son intérêt pour les pièces rares du passé. Il a le goût du Beau, incontestablement, comme il est doué pour tout ce qui est musique et poésie. Bien de son temps : celui des Organa, des fresques couvrant les murailles comme à Saint-Savin, de la vaste abbaye de Cluny, des voûtes harmonieuses et du chœur lumineux de Fontevraud, des somptueuses enluminures du Sacramentaire de Limoges, ou de ces émaux champlevés aux teintes éclatantes où l'on enfermait les reliques de saint Thomas Becket que réclamaient toutes les églises d'Occident.

Surtout, Richard est pour nous fascinant par ce qu'il a de généreux; il ne craint pas d'exposer sa personne, il aime donner; et par là aussi il est bien d'un temps où les actes de donation remplissent nos archives, plus nombreux à eux seuls que toutes les autres sortes de contrats, d'accords ou de traités.

Les jugements des contemporains, du moins la plupart, ont bien dégagé les aspects insolites et séduisants de sa personnalité. Un Giraud de Barri se fait équitable pour noter que « parmi les qualités variées par lesquelles il s'impose en une sorte de prérogative qui lui est personnelle, il y en a trois qui le rendent illustre, incomparablement : un zèle et une ardeur extraordinaires, une générosité, voire une prodigalité immenses, ce qui est toujours louable chez un prince, et, couronnant ses autres vertus, une ferme constance, tant d'esprit que de parole ». C'est relever chez Richard cette fidélité à la parole donnée qui, à l'époque féodale, constitue l'essentiel de l'engagement du seigneur comme du chevalier.

Un Gervais de Tilbury ira plus loin encore; dans ses *Loisirs impériaux*, composés pour Otton de Brunswick, il appelle Richard « le roi des rois terrestres » (l'expression sera plus tard reprise pour Saint Louis) et ajoute : « Nul n'alla plus loin que lui pour l'ardeur, la magnanimité, la chevalerie, et toutes autres vertus. » Faisant valoir qu'il fut le « défenseur impétueux du saint Patrimoine du Christ », de la Terre sainte, il écrit encore : « Le monde n'eût pas suffi à ses largesses. »

Ainsi l'accent est-il toujours mis sur cette insurpassable générosité. Richard fait partie de ces êtres dont il semble que l'on puisse tout accepter, tant leurs emportements même les révèlent tels qu'ils sont au fond d'eux-mêmes, sans ombre de dissimulation ni de calcul.

Héros de légende? Plutôt que d'une légende, c'est d'un roman de chevalerie qu'il semble issu, de ces romans où le héros engage sa vie, confiant dans la grandeur des destinées humaines et la beauté du monde, sûr de l'existence d'un Amour au-delà de l'amour.

Au-delà de l'Histoire : la légende

C'est forte chose que le plus grand dommage,
La plus grande douleur, hélas, que j'eus jamais
Et que j'aurai tous temps à plaindre en pleurant
Je l'aie à dire, et en chants raconter :
Car celui qui était de Valeur chef et père
Le noble et valeureux Richard, roi des Anglais,
Est mort. – Ah! Dieu, que(l) le perte et quel dommage!
Quels mots pénibles et qui blessent à entendre
Bien a dur cœur qui le pourra souffrir...

Mort est le roi, et mille ans ont passé
Qu'homme jamais fut si preux ou se puisse voir
Et jamais ne sera nul hom(me) qui lui ressemble
Si large, si noble, si hardi, si prodigue,
Qu'Alexandre, le roi qui vainquit Darius
Ne crois qu'il put tant donner et tant faire;
Ni jamais Charles ni Arthur autant firent
Aux yeux de tous, qui les fît, à vrai dire
Craindre des uns, et des autres, applaudir

Je m'émerveille qu'en ce faux siècle truand
Puisse encor rester homme sage ou courtois
Puisque rien n'y valent beaux dits ni exploits de prix
Pourquoi va-t-on s'efforcer peu ni guère?
Qu'aujourd'hui Mort nous montre ce que peut faire

Qui d'un seul coup a le meilleur du monde pris
Tout l'honneur, toutes les joies, tous les biens.
Et nous voyons que rien ne nous en garantit :
On devrait donc moins redouter de mourir!

Ah! seigneur roi valeureux que feront
Désormais armes ni forts tournois mêlés
Ni riches cours ni beaux dons hauts et grands
Puisque vous n'y serez, vous qui en étiez le chef
Et que feront ceux qui étaient livrés à mauvais
Et qui s'étaient mis à votre service
Et qui en attendaient que leur vînt récompense
Et que feront ceux, qui se devraient occire,
Que vous aviez fait à grands richesses venir?

Longs chagrins et piètre vie auront
Et tous temps deuil, tel sera leur sort.
Et Sarrasins, Turcs, païens et Persans
Qui vous redoutaient plus qu'aucun né de mère,
Ils vont tant croître en orgueil leur affaire
Que le Sépulcre jamais ne pourra être conquis.
Mais Dieu le veut; car s'il ne le voulait,
Et vous, seigneur, ayez vécu, sans faillir,
De Syrie vous les auriez fait s'enfuir.

Désormais il n'y a espérance que soient
Rois ni princes qui sachent le recouvrer!
Mais celui qui viendrait à vous succéder
Doit regarder combien vous aimiez Prix
Et quels furent vos deux vaillants frères
Le Jeune Roi et courtois comte Geoffroy;
Et qui restera à leur place, de vous trois,
Doit bien avoir cœur et ferme courage
De faire beaux exploits et d'accomplir hauts faits.
Ah! Seigneur Dieu, vous qui savez pardonner
Vrai Dieu, vrai Homme, vraie vie, merci!
Pardonnez-lui, comme besoin en a,
Ne regardez, Seigneur, à son péché,
Et Vous souvienne qu'il alla Vous servir!

Ce très beau poème, dont aucune traduction ne peut rendre l'accent qu'il possède dans sa langue d'oc originale, a été composé par le troubadour Gaucelm Faidit au lendemain certainement de la mort de Richard, avant même – son éditeur Jean Mouzat [1] l'a fait remarquer – que l'on sache si son successeur au trône d'Angleterre serait Arthur de Bretagne ou Jean Sans Terre. C'est donc un « planh » – une complainte – jailli sous le choc de l'événement. Son auteur, l'un des plus grands troubadours contemporains, ressent douloureusement une perte qui l'atteint d'autant plus que lui-même a été l'un des compagnons de Richard pendant son expédition outre-mer. Toute une strophe d'ailleurs célèbre les exploits du roi durant son épopée « syrienne ». Gaucelm Faidit est de ceux qui vont retourner en Terre sainte, prendre part à l'expédition des barons durant les premières années du XIIIe siècle et, vraisemblablement, mourir là-bas. Son poème, en tout cas, exprime bien la stupeur produite par un événement aussi inattendu : Richard disparu en pleine force, en pleine gloire, au moment où il vient de vaincre ce rival acharné qu'est Philippe Auguste; et cela, à cause d'un accident fortuit, alors qu'il a auparavant bravé des périls sans nombre en s'affrontant au monde musulman.

Cri de douleur, presque d'indignation devant une mort « injuste », qui aura guetté le héros au détour d'un chemin banal pour une agression sans mesure avec son passé et sa personne. C'est, comme l'écrit Roger de Hoveden, la fourmi qui triomphe du lion.

Et l'on a l'impression que la renommée posthume du roi Richard a tendu à compenser l'énorme déception causée par cette mort. N'ayant pas été atteint par l'usure du pouvoir exercé au quotidien, on lui a attribué tout ce dont on le supposait capable, ne retenant de lui que cette image

1. Mouzat (Jean), *Les poèmes de Gaucelm Faidit troubadour au XIIe siècle,* Paris, A.G. Nizet, 1965. *Cf.* pp. 415-424.

d'un homme hors du commun, démesuré en tout son être, – sorte de revanche sur le côté « inachevé » de son existence. Du moins aura-t-elle laissé un écho poétique et légendaire qui la prolonge à travers les siècles.

Car le renom de Richard Cœur de Lion dépasse, de loin, ce qu'on pouvait attendre. Il reste le roi le plus populaire d'Angleterre, alors qu'il n'a régné que dix ans et aura passé le plus clair de sa courte existence sur le continent, voire au Proche-Orient. L'Angleterre, il y est né, mais si l'on additionne les séjours qu'il y fit durant sa vie active, on n'aboutit pas même à une année au total : quatre mois environ en 1189 – d'août à décembre – et, à son retour, une fois libéré « des griffes de l'Empereur », du 13 mars au 12 mai 1194, c'est-à-dire deux mois tout juste : six mois d'existence dans cette île qui lui vaut la couronne royale. Et probablement n'en parle-t-il pas la langue, tout au moins celle du peuple, qui deux cents ans plus tard sera proclamée seule langue officielle par le Parlement; jusqu'alors le français ou plutôt l'anglo-normand était seul usité entre barons et « riches hommes » (le terme « riche » désigne alors les nobles, sans allusion à leur fortune).

Paradoxale donc, cette popularité du roi Richard; elle n'a fait pourtant que s'amplifier d'âge en âge, et déborder très largement les limites de son royaume.

Le Musée de l'Histoire de France, aux Archives nationales à Paris, conserve une lettre de Richard, dictée entre Gaillon et Le Vaudreuil au mois de janvier 1196, qui a pour objet de désigner ceux qui se porteront garants de la trêve qu'il vient de conclure avec le roi de France. Mais ce qui nous intéresse, c'est qu'elle porte un magnifique sceau de cire verte, pendant sur lacs de soie, et que ce sceau montre les deux « lions passants » qui vont devenir l'emblème de l'Angleterre; en France on les appellera « léopards ». Richard aura ainsi légué à son pays le surnom qui le caractérise si bien : il est le « Cœur de Lion », le héros « superbe et généreux ». Déjà un écrivain pourtant peu porté à l'indulgence, Giraud de Barri, avait nommé

Richard « Cœur de Lion », alors qu'il n'avait pas vingt ans – mais avait largement fait la preuve de sa vaillance. Bertran de Born le troubadour le comparait aussi au lion, non seulement en raison de ses exploits, mais parce que, selon ce que la légende dit de cet animal, il épargnait le faible, et se montrait sans pitié pour l'orgueilleux. Jusqu'au chroniqueur de Philippe Auguste, Guillaume le Breton, pour qui Richard est le Lion!

À qui d'ailleurs ne l'a-t-on pas comparé? Tour à tour les héros des chansons de gestes, Roland ou Olivier, ou des romans de chevalerie, Gauvain ou Lancelot, ont été son miroir ou lui ont servi de référence. On a fait intervenir tous les éléments de merveilleux auxquels se prêtaient si bien les récits de croisades, venant de pays lointains et prestigieux, où se sont déroulées des aventures défiant l'imagination.

Durant le règne d'Henri Plantagenêt, le bruit s'était répandu d'une lettre du roi Arthur qui lui aurait été envoyée; en ce qui concerne Richard, c'est une lettre du Vieux de la Montagne qui circule, le maître des Assassins, et quelques chroniqueurs l'ont reproduite. Il est vrai qu'elle n'était pas dépourvue d'arrière-pensées politiques, puisqu'elle disculpait Richard de l'assassinat de Conrad de Montferrat dont on l'accusait, en toute injustice.

Sur un autre plan, avec une truculence renouvelée de cette *Chanson des Chétifs* qui dépeignait des scènes de cannibalisme attribuées alors à Pierre l'Ermite (!), ou aux Tafurs, gueux et truands qui auraient fait leurs délices de la chair des Turcs – on montre le roi Richard festoyant d'une tête de « Sarrasin » que lui avait fait soigneusement bouillir son chef-cuisinier : le roi ne lui avait-il pas demandé de lui préparer un plat de porc, introuvable en pays musulman?

D'autres légendes ont trait, plus généralement, aux origines de Richard, voire des Plantagenêts. Giraud de Barri, ce Gallois à la verve intarissable, qui fut évêque de Saint-David et contemporain du roi, auquel il a largement survécu puisqu'il ne mourut qu'en 1223, a le premier raconté que celui-ci disait en parlant de sa lignée : « Nous venons du diable et retournerons au diable ! » Ce qui fait allusion aux légendes familières à la dynastie des comtes d'Anjou ; un Césaire de Heisterbach, dont le sens du romanesque est bien connu (il est l'inventeur du mot fameux : « Tuez-les tous, Dieu reconnaîtra les siens ! » lors du sac de Béziers...) ne pouvait manquer de rapporter ces on-dit sur l'origine des rois d'Angleterre ; de même Gautier Map, l'archidiacre d'Oxford, qui avait fréquenté la Cour anglaise et a multiplié récits et anecdotes à son sujet, a-t-il rattaché expressément à la personne d'Aliénor la légende fameuse de la femme-serpent, la Mélusine des contes poitevins. Ainsi, qu'il s'agisse de l'ascendance maternelle ou paternelle, d'Aliénor ou des comtes d'Anjou, les Plantagenêts se trouvaient « voués au diable » ! C'est surtout le terrible ancêtre des Angevins, Foulques Nerra, le Noir, qui leur aura valu cette désagréable réputation, laquelle s'est trouvée justifiée, au reste, non dans la personne ou la destinée de Richard, mais dans celles de Jean Sans Terre, dont la sinistre existence ne comporte plus aucune aura de légende, mais fait bel et bien partie de l'Histoire. Foulques Nerra, contemporain d'Hugues Capet (970-1040) est un extraordinaire batailleur et un non moins extraordinaire constructeur de châteaux et d'abbayes qui, à quatre reprises, s'est vu imposer le pèlerinage de Jérusalem en réparation de ses fautes – qu'il expiait d'ailleurs consciencieusement. Personnage excessif lui aussi, mais auquel la science historique peut aujourd'hui rendre un juste hommage, alors que la légende l'avait vilipendé sans discernement [1].

Beaucoup moins frappant, l'un des « mots historiques » attribué à Richard Cœur de Lion : le prédicateur fameux,

1. Renvoyons à la remarquable étude, récemment parue, de Christian Thévenot, *Foulques III Nerra*, Éd. de la Nouvelle République, Tours, 1987.

Foulques de Neuilly, aurait exhorté le roi à se séparer de « ses trois filles » – Tu mens, aurait-il répondu avec emportement : je n'ai pas d'enfant! – Sire, vous avez trois filles : Orgueil, Convoitise et Luxure – Fort bien, aurait répliqué Richard : je donne mon orgueil aux Templiers et Hospitaliers, ma convoitise aux Cisterciens, ma luxure à tout le clergé! » C'est encore Giraud de Barri qui est responsable de l'attribution de l'anecdote à Richard Cœur de Lion; mais peut-on y voir autre chose qu'un de ces *exempla* familiers aux prédicateurs qui en composaient des recueils pour pouvoir illustrer leurs sermons; ainsi sont nées les *Anecdotes* d'Étienne de Bourbon ou, moins connu, le *Ci nous dit* récemment publié par Gérard Blangez [1]. Plus d'une fois, les « filles du diable » auront été ainsi évoquées sous des formes diverses. Robert Grosseteste, le très savant évêque de Lincoln, n'a pas craint de composer tout un poème sur « le mariage des neuf filles du diable ». Personne n'est alors dupe, et l'on s'en donne à cœur joie des unions aussi fantastiques que significatives : l'une des filles, Usure, épouse les bourgeois; sa sœur Fraude épouse les marchands, etc. Il est hautement improbable que Richard ait jamais rencontré Foulques, le curé de Neuilly; mais son sens de l'humour et sa renommée le désignaient pour devenir le héros de l'historiette.

Sire Dieu, roi de gloire,
Qui ta grâce et ta victoire
Envoyas au roi Richard
Qui jamais ne fut couard...

Ainsi débute le *Roman de Richard Coerdelyoun.* C'est l'une des œuvres inspirées par le retour de la croisade et l'emprisonnement du roi. Plusieurs poèmes en sont nés, mais la plupart ont été perdus, comme celui qu'évoquera la chronique en vers de Pierre de Langtoft au début du XIVe siècle. Cette œuvre, malheureusement anonyme,

1. Paris, Picard, 1979. Société des Anciens Textes Français.

abonde en épisodes fantaisistes : Richard en Allemagne aurait été dénoncé au roi régnant, que le *Roman* appelle curieusement Modard, ou Modred – souvenir, sans doute, de Mordred, le dernier ennemi du roi Arthur. Provoqué par son fils, il tue celui-ci en loyal combat, mais gagne le cœur de sa fille, Margerie. Le roi Modard, pour en finir, lui envoie un lion affamé. Richard lui plonge dans la gueule son bras enveloppé d'un drap de soie, lui arrache le cœur et le mange, et c'est ainsi qu'il aurait gagné son surnom de Cœur de Lion...

Par la suite les aventures se succèdent; entre autres Richard se rend à un tournoi et, sans qu'on le reconnaisse, affronte les meilleurs chevaliers d'Angleterre et les désarçonne tous l'un après l'autre; il revêt successivement des armes noires, rouges, blanches; après quoi, il choisit les deux meilleurs chevaliers parmi ceux qu'il a vaincus; s'étant fait reconnaître, il part avec eux pour la Palestine où ils prennent part ensemble aux faits d'armes les plus extravagants mais qui tous sont l'occasion d'opposer les Anglais aux Français en ridiculisant ceux-ci – ce qui n'a rien d'étonnant si l'on rappelle l'époque de composition du poème, la fin du XIVe siècle, c'est-à-dire l'époque d'entre-deux-guerres, celles menées par Édouard III Plantagenêt et celles que va entreprendre la dynastie usurpatrice des Lancastre. La popularité de Richard le met donc ici au service d'une propagande, comme ce fut le cas pour tant de héros!

Plus évocatrices sont les légendes qui associent Richard à Robin Hood – Robin des Bois – et à ses compagnons de la forêt de Sherwood. Histoires des plus séduisantes; le roi Richard à son retour, sous le déguisement d'un abbé de monastère, aurait été arrêté par Robin Hood et ses compagnons, des hors-la-loi, dans cette forêt – où, remarquons-le, il s'est certainement rendu au début du mois d'avril 1194. Or Robin se lie d'amitié avec le soi-disant abbé. Lui et ses compagnons, pourtant, ne sont pas tendres, en général, avec les abbayes qu'ils rançonnent pour assurer leur propre subsistance. Ils se sont retranchés dans la forêt, voulant demeurer fidèles au roi légitime : sur un coup de sifflet de Robin, leur maître, surgissent partout des têtes hirsutes, des gens dépenaillés, qui finissent par reconnaître le roi Richard revenu d'outre-mer. Celui-ci emmène Robin Hood à Londres où il le fait seigneur et pair d'Angleterre.

On aimerait que les diverses ballades forgées sur ce thème aient eu effectivement Richard pour héros. Malheureusement, les versions les plus anciennes ne nomment en fait de roi qu'« *Edward our comely king* »; et l'on a le choix entre les divers Édouard qui se sont succédé sur le trône d'Angleterre – sans parler d'Édouard le Martyr au Xe siècle et de saint Édouard le Confesseur au XIe. Ainsi en est-il dans les ballades les plus anciennes : *Robin Hood, his death, Robin Hood and the potter, Robin Hood, and the Curt,* etc. Dans une chronique rimée d'Écosse, composée vers 1420 par Andrew de Wyntoun, l'histoire de Robin Hood se serait déroulée vers la fin du XIIIe siècle, en 1283-1285, tandis qu'un autre Écossais, Walter Bower écrivant une vingtaine d'années plus tard, lui assigne la date de 1266.

Ce n'est que très tardivement, dans une *History of greater Britain,* composée en 1521 par un autre Écossais du nom de John Major, que l'histoire de Robin Hood et de ses compagnons, trouve place l'an 1193-1194 et se déroule donc lors du retour de Richard dans son royaume, après sa croisade et sa détention en Allemagne. Cette version est restée la plus populaire; elle le méritait [1]...

On n'abandonne pas sans quelque regret cette vision du roi Richard, le Cœur de Lion, surgissant au milieu des gueux qui lui sont restés fidèles. D'autant plus qu'elle nous renvoie à l'Histoire : cette forêt de Sherwood, la reine Aliénor l'avait libérée des droits de forestage que son époux Henri II avait fait peser lourdement sur les forêts anglaises et leurs usagers. Il y avait acquis une réputation

1. Renvoyons à James C. Holt, *Robin Hood et la forêt de Sherwood,* Londres, Thames & Hudson, 1982.

de despotisme qui certes n'était pas usurpée. Ainsi, aux abus de pouvoirs qui avaient marqué le règne précédent, s'opposait, grâce à sa mère, l'avènement de Richard le généreux!

Comme quoi les chemins de la Légende, moyennant quelques détours il est vrai, peuvent croiser ceux de l'Histoire.

Repères chronologiques

1135. *22 décembre.* Étienne de Blois est couronné roi d'Angleterre.

1137. *1er août.* Louis VII devient roi de France et épouse Aliénor d'Aquitaine.

1144. *19 janvier.* Geoffroy d'Anjou est couronné duc de Normandie.

1147. Louis VII part en croisade en compagnie d'Aliénor.

1151. *7 septembre.* Mort de Geoffroy d'Anjou.

1152. Divorce de Louis VII et d'Aliénor. Celle-ci se remarie avec Henri Plantagenêt.
18 mai. Henri Plantagenêt, duc d'Anjou.

1153. Naissance de Guillaume (†1156), premier fils d'Henri II et d'Aliénor.
10 août. Mort subite d'Eustache de Boulogne, héritier du trône d'Angleterre.
6 novembre. Étienne de Blois adopte Henri Plantagenêt.

1154. Naissance d'Henri le Jeune.
25 octobre. Mort d'Étienne de Blois.

19 décembre. Henri Plantagenêt couronné roi d'Angleterre en compagnie d'Aliénor.

1155. Thomas Becket chancelier d'Angleterre.
Naissance de Mathilde, fille d'Henri II et d'Aliénor.

1156. *18 juin.* Frédéric Barberousse couronné empereur.

1157. *8 septembre.* Naissance de Richard Cœur de Lion.

1158. *Novembre.* Rencontre d'Henri II et de Louis VII pour sceller leur réconciliation.
Septembre. Naissance de Geoffroy, futur duc de Bretagne.

1160. *Pentecôte.* Trêve entre Henri II et Louis VII.
2 novembre. Mariage d'Henri le Jeune et de Marguerite de France.
3 juin. Thomas Becket sacré archevêque de Cantorbéry.

1161. Naissance d'Aliénor, future épouse d'Alphonse VIII de Castille.

1164. *Janvier.* Promulgation des « constitutions de Clarendon ».
8 octobre. Condamnation de Becket pour forfaiture.

1165. Naissance de Jeanne, fille d'Henri II et d'Aliénor.
11 avril. Entrevue de Louis VII et Henri II à Gisors.
21 août. Naissance de Philippe Auguste.

1166. Naissance de Jean Sans Terre.
24 avril. Rencontre de Louis VII et Henri II à Nogent-le-Rotrou.

1167. *4 juin.* Rencontre de Louis VII et Henri II dans le Vexin.
Juillet. Henri II soumet la Bretagne.
22 juillet. Mort de Mathilde d'Anjou.

1168. Révolte des barons poitevins et bretons contre Henri II.
7 avril. Rencontre de Louis VII et Henri II à Pacy-sur-Eure.

1169. *6-7 janvier.* Rencontre de Louis VII et Henri II à Montmirail.
7 février. Rencontre de Louis VII et Henri II à Saint-Léger-en-Yvelines.
18 novembre. Rencontre de Louis VII, Henri II et Becket à Saint-Denis et Montmartre.

1170. *27 mars.* Aliénor échappe à une embuscade organisée par les Lusignan.
29 juin. Tremblement de terre en Terre sainte.
22 juillet. Entrevue entre Henri II et Becket à Fréteval.
Août. Henri II tombe malade en Normandie.
1er décembre. Retour de Thomas Becket en Angleterre.
29 décembre. Meurtre de Thomas Becket dans la cathédrale de Cantorbéry.

1171. *25 janvier.* L'interdit est jeté sur les domaines continentaux d'Henri II par le légat pontifical.
17 octobre. Henri II commence la conquête de l'Irlande.
25 décembre. Aliénor et Richard convoquent leurs vassaux méridionaux.

1172. *Janvier.* Richard concède le droit de viguerie à l'évêque de Bayonne, Fortanier.
21 mai. Henri II se soumet à l'Église à Avranches.
27 août. Couronnement d'Henri le Jeune à Winchester.
27 septembre. Réconciliation définitive d'Henri II avec l'Église.

1173. *Février-mars.* Henri II convoque ses barons à Montferrand, puis à Limoges.
8 mars. Henri le Jeune s'enfuit de Chinon.
Juin. Philippe de Flandre assiège Aumale, Louis VII et Henri le Jeune, Verneuil.

19 août. Henri II poursuit ses vassaux révoltés jusqu'à Beuvron.

1174. *12-13 juillet.* Pénitence publique d'Henri II sur la tombe de Becket.
Printemps. Les habitants de La Rochelle refusent d'ouvrir leurs portes à Richard.
8 juillet. Henri II emmène Aliénor et les épouses et fiancées de ses fils en Angleterre. Relégation d'Aliénor.
23 septembre. Soumission de Richard à Henri II.
30 septembre. Soumission de Geoffroy et Henri le Jeune à Henri II.
Octobre. Accord de Falaise : Richard garde le Poitou sous l'autorité de son père.

1175. *Février.* Geoffroy et Richard prêtent hommage à Henri II au Mans.

1176. Mort de Rosemonde, maîtresse d'Henri II.
3 avril. Violente tempête en Normandie.
19 avril. Henri le Jeune et son épouse, en route pour Compostelle, débarquent à Honfleur. Il part avec Richard pour assiéger Châteauneuf.
27 août. La princesse Jeanne, fille d'Henri II et d'Aliénor, promise à Guillaume de Sicile, débarque en Normandie pour se rendre en Sicile. Richard et Henri l'accompagnent.
9 novembre. Mariage de Jeanne et de Guillaume à Palerme.
25 décembre. Richard tient sa première Cour de Noël à Bordeaux.

1177. *2 février.* Richard regagne Poitiers.
13 février. Couronnement de Jeanne comme reine de Sicile.
21 avril. Défaite des anciens mercenaires de Richard à Malemort devant Henri II.
21 septembre. Entrevue d'Henri II et de Louis VII à Ivry.

25 décembre. Henri II réunit sa Cour de Noël à Angers.

1178. *19 mars.* Richard assiste à la dédicace de l'abbaye du Bec-Helloin en compagnie d'Henri II et d'Henri le Jeune.

1179. *1er novembre.* Richard assiste avec ses deux frères au sacre de Philippe Auguste à Reims.
25 décembre. Henri II réunit sa Cour de Noël à Saintes.

1180. *Hiver.* Richard assiège en Poitou les châteaux de Pons, de Richemond, de Jonsac, de Marcillac, de Courveille et d'Anville.
8 mai. Geoffroy de Rancon se rend après le siège de Taillebourg par Richard.
18 septembre. Mort de Louis VII. Philippe Auguste roi de France.

1181. *15 août.* Richard fait chevalier le comte Vivien.

1182. *25 décembre.* Henri II tient sa Cour de Noël à Caen avec ses trois fils.

1183. *Printemps.* Richard mène campagne en Limousin contre les Basques de Raymond le Brun et Guillaume Arnaud.
11 juin. Mort d'Henri le Jeune.
24 juin. Soumission à Henri II du comte Aymar de Limoges.

1184. *30 novembre.* Cour de la Saint-André à Westminster : réconciliation des frères et du père.
25 décembre. Cour de Noël.

1185. *16 mars.* Mort de Baudouin IV, roi de Jérusalem.
25 décembre. Henri II tient sa Cour de Noël à Domfront.

1186. *Printemps.* Entrevue de Philippe Auguste et d'Henri II à Gisors.
Août. Mort, lors d'un tournoi, de Geoffroy de Bretagne, deuxième frère de Richard.

1187. *25 mars.* Entrevue de Philippe Auguste et d'Henri II à Nonancourt. Des trêves sont décidées.
4 juillet. Défaite des Francs à Hâttin devant Saladin.
10 juillet. Chute d'Acre aux mains de Saladin.
6 août. Chute de Jaffa et de Beyrouth.
2 octobre. Chute de Jérusalem.

1188. *21 janvier.* Réconciliation, entre Gisors et Trie, d'Henri II et de Philippe Auguste pour organiser une croisade.
28 juillet. Violent combat entre Richard et Guillaume des Barres, chevalier proche du roi de France, près de Mantes.
18 novembre. Nouvelle entrevue d'Henri II et de Philippe Auguste à Bonmoulins. Richard se trouve aux côtés du roi de France et lui prête hommage.

1189. *Printemps.* Attaque de Richard sur le Mans pendant que Philippe Auguste entre dans Tours. Nouvelle entrevue à Colombiers.
6 juillet. Mort d'Henri II à Chinon. Richard Cœur de Lion roi d'Angleterre.
28 juin. Mort de Mathilde, sœur de Richard et duchesse de Saxe.
20 juillet. Richard investi du duché de Normandie à Rouen.
22 juillet. Première entrevue de Richard en tant que roi avec Philippe Auguste entre Chaumont et Trie.
Août. Richard arrive en Angleterre.
29 août. Mariage de Jean Sans Terre avec Havise de Gloucester.
3 septembre. Couronnement de Richard à Westminster. Violences antisémites.
5 décembre. Richard accepte l'élection de son frère bâtard Geoffroy comme archevêque d'York.
11 décembre. Richard s'embarque pour la croisade.

30 décembre. Entrevue de Richard et de Philippe Auguste au gué de Saint-Remy pour préparer la croisade.

1190. *Février.* Richard reçoit la visite d'Aliénor d'Aquitaine et d'Adélaïde, sœur du roi de France.
Mars. Nouvelles émeutes antisémites à York.
15 mars. Mort d'Isabelle de Hainaut, reine de France.
18 mai. Départ de la flotte anglaise de Dartmouth.
10 juin. Mort de Frédéric Barberousse. Henri VI empereur.
4 juillet. Cérémonie à Vézelay en présence de Richard et de Philippe Auguste. Départ de la croisade.
14-17 juillet. Richard à Lyon.
7 août. Embarquement de Richard à Marseille.
13 août. Richard à Savone.
23 août. Richard à Pise.
25 août. Richard à Porto Ercole.
28 août-13 septembre. Richard séjourne à Naples.
16 septembre. Arrivée de Philippe Auguste à Messines.
24-25 septembre. Entrevue de Richard et de Philippe Auguste à Messines.
28 septembre. Visite de Jeanne de Sicile à Richard.

1191. *Janvier.* Arrivée de Joachim de Flore auprès de Richard.
2 février. Altercation entre les deux rois.
1er mars. Entrevue de Richard et de Tancrède à Taormina.
30 mars. La flotte de Philippe Auguste quitte Messine. Aliénor y arrive le même jour.
2 avril. Départ d'Aliénor.
10 avril. Mort de Clément III. Élection du nouveau pape, Célestin III.
14 avril. Henri VI couronné roi des Romains.
17 avril. Richard aborde en Crète.
20 avril. Philippe Auguste rejoint les assiégeants d'Acre.
1er mai. Richard quitte la Crète.
9 mai. Richard rencontre les seigneurs de Chypre.
11 mai. Plusieurs hauts barons de Terre sainte viennent voir Richard à Chypre.

12 mai. Mariage de Richard avec Bérengère de Navarre.
1er juin. Isaac Ange fait prisonnier par Richard à Chypre.
5 juin. Richard quitte Chypre.
7 juin. Richard s'empare d'un vaisseau portant 1 500 Sarrasins envoyés au secours d'Acre assiégée.
8 juin. Entrée de Richard dans la baie de Saint-Jean d'Acre.
v. 15 juin-23 juin. Richard et Philippe Auguste tombent tous deux malades, atteints de « léonardie ».
17 juin. Le sultan lance des attaques sur les arrières des Francs.
3 juillet. Assaut franc contre la Tour Maudite d'Acre.
Nuit du 4 au 5 juillet. Évasion manquée de la garnison musulmane d'Acre.
5 juillet. Une brèche est faite par les hommes de Richard dans les murs d'Acre.
6 juillet. Nouvel assaut franc, infructueux.
12 juillet. Entrée des Francs dans Acre.
20 juillet. Entrevue entre Richard et Philippe Auguste.
28 juillet. Arbitrage attribuant le royaume franc à Guy de Lusignan à titre viager.
29 juillet. Nouvelle entrevue entre les deux rois.
31 juillet. Philippe Auguste s'embarque pour Tyr.
9 août. Arrivée du duc de Bourgogne à Tyr.
20 août. Massacre de 2 700 prisonniers sarrasins sur ordre de Richard.
22 août. Départ des troupes franques vers Haïfa.
5 septembre. Victoire de Richard à Arsouf sur les Sarrasins.
14 septembre. Geoffroy, archevêque d'York, débarque en Angleterre.
29 octobre. Geoffroy doit quitter l'Angleterre.
8 novembre. Entrevue de Richard et Malik el-Adil.
10 octobre. Philippe Auguste débarque à Otrante.
15 novembre-8 décembre. Occupation de Latroun et de Beit-Nuba.

1192. *13 janvier.* Défection du duc de Bourgogne devant Jérusalem.

2 avril. Retour de Jean de Longchamp en Angleterre.
18 avril. Conrad de Montferrat est tué par deux « assassins ».
5 mai. Henri de Champagne épouse Isabelle, veuve de Conrad, et est désigné comme nouveau roi de Jérusalem.
Mai. Installation de Guy de Lusignan à Chypre, désigné comme roi de l'île.
17 mai. Richard met le siège devant Ascalon.
20 juin. Attaque par Richard d'une caravane venant d'Égypte.
4 juillet. Les croisés renoncent à marcher sur Jérusalem.
26 juillet. Attaque de Jaffa par Saladin.
1er août. Richard se porte au secours de Jaffa.
5 août. Défaite de Saladin devant Jaffa.
2 septembre. Traité de Jaffa entre Saladin et les Francs : ceux-ci peuvent se rendre librement en pèlerinage sur les Lieux saints. Création d'un État franc s'étendant le long du littoral, de Tyr à Jaffa.
9 octobre. Richard embarque à Chypre.
21 décembre. Arrestation de Richard par le duc d'Autriche à Ginana, près de Vienne. Il sera retenu captif par Henri VI à Dürnstein, puis à Ochsenfurt, puis à Trifels.

1193. *Février.* L'Angleterre reçoit la nouvelle de la captivité de son roi.
28 février. Mort de Saladin.
Début mars. Entrevue de Richard et d'Henri VI.
12 avril. Philippe Auguste se fait remettre la place de Gisors.
29 juin. Accord entre Richard et Henri VI pour sa libération contre une très forte rançon.
30 mai. Hubert Gautier élu archevêque de Cantorbéry.
14 août. Mariage de Philippe Auguste et d'Ingeborg de Danemark.

1194. *Janvier.* Aliénor à Cologne.
2 février. Libération de Richard.

4 février. Richard quitte Mayence.
13 mars. Richard aborde en Angleterre.
25 mars. Richard se présente devant Nottingham occupée par les hommes de Jean Sans Terre.
28 mars. Reddition de Nottingham.
10 avril. Richard tient sa Cour de Pâques à Northampton.
17 avril. Second couronnement de Richard à Westminster.
12 mai. Départ de Richard pour la Normandie.
28 mai. Philippe Auguste, devant l'arrivée de Richard, abandonne le siège de Verneuil.
13 juin. Richard reprend Loches aux gens de Philippe Auguste.
5 juillet. A Fréteval, Richard met Philippe Auguste en déroute.
1er août. Conclusion de trêves entre les deux rois.
Été. Début de la construction par Richard du Château-Gaillard aux Andelys.

1195. *Juillet.* Escarmouches entre Français et Anglais à Issoudun.
8 novembre. Conclusion d'une nouvelle trêve entre les deux rois à Verneuil.

1196. *Janvier.* Nouvelle trêve décidée à Louviers.
Octobre. Remariage de Jeanne de Sicile avec Raymond VI de Toulouse à Rouen.

1197. *15 avril.* Richard s'empare de Saint-Valéry.
19 mai. Capture de Philippe de Dreux par Richard à Milly.
Juillet. Naissance du futur Raymond VII de Toulouse.
Septembre. Mort de Henri VI à Messine.

1198. *11 mars.* Mort de Marie de Champagne.
10 juillet. Otton de Brunswick, neveu de Richard, se présente à Aix-la-Chapelle.
28 septembre. Chute de cheval de Philippe Auguste

après un engagement avec des chevaliers anglais près de Gisors.

1199. *Janvier.* Nouvelle entrevue de Philippe Auguste et de Richard près de Vernon.
13 janvier. Nouvelle trêve (de cinq ans) entre les rois d'Angleterre et de France.
25 mars. Richard arrive à Châlus.
26 mars. Richard est atteint par une flèche tirée depuis le château de Châlus en Limousin.
6 avril. Mort de Richard Cœur de Lion.

1200. Jean Sans Terre épouse Isabelle d'Angoulême.

1203. Mort d'Aliénor d'Aquitaine.

1214. Bataille de Bouvines.

1216. Mort de Jean Sans Terre.

Tableaux et cartes

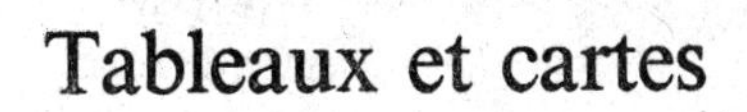

LOUIS VII

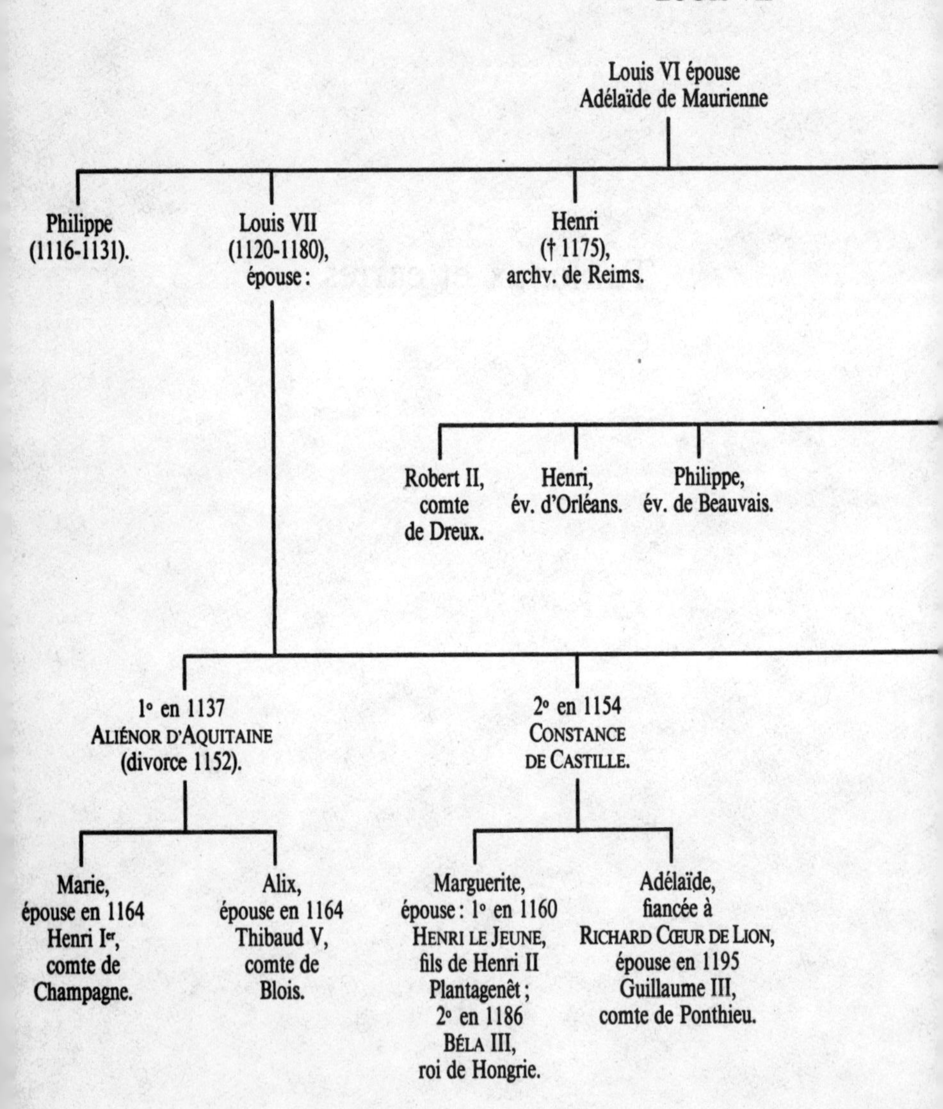

Louis VI épouse
Adélaïde de Maurienne
Philippe
(1116-1131).
Louis VII
(1120-1180),
épouse :
Henri
(† 1175),
archv. de Reims.
Robert II,
comte
de Dreux.
Henri,
év. d'Orléans.
Philippe,
év. de Beauvais.
1° en 1137
ALIÉNOR D'AQUITAINE
(divorce 1152).
2° en 1154
CONSTANCE
DE CASTILLE.
Marie,
épouse en 1164
Henri Ier,
comte de
Champagne.
Alix,
épouse en 1164
Thibaud V,
comte de
Blois.
Marguerite,
épouse : 1° en 1160
HENRI LE JEUNE,
fils de Henri II
Plantagenêt ;
2° en 1186
BÉLA III,
roi de Hongrie.
Adélaïde,
fiancée à
RICHARD CŒUR DE LION,
épouse en 1195
Guillaume III,
comte de Ponthieu.

ET SA DESCENDANCE

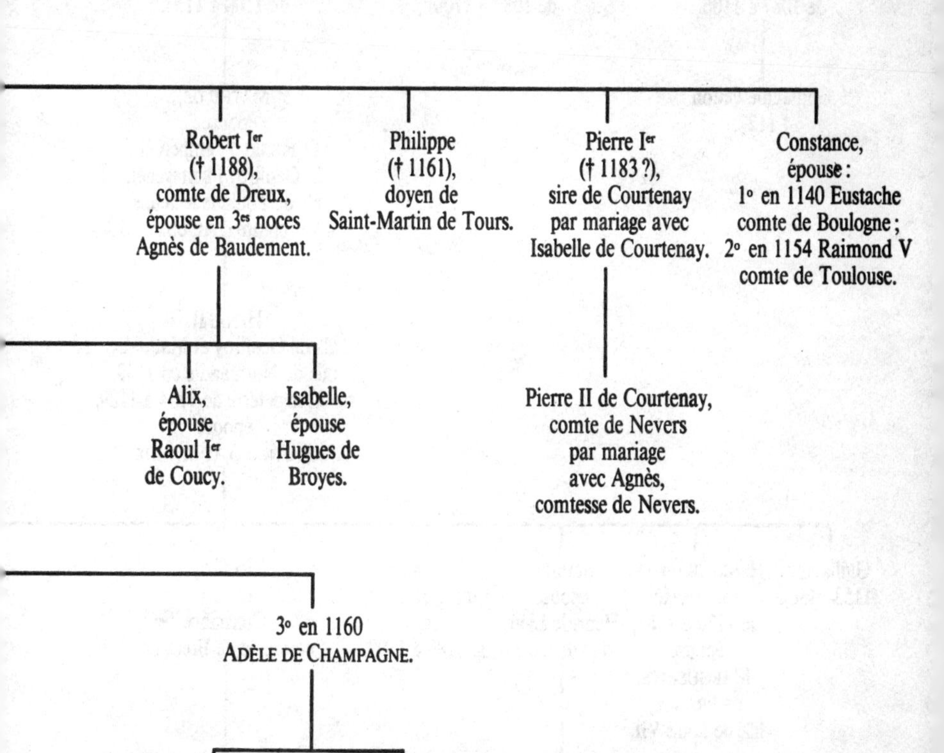

PHILIPPE AUGUSTE.

Agnès,
épouse en 1res noces,
en 1180,
ALEXIS,
empereur de Byzance.

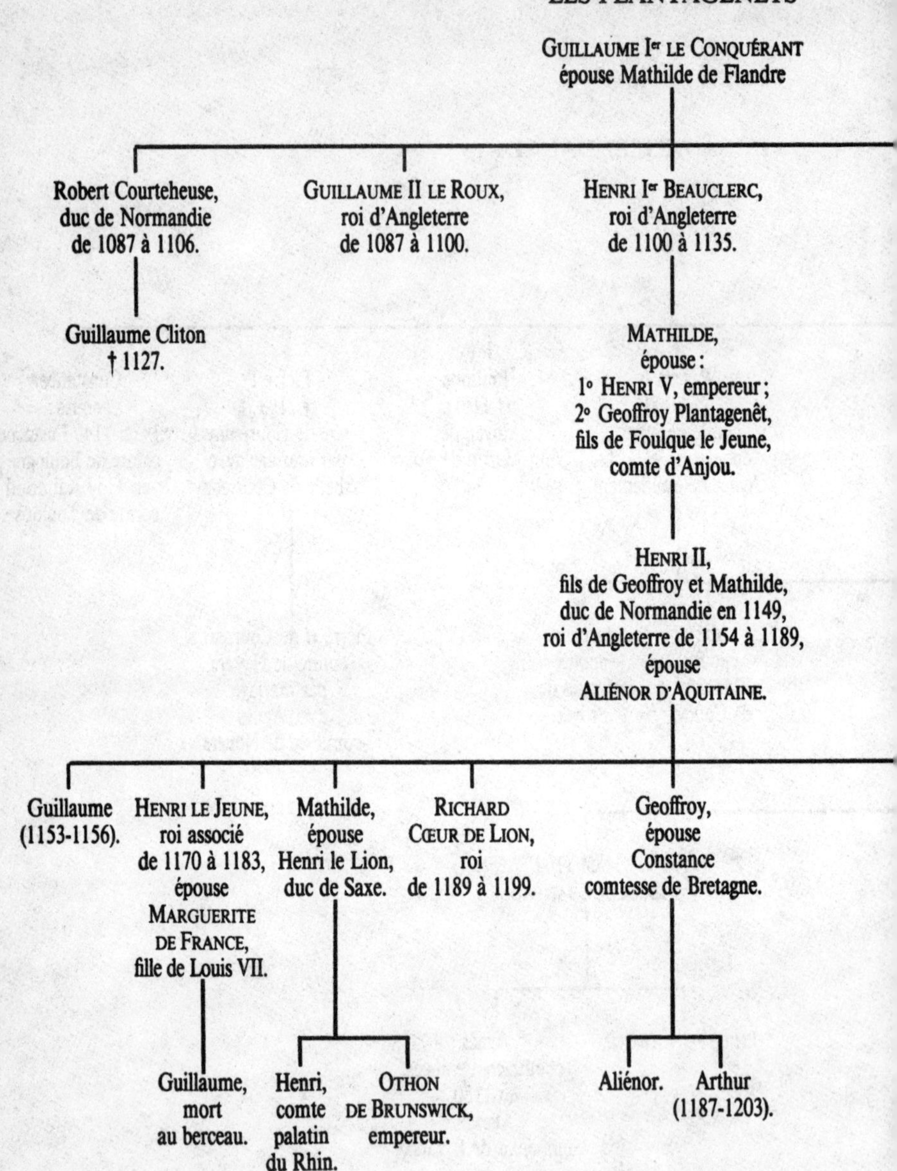
LES PLANTAGENÊTS
GUILLAUME Ier LE CONQUÉRANT
épouse Mathilde de Flandre
Robert Courteheuse,
duc de Normandie
de 1087 à 1106.
GUILLAUME II LE ROUX,
roi d'Angleterre
de 1087 à 1100.
HENRI Ier BEAUCLERC,
roi d'Angleterre
de 1100 à 1135.
Guillaume Cliton
† 1127.
MATHILDE,
épouse :
1° HENRI V, empereur ;
2° Geoffroy Plantagenêt,
fils de Foulque le Jeune,
comte d'Anjou.
HENRI II,
fils de Geoffroy et Mathilde,
duc de Normandie en 1149,
roi d'Angleterre de 1154 à 1189,
épouse
ALIÉNOR D'AQUITAINE.
Guillaume
(1153-1156).
HENRI LE JEUNE,
roi associé
de 1170 à 1183,
épouse
MARGUERITE
DE FRANCE,
fille de Louis VII.
Mathilde,
épouse
Henri le Lion,
duc de Saxe.
RICHARD
CŒUR DE LION,
roi
de 1189 à 1199.
Geoffroy,
épouse
Constance
comtesse de Bretagne.
Guillaume,
mort
au berceau.
Henri,
comte
palatin
du Rhin.
OTHON
DE BRUNSWICK,
empereur.
Aliénor.
Arthur
(1187-1203).

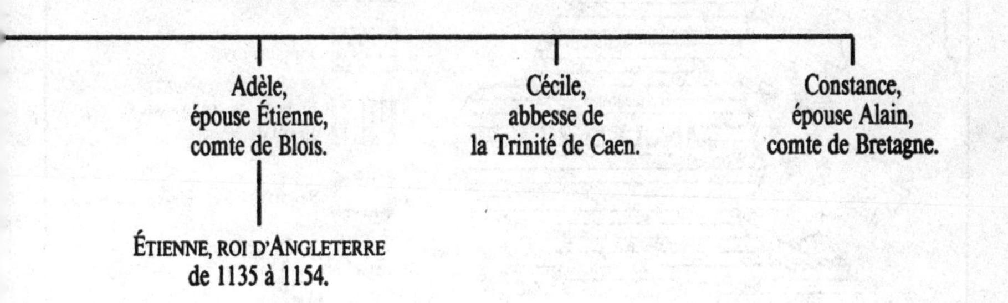
Adèle,
épouse Étienne,
comte de Blois.
Cécile,
abbesse de
la Trinité de Caen.
Constance,
épouse Alain,
comte de Bretagne.
ÉTIENNE, ROI D'ANGLETERRE
de 1135 à 1154.

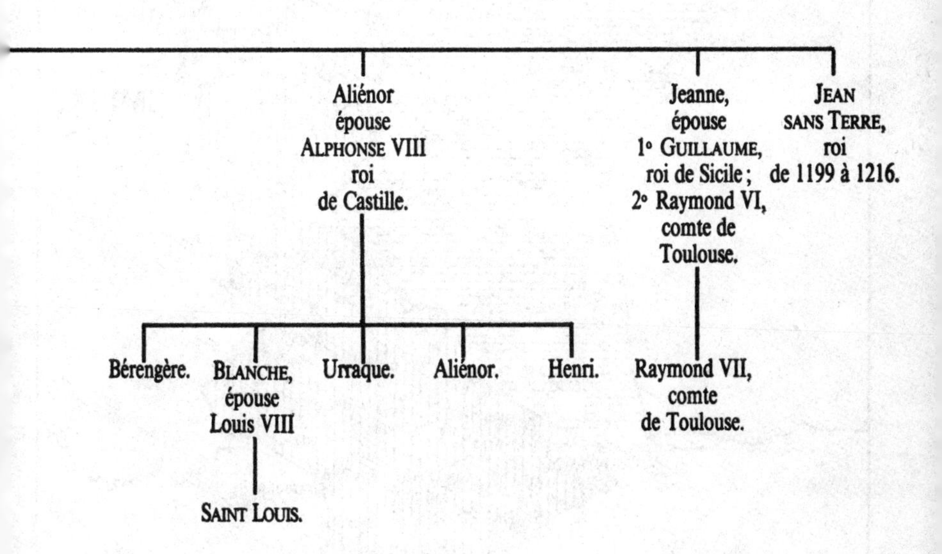
Aliénor
épouse
ALPHONSE VIII
roi
de Castille.
Jeanne,
épouse
1° GUILLAUME,
roi de Sicile;
2° Raymond VI,
comte de
Toulouse.
JEAN
SANS TERRE,
roi
de 1199 à 1216.
Bérengère.
BLANCHE,
épouse
Louis VIII
Urraque.
Aliénor.
Henri.
Raymond VII,
comte
de Toulouse.
SAINT LOUIS.

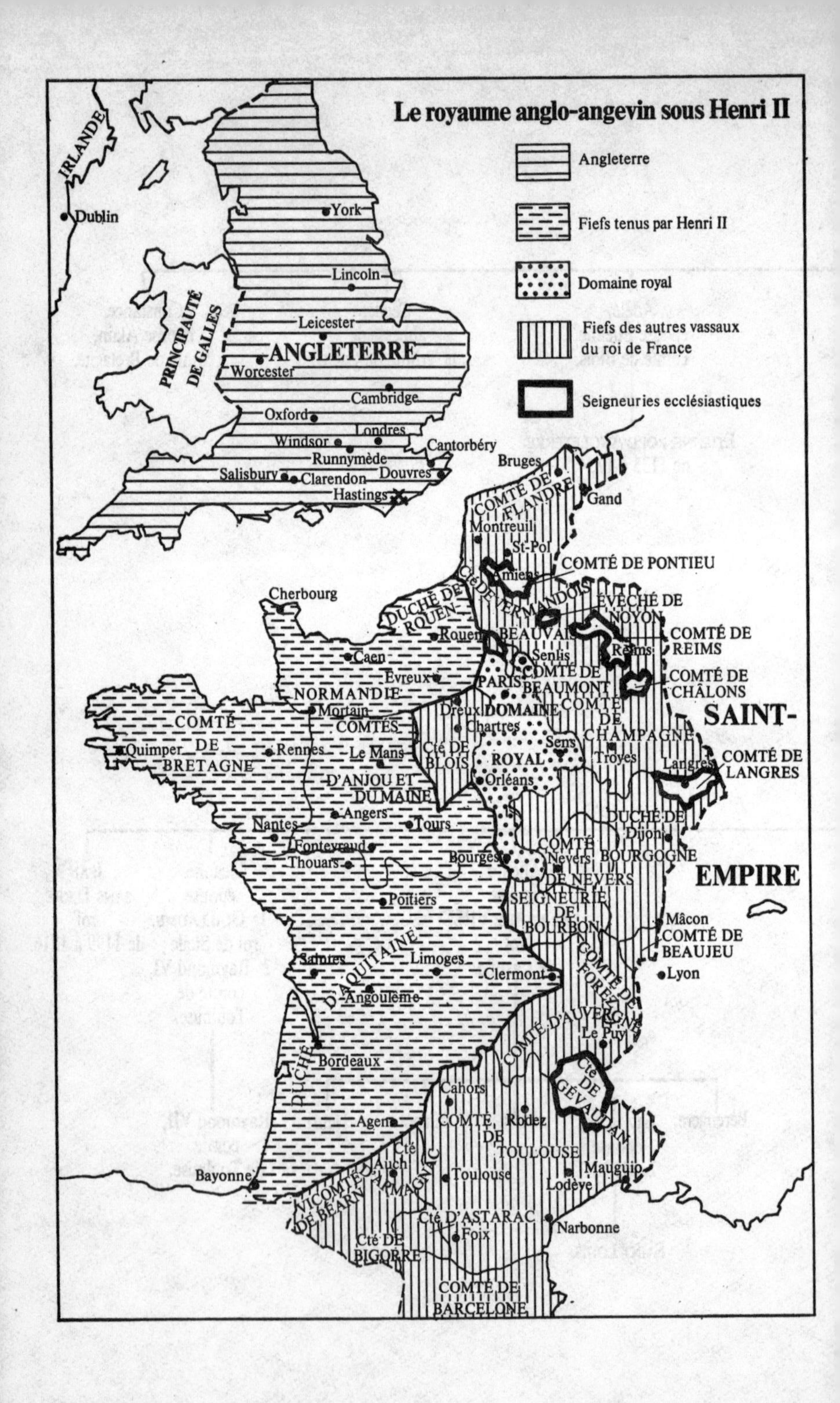
Le royaume anglo-angevin sous Henri II
Angleterre
Fiefs tenus par Henri II
Domaine royal
Fiefs des autres vassaux du roi de France
Seigneuries ecclésiastiques
IRLANDE
Dublin
York
Lincoln
PRINCIPAUTÉ DE GALLES
Leicester
ANGLETERRE
Worcester
Cambridge
Oxford
Londres
Windsor
Runnymède
Cantorbéry
Salisbury
Clarendon
Douvres
Hastings
Bruges
COMTÉ DE FLANDRE
Gand
Montreuil
St-Pol
COMTÉ DE PONTIEU
Amiens
Cté DE VERMANDOIS
ÉVÊCHÉ DE NOYON
Cherbourg
DUCHÉ DE ROUEN
Rouen
BEAUVAIS
COMTÉ DE REIMS
Reims
Caen
Senlis
COMTÉ DE CHÂLONS
Evreux
PARIS
COMTÉ DE BEAUMONT
NORMANDIE
Dreux
DOMAINE
COMTÉ DE CHAMPAGNE
SAINT-
Mortain
COMTÉS
Chartres
COMTÉ DE BRETAGNE
Quimper
Rennes
Le Mans
Cté DE BLOIS
Sens
ROYAL
Troyes
Langres
COMTÉ DE LANGRES
D'ANJOU ET DU MAINE
Orléans
Angers
Nantes
Tours
DUCHÉ DE BOURGOGNE
Dijon
Fontevraud
COMTÉ DE NEVERS
Nevers
Thouars
Bourges
EMPIRE
SEIGNEURIE DE BOURBON
Poitiers
Mâcon
COMTÉ DE BEAUJEU
COMTÉ DE FOREZ
DUCHÉ D'AQUITAINE
Saintes
Limoges
Clermont
Lyon
Angoulême
COMTÉ D'AUVERGNE
Le Puy
Bordeaux
Cté DE GÉVAUDAN
Cahors
COMTÉ DE TOULOUSE
Rodez
Agen
Cté D'ARMAGNAC
Auch
Toulouse
Mauguio
Bayonne
Lodève
VICOMTÉ DE BÉARN
Cté D'ASTARAC
Narbonne
Foix
Cté DE BIGORRE
COMTÉ DE BARCELONE

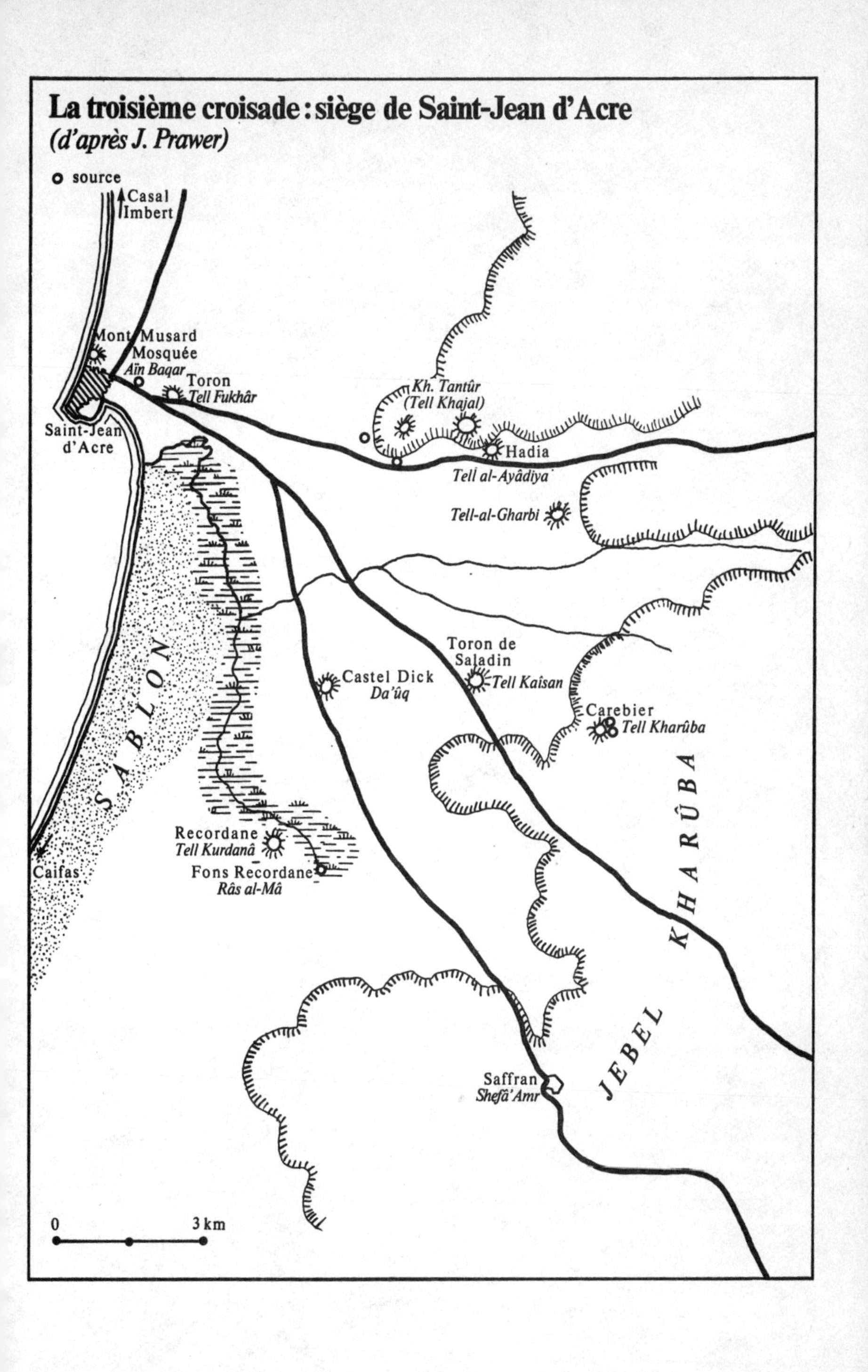

La troisième croisade : siège de Saint-Jean d'Acre
(d'après J. Prawer)

Gisants de Richard Cœur de Lion et d'Aliénor d'Aquitaine à Fontevraud. *Photo Roger-Viollet.*

Indications bibliographiques

1. Principales chroniques publiées dans les « Rolls Series »

Coggeshall, (Ralph de), *Chronicon Anglicanum*, ed. J. Stevenson, 1875. (R.S.66.)

Coventry (Walter de), *Memoriale Fratris Walteri de Conventria*, ed. W. Stubbs, 2 vol., 1872-1873. (R.S.58.)

Diceto (Ralph de), *Opéra Historica*, ed. W. Stubbs, 2 vol., 1876. (R.S.68.)

Hoveden (Roger de), *Chronica Magistri Rogeri de Hovedene*, ed. W. Stubbs, 4 vol., 1868-1871. (R.S.51.)

Itinerarium Peregrinorum et Gesta Regis Ricardi in vol. i of *Chronicles and Memorials of the Reign of Richard I*, ed. W. Stubbs, 2 vol., 1864-1865. (R.S.38.)

Matthew Paris, *Chronica Majora*, ed. H.R. Luard, 7 vol., 1872-1884. (R.S.57.)

Newburgh (William de) *in Chronicles of the Reigns of Stephen, Henry II and Richard I*, ed. R. Howlett, 2 vol., 1884-1885. (R.S.84.)

Peterborough (Benedict de), *Gesta Regis Henrici Secundi... the Chronicles of the Reigns of Henry II and Richard I*, A.D. 1169-1192, ed. W. Stubbs, 2 vol., 1862. (R.S.49.)

2. Autres chroniques

Devizes (Richard de) *Chronica*, ed. R. Howlett (R.S.82), Londres, 1887.
Barri (Giraud de) *De principis instanctione liber*, ed. G.F. Warner (R.S.21), 1891.
Récits d'un ménestrel de Reims, éd. Natalis de Wailly, Paris, 1876.
Ambroise, *L'Estoire de la Guerre sainte*, éd. G. Paris, Paris, 1897.
Anonyme, *Le Livere de reis de Engleterre*, ed. John Glover, Londres, 1865.
Les chroniqueurs de l'époque de Richard ont fait l'objet d'excellentes études critiques de la part de Reto Bezzola, *Les Origines et la formation de la littérature courtoise en Occident,* 3e partie, t. I, Paris, Champion, 1963. *Cf.* notamment pp. 207-227.
Anonyme, *La Vie de Guillaume le Maréchal*, qui avait fait l'objet dès 1903 d'une excellente publication avec traduction due à Paul Meyer, a été utilisée ici d'après l'ouvrage remarquable de Sidney Painter, *William Marshal Knight-errant, baron and Regent of England*, John Hopkins Press, 1933, reprints 1982. Johnston (R.C.), « An Anglo-Norman Chronicle of the Crusade and Death of Richard Ier », *Studies in Medieval French Presented to A. Ewert*, Oxford, 1961.

Principaux ouvrages consultés

Boussard (Jacques), *Le Gouvernement d'Henri II Plantagenêt*, Lib. d'Argences, Paris, 1956.
Boussard (Jacques), *Le Comté d'Anjou sous Henri Plantagenêt et ses fils* (1151-1204), Paris, Champion, 1938.
Broughton (Bradford B.), *The Legends of King Richard I Cœur de Lion, A Study of Sources and Variations to the year 1600*, La Haye-Paris, Mouton, 1966.
Gillingham (John), *Richard the Lion Heart*, Londres, 1976.
Kelly (Amy), *Eleanor of Aquitaine and the Four Kings*, Londres, 1952.

Norgate (Kate), *Richard the Lion Heart*, Londres, 1924.
Pernoud (Régine), *Aliénor d'Aquitaine*, Paris, 1970.
Richard (Alfred), *Histoire des comtes de Poitou*, Paris, 1903, 2 vol. gd. in.

En ce qui concerne les Croisades, on trouvera une bibliographie très complète dans l'ouvrage de Joshua Prawer, *Histoire du Royaume latin de Jérusalem*, Paris, éd. du C.N.R.S., 1975, 2 vol. in 4., t. I, pp. 22-85. Les citations de l'ouvrage de René Grousset, *Histoires des Croisades et du royaume franc de Jérusalem*, sont tirées de la réédition de 1981. Rappelons les ouvrages de Jean Richard, *Le Royaume latin de Jérusalem*, P.U.F., 1953 ; de Franco Cardini, *Le Crociate tra il mito e la storia*, Instituto di cultura Nova Civitas, 1971 ; et aussi nos études sur *Les Hommes de la croisade*, Fayard, 1982, et *Aliénor d'Aquitaine*, Albin Michel, 1965.

Enfin citons quelques études de détail auxquelles le lecteur peut avoir intérêt à recourir : Labande (E.-R.), « Les filles d'Aliénor d'Aquitaine » dans *Cahier de civilisation médiévale*, XXIX n° 1-2, janvier-juin 1986, pp. 101-112.

Saint-Léonard et le chemin de saint Jacques en Limousin XIe-XVIIIe siècles, catalogue de l'exposition organisée par le Centre d'études compostellanes, 1985.
Saint-Léonard de Noblat au temps des Capétiens, Xe-XVe siècle, organisée par Connaissance et sauvegarde de Saint-Léonard, par M. Tandeau de Marsac.

Et sur les Sirventès de Richard Cœur de Lion : Labareyre (Françoise de), *La Cour littéraire du Dauphin d'Auvergne*, Clermont-Ferrand, 1976.

Sur sa mort :

Arbellot (Françoise), « La vérité sur la mort de Richard Cœur de Lion », *Bulletin de la Société archéologie-histoire Limousin*, IV (1878), pp. 161, 260, 372-387.

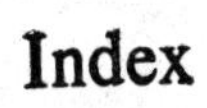
Index

Table des matières

DANS LA MÊME COLLECTION

Pierre AUBÉ	*Godefroy de Bouillon*
	Thomas Becket
Françoise AUTRAND	*Charles VI*
Jean-Pierre BABELON	*Henri IV*
Michel BAR-ZOHAR	*Ben Gourion*
Jean BÉRENGER	*Turenne*
Guillaume de BERTIER de SAUVIGNY	*Metternich*
Jean-Paul BLED	*François-Joseph*
François BLUCHE	*Louis XIV*
Michel de BOÜARD	*Guillaume le Conquérant*
Michel CARMONA	*Marie de Médicis*
	Richelieu
Duc de CASTRIES	*Mirabeau*
Pierre CHEVALLIER	*Louis XIII*
	Henri III
Eugen CIZEK	*Néron*
Ronald W. CLARK	*Benjamin Franklin*
André CLOT	*Soliman le Magnifique*
	Haroun al-Rachid
Ivan CLOULAS	*Les Borgia*
	Catherine de Médicis
	Laurent le Magnifique
	Henri II
André CORVISIER	*Louvois*
Liliane CRÉTÉ	*Coligny*

Daniel DESSERT	*Fouquet*
Jean DEVIOSSE	*Jean le Bon*
Michel DUCHEIN	*Marie Stuart*
Jacques DUQUESNE	*Saint Éloi*
Georges-Henri DUMONT	*Marie de Bourgogne*
Danielle ELISSEEFF	*Hideyoshi*
Jean ELLEINSTEIN	*Staline*
Paul FAURE	*Ulysse le Crétois*
	Alexandre
Jean FAVIER	*Philippe le Bel*
	François Villon
	La Guerre de Cent Ans
Marc FERRO	*Pétain*
Lothar GALL	*Bismarck*
Max GALLO	*Garibaldi*
Louis GIRARD	*Napoléon III*
Pauline GREGG	*Charles Ier*
Pierre GRIMAL	*Cicéron*
Pierre GUIRAL	*Adolphe Thiers*
Léon E. HALKIN	*Érasme*
Brigitte HAMANN	*Élisabeth d'Autriche*
Jacques HARMAND	*Vercingétorix*
Jacques HEERS	*Marco Polo*
	Machiavel
François HINARD	*Sylla*
Eberhard HORST	*César*
Gérard ISRAËL	*Cyrus le Grand*
Jean JACQUART	*François Ier*
	Bayard
Paul Murray KENDALL	*Louis XI*
	Richard III
	Warwick le Faiseur de Rois
Yvonne LABANDE-MAILFERT	*Charles VIII*
Claire LALOUETTE	*L'Empire des Ramsès*
	Thèbes
André LE RÉVÉREND	*Lyautey*
Évelyne LEVER	*Louis XVI*
	Louis XVIII
Robert K. MASSIE	*Pierre le Grand*

Pierre MIQUEL	*La Grande Guerre*
	Histoire de la France
	Poincaré
	La Seconde Guerre mondiale
	Les Guerres de religion
Inès MURAT	*Colbert*
	La IIe République
Daniel NONY	*Caligula*
Stephen B. OATES	*Lincoln*
Joseph PÉREZ	*Isabelle et Ferdinand, Rois catholiques d'Espagne*
Régine PERNOUD	*Jeanne d'Arc*
	Les Hommes de la Croisade
Jean-Christian PETITFILS	*Le Régent*
Claude POULAIN	*Jacques Cœur*
Bernard QUILLIET	*Louis XII*
Jean RICHARD	*Saint Louis*
Pierre RICHÉ	*Gerbert d'Aurillac*
Jean-Paul ROUX	*Babur*
Yves SASSIER	*Hugues Capet*
Klaus SCHELLE	*Charles le Téméraire*
William SERMAN	*La Commune de Paris*
Daniel Jeremy SILVER	*Moïse*
Jean-Charles SOURNIA	*Blaise de Monluc*
Laurent THEIS	*Dagobert*
Jean TULARD	*Napoléon*
Bernard VINOT	*Saint-Just*

Cet ouvrage a été réalisé sur
Système Cameron
par la SOCIÉTÉ NOUVELLE FIRMIN-DIDOT
Mesnil-sur-l'Estrée
pour le compte des Éditions Fayard
le 21 mars 1988

35-14-7510-01
ISBN 2-213-01737-9
dépôt légal : mars 1988
numéro d'éditeur : 8546
imprimé en France

35-7510-7